교과세특
탐구주제바이블
자연계열편

CampusMentor
캠퍼스멘토 ×

저자 소개

한승배
양평전자과학고등학교 진로전담교사 재직중

▎'10대를 위한 직업백과', '미리 알아보는 미래 유망직업',
'학과바이블', '홀랜드 유형별 유망 직업 사전' 등 단행본 다수 집필
▎'2009·2015 개정 교육과정 중학교 및 고등학교 진로와 직업'
교과서 집필, '드림온 스토리텔링' 및 '원하는 진로를 잡아라' 보드게임 개발

강서희
안양여자상업고등학교 진로전담교사 재직중

▎'홀랜드 유형별 유망 직업 사전', '페이스메이커',
'미디어 활용 진로 탐색 워크북' 집필
▎'원하는 진로를 잡아라' 및 '드림온 스토리텔링' 보드게임 개발,
고등학교 '진로와 직업' 2015 개정 교육과정 인정도서 심의위원

근장현
대지중학교 진로전담교사 재직중

▎'대한민국 미래교육 콘서트' 집필
▎경기도교육청 정책실행연구회 회장, 경기도 진로진학상담교사협의회
부회장, 네이버 지식인 학교생활 컨설턴트, 중학교 '진로와 직업'
2015 개정 교육과정 인정도서 심의위원

김강석
숭신여자고등학교 진로전담교사 재직중

▎'학과바이블', '나만의 진로 가이드북', '진로 포트폴리오
하이라이트(고등학교)' 등 단행본 및 교과서 다수 집필
▎경기도 진로진학상담교사협의회 부회장, 2009·2015 개정 교육과정 및
성취기준 연구, 방송통신중 교육 콘텐츠 개발 참여

김미영
수지고등학교 화학과 교사 재직중

▎'2015 개정 교육과정 화학 교과 STEAM' 자료개발 및 교사 연수 강사,
'블렌디드 러닝 화학교과' 성장 중심 자료개발 참여
▎경기도 화학교육연구회 및 경기도 신과수교육연구회 연구위원,
교과 연계 민주시민교육실천 교사연구회 연구위원,
중등 1급 정교사 자격연수(화학) 멘토링

김수영
죽전고등학교 수학과 교사 재직중

▎경기도 수업비평교육연구회 및 경기도 수학교육연구회 연구위원

김준희
죽전등학교 진로전담교사 재직중

▎'경기도 진로교육 생태계' 집필
▎교육부 네이버지식iN 학교생활컨설턴트, 경기도 진로교육 실천사례
연구대회 심사위원, 고등학교 '진로와 직업' 2015 개정 교육과정 인정도서
심의위원

김호범
호원중학교 수석교사 재직중

▎'전통교육에 기초한 단비교육', '2030년에 삶이 살아 숨 쉬는 수학수업',
'단비 수학선생님' 집필
▎전 자카르타한국국제학교 교감

노동기
상현고등학교 체육과 교사 재직중

▎'체대입시 따라잡기 정시전략편', '체대입시 따라잡기 수시전략편' 집필
▎내일교육 '체대입시 칼럼' 기고

배수연
늘푸른고등학교 지리과 교사 재직중

▎전국연합출제위원, 도단위 NTTP 교과연구회 연구위원
▎경기혁신교육모니터단

신경섭

수일고등학교 진로전담교사 재직중

▌경희대학교 입학사정관 교사위원, 안산교육청 진로진학지원단
▌전국연합학력 출제위원, 고입검정고시 출제위원, 고입자기주도학습 전형위원

안병무

여강중·고등학교 진로전담교사 재직중

▌'우리는 체인지메이커' 집필
▌고등학교 '진로와 직업' 2015 개정 교육과정 인정도서 심의위원, 경기중등진로진학상담교육 연구회 분과장, 학생 진로교육 사이버 인증 시스템 개발위원, 정부 부처 연계진로체험 사업 자문위원, APEC 국제교육협력단 파견(AIV)

위정의

충현중학교 진로전담교사 재직중

▌'교과 연계 독서토론 워크북', '두근두근 미래직업체험 워크북' 집필
▌경기도교육청 독서교육 지원단, 경기도교육청 자격연수 논술평가 출제 및 검토위원, 중등 1급 정교사 국어과 자격연수 강사, 경기도중등진로교육연구회 연구위원

유현종

성남외국어고등학교 영어과 교사 재직중

▌'심화영어I' 집필, '심화영어회화I' 검토
▌중·고등학생 영어듣기평가 검토위원, 경기도 전국연합학력평가 문항검토위원, 2012년 경기도교육청 인정도서심의회 심의위원, 2015 개정 교육과정 영어과 교육과정 보고서, 경기도교육청 외고·국제고 교육과정운영 지원단

이남설

수원외국어고등학교 진로전담교사 재직중

▌'진로 포트폴리오 하이라이트(고등학교)' 집필, '교과세특 및 진로기반 학생부 프로그램' 개발
▌고3 전국연합학력평가 출제 및 검토위원, 주요 대학 교사 자문위원

이남순

동백고등학교 진로전담교사 재직중

▌'기업가정신으로 플레이하자', '꿈틀꿈틀 기업가정신 워크북', '서술형평가 ROADVIEW', '고3 담임 매뉴얼' 집필
▌경기도중등진로교육연구회 연구위원, 경기도중국어교육연구회 연구위원, 전국연합학력평가 출제위원, 경기도진학지도지원단, 대교협 대표강사

최미경

서현고등학교 윤리과 교사 재직중

▌2020 전국현장교육연구대회 1등급 수상
▌단국대학교 논술고사 검토위원, 학교생활기록부 컨설팅 지원단

하희

구리여자중학교 진로전담교사 재직중

▌'학과바이블', '나만의 진로가이드북', '진로 포트폴리오 스포트라이트(중학교)', '두근두근 미래직업 체험 워크북', '똑똑 기업가정신', '블랜디드 수업에 기업가정신을 담다' 집필
▌경기도 진로교육연구회 연구위원

서 문

대학입학제도 개편방안과 대입공정성 강화방안, 그리고 2023 서울대학교 입시 예고안이 발표되었습니다. 이에 따르면 교과 활동 중 과목별 세부능력 및 특기사항(교과세특)에 기록된 내용이 학생부종합전형의 평가에서 가장 중요한 영역이 될 것으로 보입니다. 따라서 수업과정 중의 활동이나, 연계된 다양한 활동은 대학에서 가장 중요하게 평가하는 요소로 자리매김할 것입니다. 바로 여기에 탐구주제 활동의 중요성이 있습니다. 교과 수업과 관련하여 자신이 더 알고 싶거나 궁금한 탐구주제에 대해 자기주도적인 연구 활동이나 발표, 보고서, 토론 활동 내용들이 과목별 세부능력 및 특기사항란에 기록되기 때문입니다.

이 책에는 그 중요성이 더욱 커지고 있는 교과세특의 필수 요소인 탐구 주제에 관한 모든 것을 담았습니다.

하지만 자신의 전공분야에 대해 호기심을 가지고 교과별, 전공별 탐구 주제를 선정하는 것은 매우 힘든 부분입니다. 어렵게 탐구 주제를 선택하였다고 할지라도 주제가 너무 쉽거나 흔하다든지 또는 고등학교 수준에서 접근하기 어려운 주제라 이를 탐구하는 과정에 너무 많은 시간과 에너지를 소비하게 되는 문제가 발생합니다.

이 책에는 학생들이 가장 어려워하는 탐구주제 선정 문제 해결을 위해 다양하고 구체적인 내용의 탐구 주제를 담았습니다. 먼저, 대학의 학과를 7개 계열(인문계열, 사회계열, 자연계열, 공학계열, 의학계열, 예체능계열, 교육계열) 등으로 나누고, 2015 개정 고등학교 교육과정의 핵심 과목인 '국어과, 사회과, 도덕과, 수학과, 과학과, 영어과' 등의 일반 선택과목과 진로선택 과목을 선정하였습니다. 그리고 제시된 모든 교과에서 성취기준을 분석하여 7개 계열과 계열별 대표학과에 적합한 탐구 주제를 제시하고 있습니다. 이 책에 제시된 다양한 교과별 탐구 주제를 참고하여, 학생들 스스로 더욱 확장되거나 심화된 주제를 찾아서 연구해 본다면 더욱 좋을 것입니다. 평소에 무심코 시나쳤던 것들에 대해 관심과 의문을 가지고 주제를 찾아보고, 탐구를 통해 질문의 답을 찾아가는 과정은 대학에서 요구하는 가장 중요한 핵심 역량이기도 합니다.

입시 정책은 항상 변화합니다. 변화에 주저하고, 혼란스러워하면 자신에게 주어진 시간을 낭비하는 것입니다. 상황을 분명하게 인식하고 정확한 내용을 파악하여 발 빠르게 대처한다면 누구나 좋은 결과를 얻을 수 있습니다. 이 책에 제시된 탐구할 주제들은 예시 자료입니다. 학생 개개인의 적성과 진로, 흥미를 고려하여 자신에게 적합한 주제를 정해서 열심히 탐구한다면 여러분에게 많은 도움이 될 것입니다. 지금 이 시간에도 자신의 진로를 찾기 위해 열심히 노력하고 있을 대한민국의 모든 고등학생들을 진심으로 응원합니다.

이 책의 활용상 유의점

1.

이 책은 2015 개정 고등학교 교육과정 보통교과군(국어/사회(도덕, 역사 포함)/영어/과학/수학)과 예체능 계열의 경우 보통교과군 외 예술체육 교과군(체육/음악/미술)의 일반 선택 및 진로 과목의 성취기준 분석을 바탕으로 약 4,000여개의 탐구 주제를 추출하였습니다.

2.

이 책은 교과별 구분 이외에 인문, 사회, 자연, 공학, 의약, 예체능, 교육 등 7개 계열과 해당 계열별 핵심 학과별로 구분하여 탐구 주제를 제시하였으므로 자신의 희망 진로에 맞는 탐구 주제를 활용할 수 있습니다.

3.

학생들은 교과의 단원, 성취기준을 학습하는데 발생하는 호기심을 기반으로 심화된 내용에 대해 탐구하고자 하는 주제를 선택하고 자신의 희망 전공에 맞게 내용을 응용 및 재구성, 심화하여 사용하는 것을 권장합니다.

4.

자신의 진로 분야에 맞는 내용만 활용하기 보다는 다른 분야의 같은 단원, 성취기준 내용의 탐구 주제 내용을 참고하여 2~3개의 주제를 통합하여 주제를 선정하는 것을 권장합니다.

5.

같은 주제라고 할지라도 접근하는 방법 및 과정에 따라, 그리고 결과물을 통해 배우고 느낀점에 따라 학교생활기록부의 교과별 세부능력특기사항에 입력되는 내용이 달라질 수 있습니다. 그러므로 탐구 결과뿐만 아니라 과정에 대한 구체적인 기록이 필요합니다.

6.

이 책에서 제시한 탐구 주제는 하나의 예시 자료이며, 해당학과의 탐구 주제를 대변하는 절대적인 주제가 아니므로 학생들은 학교& 학생의 상황 및 시대적인 이슈에 맞게 주제를 융통성 있게 변형하여 사용하는 것을 추천합니다.

이 책의 구성

교과군

상단의 타이틀을 통해 교과군의 이름을 확인할 수 있습니다.
보통 교과군(국어과·사회과·수학과·과학과·영과)으로 구성되어 있습니다.

세부 과목명과 핵심 키워드

교과군 내 세부과목과 해당 과목 탐구주제의 핵심 키워드를 미리 살펴봅니다. 그리고 체크박스를 활용하여 관련 키워드를 알고 있는지 여부를 체크해볼 수 있습니다.

영역과 성취기준

영역은 해당 과목의 단원에 해당합니다. 각 영역별 성취기준을 정리하였으며, 성취기준을 기반으로 폭넓게 생각해볼 수 있는 탐구주제를 제시하였습니다.

국어과

국어과 1

국어

핵심키워드

☐ 사회적 이슈 ☐ 글쓰기 ☐ 세계대회 중계 ☐ 중립성 ☐ 애국주의적 관점 ☐ 음악 분야의 활동 인물 ☐ 음악계열 진로설계 ☐ 2018 자카르타-팔렘방 아시안게임 ☐ 야구 대표팀 ☐ 운동선수 병역특례법

영역 **읽기**

성취기준

[10국02-02] 매체에 드러난 필자의 관점이나 표현 방법의 적절성을 평가하며 읽는다.

▶ 읽기가 독자의 머릿속에서 자신만의 독창적인 의미를 구성하는 것이 아니라 독자가 속한 구체적인 상황과 사회·문화적인 맥락 속에서 다른 구성원들과 상호 작용하며 의미를 만들어 가는 과정임을 이해하고, 글을 읽는 자세를 기르기 위해 설정하였다.

[10국02-05] 자신의 진로나 관심사와 관련된 글을 자발적으로 찾아 읽는 태도를 지닌다.

탐구주제

1.국어 — 읽기

1. 사회적 이슈(난민문제, 청소년 범죄, 과잉진압, 아동학대, 사회적 거리두기 등)에 관한 글을 읽고 자신의 구체적 상황이나 사회·문화 및 역사적 배경을 고려하여 그 문제에 대한 자신의 생각을 글로 작성해 보자. 작성한 글을 참고하여 자신의 생각을 발표하는 영상을 촬영해 보자.

관련학과

만화애니메이션학과, 미디어영상학과, 사진학과

2. 올림픽이나 아시안게임, 월드컵 등 세계대회 중계의 일부분을 발췌하여 읽어 보자. 그 내용 중에서 중립성을 지키지 못하고 애국주의적인 관점에서 해설한 부분을 찾고, 본인의 생각을 정리해 발표해 보자.

관련학과

경호학과, 공연예술학과, 무용학과, 체육학과, 사회체육학과, 스포츠경영학과, 스포츠건강관리학과, 스포츠과학과, 한국무용전공, 현대무용전공, 발레전공, 태권도학과

12

탐구주제

1.국어 — 읽기

③ 음악 분야(작곡가, 뮤지컬가수, 음악감독, 지휘자, 무대행사 음악기획자, 피아니스트 등)에서 활동하는 인물의 인터뷰를 읽어보거나 영상을 시청해 보자. 그리고 관련 분야의 진로를 준비하려면 필요한 것이 무엇인지 조사하여 토론해 보자.

관련학과

국악과, 기악과, 만화애니메이션학과, 미디어영상학과, 성악과, 실용음악과, 음악학과, 작곡과

영역 쓰기

성취기준

[10국03-01] 쓰기는 의미를 구성하여 소통하는 사회적 상호 작용임을 이해하고 글을 쓴다.

▶ 쓰기가 의미를 구성하는 과정이라는 점과 구성한 의미를 독자와 소통하는 사회적 상호 작용이라는 점을 이해하고 글을 쓰는 자세를 기르기 위해 설정하였다. 필자는 쓰기 맥락을 고려하는 가운데 자신이 가지고 있는 배경지식과 다양한 자료에서 얻은 내용을 과정에 따라 종합하고 조직하고 표현하면서 의미를 구성한다.

탐구주제

1.국어 — 쓰기

① 지난 2018 자카르타-팔렘방 아시안게임 야구 국가대표팀의 선발과정이 논란에 휩싸였었다. 관련 기사를 찾아서 읽어 본 후 우리나라 운동선수와 관련된 병역특례법을 이해하고 문제점과 해결 방안에 대한 본인의 생각을 정리하여 발표해 보자.

관련학과

경호학과, 체육학과, 사회체육학과, 생활체육학과, 스포츠경영학과, 스포츠건강관리학과, 스포츠과학과, 태권도학과

활용 자료의 유의점

- ⓘ 본인의 생각을 표현할 수 있는 일러스트레이션이나 영상을 제작
- ⓘ 본인이 관심 있는 인물의 인터뷰나 영상을 수업 전에 조사해오는 것을 권장
- ⓘ 평소에 관심을 가지고 있거나 체육수업시간에 했던 스포츠 종목을 바탕으로 소재 탐색

MEMO

교과세특탐구주제 바이블 자연계열편 13

탐구주제와 관련학과

교과세특 탐구주제와 함께 관련학과를 제시함으로써, 학생들이 자신의 희망 전공과 관련한 탐구주제인지 확인할 수 있도록 돕습니다.

활용 자료의 유의점

해당 과목의 탐구주제 활용 시에 참고해야 할 점을 제시하였습니다.

MEMO

탐구주제와 관련된 내용을 메모란에 자유롭게 적어보세요.

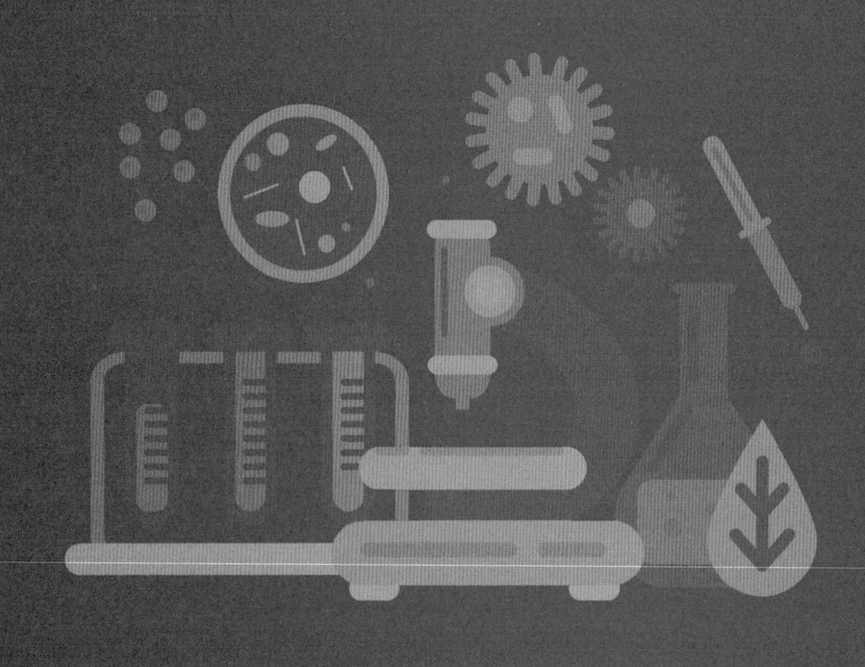

교과세특 탐구주제바이블 자연계열편

자연계열편

국어과 교과과정

국어

핵심키워드

☐ 스마트팜 ☐ 플라스틱 사용규제 ☐ 게놈 역학 ☐ 공동데이터 ☐ 신재생 에너지 ☐ 침묵의 봄 ☐ 이기적 유전자
☐ 미래 식량 ☐ 냉동기술 ☐ 동물실험 ☐ 동물복지 ☐ 비거니즘 ☐ 환경보호 ☐ 전염병 ☐ 갈바니즘

영역 듣기·말하기

성취기준

[10국01-03] 논제에 따라 쟁점별로 논증을 구성하여 토론에 참여한다.

▶ 정책 논제의 필수 쟁점별로 논증을 구성하여 입론 단계를 수행하는 데 중점을 두도록 한다. 정책 논제의 필수 쟁점으로는 문제의 심각성, 제시된 방안의 문제 해결 가능성 및 실행 가능성, 방안의 실행에 따른 효과 및 개선 이익 등을 들 수 있다.

탐구주제

1.국어 — 듣기·말하기

1 스마트팜은 농사기술과 가축의 생육환경 조성 등을 위해 사물인터넷과(IoT)과 빅테이터를 접목하여, 원격으로 작물과 가축의 최적 생육환경을 관리하는 지능형 농장을 의미한다. 스마트팜은 농촌의 고령화와 일손 부족, 농가소득 증대를 위해 개발된 4차 산업형 최신기술이라고 할 수 있다. 그러나 65세 이상이 대부분인 농촌에서 스마트팜이 실제 현장에서 적용될 때 어려움은 여전히 남아있으며, 특히 고령층에게 그 혜택은 미비한 상황이다. 국내 스마트팜 운영 사례에 대해 조사하고, 고령층의 스마트팜 지원 방안에 대해 토의해 보자.

관련학과
농생물학과, 동물자원학과, 수의학과, 식물자원학과, 원예학과, 축산학과

2 2016년 통계청 자료에 따르면 우리나라의 1인당 플라스틱 연간 소비량은 98.2kg으로 세계 1위이다. 플라스틱 남용에 대한 규제는 강화되었지만, 최근 코로나19로 인해 마스크 사용과 배달 음식 주문량이 많아지면서 플라스틱 쓰레기 배출량은 늘고 있다. 또한 바이러스 예방 및 편의성을 위해 규제에 대해 반대하는 입장 또한 증가하고 있는 추세이다. 팬데믹 시대의 플라스틱 사용 규제에 대하여 자신의 입장을 정한 뒤 찬반 토론을 해 보자.

관련학과
대기과학과, 의생명과학과, 지구환경과학과, 지구해양학과, 해양학과, 환경생명화학과

3 전 세계의 과학자들은 코로나바이러스의 유례없는 빠른 전염성을 대비하여 전파경로를 밝히고자 노력하고 있다. 그들은 데이터를 통해 얻은 확진환자 및 의심 환자의 검사 결과와 관련된 기초 자료와 바이러스 게놈(genome, 유전정보) 등 전문적인 정보를 공유하고 있다. 팬데믹 시대에 바이러스 게놈 공유의 중요성과 국민들의 행복하고 안전한 삶을 지키기 위한 데이터의 가치와 과학의 의무에 대해 발표해 보자.

관련학과

생명과학과, 생물학과, 의생명과학과, 통계학과, 화학과, 환경생명화학과

4 신재생 에너지 공급 의무화 제도(RPS)는 50만kW 이상의 대규모 발전사업자에게 총발전량의 6%를 태양광, 풍력 등 신재생 에너지로 발전해 공급하도록 의무화하는 제도이다. 만약 재생에너지 전력이 부족할 때에는 소규모 사업자에게 구매해 의무량을 충당해야 하는 강제성을 띠고 있다. 신재생 에너지 공급 의무화 제도에 대해 조사해 보고, 신재생 에너지의 효율성과 당위성에 대해 고찰하여 찬성과 반대 의견을 선택하고 토론해 보자.

관련학과

대기과학과, 지구물리학과, 지구환경과학과, 환경생명화학과

5 농림축산식품부는 '2020~2024년 동물복지 종합계획'을 통해 반려동물 보유세 또는 부담금 및 동물복지 기금을 도입하는 방안을 검토하고 있다. 해마다 버려지는 유기 동물의 수가 증가하자 농림축산식품부는 보유세 도입을 통해 동물을 보유한 가구가 일정 비용을 부담하도록 제도적 장치를 마련한 것이다. 반려동물의 보유세에 대한 자신의 생각을 정리하고, 찬성과 반대 입장을 선택하여 토론해 보자.

관련학과

동물자원학과, 수의학과, 축산학과

영역 읽기

성취기준

[10국02-03] 삶의 문제에 대한 해결 방안이나 필자의 생각에 대한 대안을 찾으며 읽는다.

▶ 독서를 통해 삶의 문제를 해결할 수 있는 실마리를 발견하거나 문제를 해결할 수 있는 직관과 깨달음을 얻는 경우가 많다. 또한 글을 읽으면서 필자의 생각이나 주장을 비판하고, 이를 보완하거나 대체할 수 있는 창의적인 방안을 발견하기도 한다.

[10국02-05] 자신의 진로나 관심사와 관련된 글을 자발적으로 찾아 읽는 태도를 지닌다.

▶ 자신의 진로나 관심사와 관련된 글을 자발적으로 찾아 읽는 태도를 지도할 때에는 토의 활동과 도서관 활동을 계획할 수 있다. 진로나 관심사가 비슷한 친구들과 이야기를 나누고, 관련되는 글이나 책을 읽고 정보를 공유하기 위한 활동을 하도록 지도한다.

탐구주제

1 해양생물학자인 레이첼 카슨은 저서 「침묵의 봄」을 통해 합성화학 살충제(DDT) 남용으로 먹이사슬을 따라 그 피해가 인간에게 돌아올 수 있음을 경고하였다. 또한 경제성과 합리성에 바탕을 둔 과학신봉주의에서 비롯된 환경오염과 자연 생태계 파괴에 대해 치밀하게 조사하였다. 카슨은 “과학의 목적은 문학과 마찬가지로 진리를 발견하고 보급하는 데 있다”라고 명시한 바 있다. 환경을 보호하기 위한 서사의 소명의식과 인류와 자연의 공존을 위해 진리를 탐구해야 하는 과학자의 사명에 대해 정리해 보자. *(침묵의 봄, 레이첼카슨, 에코리브르)*

관련학과

농생물학과, 산림자원학과, 생물학과, 식물자원학과, 지구생명과학과, 지구해양학과, 해양학과, 화학과, 환경생명화학과

2 리처드 도킨스는 「이기적 유전자」에서 “인간을 포함한 모든 생명체는 DNA 또는 유전자에 의해 창조된 생존 기계에 불과하다”라고 하였다. 리처드 도킨스는 유전자가 모든 생명현상에 우선한다고 주장하며, 인간의 ‘협력’은 자신의 유전자를 지키기 위해 이기적 유전자가 만들어낸 이타적 행동이라 규정하였다. 책에서 제시된 이기적 유전자의 중의적 표현에 대해 고찰하고, 인간의 이기적 유전자 발현을 통한 이타주의가 실현된 사례에 대해 친구들과 의견을 나누어 보자. *(이기적유전자, 리처드도킨스, 을유문화사)*

관련학과

생명과학과, 생물학과, 의생명과학과

3 냉동기술은 1인 가구 증가로 인한 간편식에서부터 과일 모종, 전기 냉동탑차, 냉동인간에 이르기까지 다양한 분야에 적용되고 있다. 냉동기술은 식품의 영양성분을 지켜주는 최상의 저장기술이며, 과일 모종의 해충까지 박멸하여 노동력 감소에 많은 기여를 하고 있다. 냉동기술의 기본 원리를 조사해 보고, 농업, 공업, 생명과학, 의학 등의 분야에서 냉동기술을 적용한 사례를 조사하여 발표해 보자.

관련학과

농생물학과, 생명과학과, 생물학과, 식품공학과, 식품생명공학과, 식품영양학과, 의생명과학과, 화학과, 환경생명화학과

4 수학은 이집트 문명, 그리스 철학, 프랑스 대혁명, 컴퓨터 발명, 팬데믹 시대의 빅데이터 활용 등 인류의 발전에 주도적인 역할을 해 왔다. 림 갬웰의 「수학과 예술」을 읽고, 고대부터 현재에 이르기까지 인류의 역사에서 수학이 어떤 역할을 하였는지 정리하여 보자. 또한 수학과 예술의 상호 작용을 이해하기 위해 인상 깊은 예술작품을 선택하고, 작품 속에 반영된 수학적 개념을 찾아 PPT로 제작하여 발표해 보자. *(수학과예술, 림 갬웰, 쌤앤파커스)*

관련학과

수학과, 물리학과, 우주과학과, 천문우주학과

영역 쓰기

성취기준

[10국03-05] 글이 독자와 사회에 끼치는 영향을 고려하여 책임감 있게 글을 쓰는 태도를 지닌다.

▶ 교과 내 다른 영역이나 다른 교과 학습과의 연계, 비교과 활동이나 학교 밖 쓰기 활동과의 연계를 바탕으로 한 쓰기 활동을 장려한다.

탐구주제

1 동물실험은 의학과 생물학에서 해부를 통해 기관의 구조, 유전적 특징, 성장 과정 등을 연구하기 위해 활용되고 있다. 또한 동물실험은 의약품의 원료 채취 및 신약 개발에 있어 안전성 확인 등 우리의 생활과 밀접하게 연관되어 있다. 1900년대 이후 시행된 동물실험의 사회적 배경과 대표적 사례를 고찰해 보고, 동물실험의 윤리적 근거에 대해 3R원칙*을 반영하여 자신의 의견을 정리해 보자.

* 3R 원칙이란 동물 개체를 대신할 실험방법으로의 대체(Replacement), 데이터를 얻기 위해 투입되는 동물 수의 감소(Reduction), 마취 등을 이용하여 동물이 느끼는 고통의 완화(Refinement)등을 위해 노력하는 것을 의미한다.

관련학과

동물자원과학과, 수의학과, 생명과학과, 의생명과학과, 축산학과, 환경생명화학과

2 동물착취를 거부하고 완벽한 채식주의를 지향하는 비거니즘(veganism)은 사회 전반에 많은 영향을 끼치고 있다. 채식시장 관련 산업을 의미하는 베지노믹스(vegenomics)의 성장은 우리나라뿐만 아니라 전 세계적인 추세이기도 하다. 채식 열풍에 힘입어 식품 기업은 물론 패션, 화장품업체들도 식물성 원료를 활용한 제품을 잇달아 출시하고 있다. 최근 빠르게 성장하고 있는 베지노믹스 산업의 사회적 배경을 조사하여 보자. 그리고 패션, 화장품, 식품 분야에서 식품성 원료를 어떻게 활용하고 있는지 구체적인 사례를 조사하여 발표해 보자.

관련학과

농생물학과, 생물학과, 생명과학과, 식물자원학과, 식품공학과, 식품생명공학과, 식품영양학과, 의생명과학과

영역 문학

성취기준

[10국05-04] 문학의 수용과 생산 활동을 통해 다양한 사회·문화적 가치를 이해하고 평가한다.

▶ 작가의 생각을 그대로 받아들이기보다는 자신의 가치관에 따라 작품의 주제를 해석하고 평가하면서 수용하고, 자신이 상상하거나 경험한 것에 사회·문화적인 가치를 부여하여 자신의 관점이 잘 드러나게 작품을 생산하도록 한다.

탐구주제

1.국어 — 문학

1 알베르 카뮈는 1947년 작품 「페스트」에서 "페스트는 사람들에게 아름다운 감정을 빼앗아 갔다"고 하였다. 이 책에 나타난 전염병에 대해 인간의 공포, 전염병에 대처하는 인간의 심리상태와 유형을 분석해 보자. 또한 인류의 역사 속에서 팬데믹 상황과 같이 인간의 삶을 위협하는 혼란스러웠던 사례를 선택하여, 당시의 상황과 극복과정에 대해 조사하고 토의해 보자.

(페스트, 알베르카뮈, 민음사외)

관련학과

생명과학과, 생물학과, 의생명과학과

탐구주제

(2) 18세기 무렵 과학 이슈였던 '갈바니즘'은 전기요법으로 죽은 생명을 살릴 수 있다고 주장한 과학이론이었다. 메리 셸리의 「프랑켄슈타인」을 읽고, 작품에서 묘사된 갈바니즘과 작가의 의도를 파악해 보자. 또한 이를 바탕으로 미래 과학기술이 인간의 생명연장과 부활에 어떤 역할을 할 수 있는지, 문학적 상상력을 발휘하여 자신의 생각을 발표해 보자.

(프랑케슈타인, 메리셸리, 문학동네 외)

관련학과

물리학과, 생명과학과, 생물학과, 수의학과, 의생명과학과

활용 자료의 유의점

- (!) 타인의 의견에 대해 경청하고, 주장과 근거에 대해 분석
- (!) 비판적 독서를 통해 사회의 흐름과 문제점을 분석하여 창의적인 아이디어 도출
- (!) 교과 내 다른 영역(비교과) 및 다른 교과 학습과의 연계를 통해 꾸준한 쓰기 활동
- (!) 다른 사람의 생각을 존중하고, 주제에 대해 다양한 방법으로 분석

MEMO

국어과

2

화법과 작문

핵심키워드

☐ 첨단재생의료 ☐ 첨단재생바이오약법 ☐ 탈원전 정책 ☐ 신재생 에너지 ☐ 토종 약용식물 ☐ 중력파 ☐ 온실가스 ☐ 해양산성화 ☐ 미세플라스틱 ☐ 냉동인간

영역 화법의 원리

성취기준

[12화작02-03] 상대측 입론과 반론의 논리적 타당성에 대해 반대 신문하며 토론한다.

▶ 상대측 발언을 단순히 확인하는 수준에 머물지 않고 상대측 논증의 신뢰성, 타당성, 공정성을 비판적으로 검토하는 질의·응답으로 반대 신문 단계를 운영하여, 토론자 간 생각의 교환이 적극적으로 이루어지도록 한다.

탐구주제

2.화법과 작문 — 화법의 원리

1 첨단재생의료는 사람의 신체 구조와 그 기능을 재생 및 회복시키거나, 질병을 치료하고 예방하기 위해 인체 세포를 이용하는 유전자 치료를 의미한다. 정부는 첨단재생바이오약법을 통해 세포 치료, 유전자 치료 등 첨단재생의료 임상 연구와 임상 시험을 실시할 수 있는 근거를 마련하였다.(2020.08.) 첨단재생의료가 질병 치료와 예방에 기여한 점과 안정성 및 윤리적 문제 등을 조사하여, 첨단재생의료 사용에 대한 찬반 토론을 해 보자.

관련학과

생물학과, 생명과학과, 의생명과학과, 환경생명화학과

2 1956년 영국에서 최초의 상업용 원전을 가동하면서부터 탈원전에 대한 문제는 꾸준하게 논란이 되고 있다. 특히 일본 후쿠시마 제1원자력 발전소 사고 등 세계 유명 원전의 크고 작은 사고가 끊이지 않고 있어, 우리나라 또한 탈원전 정책의 중요성을 깨닫고 신재생 에너지 활성화를 위해 노력하고 있다. 우리나라 탈원전 정책의 찬반 논란 배경을 조사해 보고, 탈원전 정책에 대한 자신의 입장을 밝혀 보자. 그리고 신재생 에너지 사용의 세계적 추세에 대해 조사하여 발표해 보자.

관련학과

대기과학과, 물리학과, 지구물리학과, 지구환경과학과

영역 작문의 원리

성취기준

[12화작03-03] 탐구 과제를 조사하여 절차와 결과가 잘 드러나게 보고하는 글을 쓴다.

▶ 정보를 전달하는 글을 쓰기 위해 책, 사전, 신문, 방송, 인터넷 등 다양한 자료를 활용하여 풍부하고 정확한 정보를 수집하여 활용하도록 한다.

[12화작03-05] 시사적인 현안이나 쟁점에 대해 자신의 관점을 수립하여 비평하는 글을 쓴다.

▶ 시사 현안이나 쟁점을 다양한 관점에서 충분히 분석한 후 자신의 관점을 정하고, 그 관점에 따라 의견이나 주장, 견해가 명료하게 드러나도록 글을 쓰게 한다.

[12화작03-06] 현안을 분석하여 쟁점을 파악하고 해결 방안을 담은 건의하는 글을 쓴다.

▶ 다양한 관점에서 비판적으로 분석한 후에 관점을 정하도록 하고, 이때 선택한 관점은 글의 처음부터 끝까지 일관성 있게 유지되도록 한다.

탐구주제

2.화법과 작문 — 작문의 원리

1 우리 땅에서 자라고 있는 토종 약용식물에 대한 약성을 연구하여 토종 약용식물도감을 만들어 보자.
(예: 코로나바이러스 전염병으로 인한 사람들의 우울감 해소와 정서적 안정에 도움을 주는 토종 약용식물)

관련학과
산림자원학과, 생물학과, 식물자원학과, 임학과

2 중력파란 아이슈타인의 일반상대성이론에 의해 제시된 것으로, 거대한 중력을 가진 물체가 중력의 변화로 시공간의 변화를 전파해가는 이론을 의미한다. 중력파의 원리를 조사해 보고, 아이슈타인의 중력파 발견의 의의를 토의해 보자. 또한 중력파를 소재로 한 그래비티, 인터스텔라 등 SF 영화의 구체적 장면을 선택하여, 이러한 내용들이 현실적으로 가능한 것인가에 대해 친구들과 함께 토의하면서 증명해 보자.

관련학과
물리학과, 지구물리학과, 우주학과, 천문우주학과

3 바다는 과도한 온실가스로 인한 대기 중의 열을 90% 흡수하고, 연간 30억 톤 가량의 이산화 탄소를 흡수하여 기후 안정에 기여하는 완충재 역할을 하고 있다. 그러나 대기 중 이산화 탄소의 양이 급격히 증가하여 바다 pH농도가 낮아진 결과, 바다의 산성화가 빠르게 진행되고 있다. 바다 산성화로 인한 해양 생태계의 피해 사례를 조사하고, 바다 산성화에 대비한 해결 방안을 조사하여 발표해 보자.

관련학과
지구해양학과, 해양학과

4 플라스틱 제품의 무분별한 사용으로 미세플라스틱이 생활 곳곳에서 배출되고 있다. 세안제, 치약, 생수 등에서 5mm 이하의 미세플라스틱이 발생하고 있다. 한국해양과학기술원에 따르면, 우리나라의 경우 플라스틱 사용량이 유독 많아 바다에서 검출되는 미세플라스틱의 양이 다른 나라에 비하여 13배가 높다고 한다. 미세플라스틱이 인체에 미치는 영향과 국내외 플라스틱 규제 정책과 대체 상품개발 사례 등을 조사하고, PPT로 제작하여 발표해 보자.

관련학과

의류학과, 의상학과, 지구해양학과, 지구환경과학과, 해양학과, 화학과, 환경생명화학과

5 현대의학으로 치료가 불가능하여 사망 직후 액화 질소에 시신을 냉각하는 냉동보존 기술은, 수정란과 난자 동결과 같은 난임 치료에 활용되고 있다. 난임 치료에 활용되는 작은 세포는 냉동 후 해동하는 것이 가능하지만, 동물 실험 외에 냉동인간을 해동한 사례는 없다. 인체 냉동기술의 과학적 원리와 해동원리를 조사해 보고, 냉동인간에 대한 찬성과 반대 입장을 선택하여 토론해 보자.

관련학과

동물자원과학과, 생물학과, 생명과학과, 의생명과학과

6 민간우주기업 스페이스X를 설립한 일론 머스크는 달과 화성 탐사, 우주선 개발, 우주선 설계 등 우주 탐사와 관련된 모든 분야에 대한 연구와 투자를 아끼지 않고 있다. 특히 일론 머스크는 차세대 우주복 개발에도 많은 노력을 기울여, 우주탐사 중 우주복의 기능과 디자인을 최적화할 수 있도록 제작하고 있다. 우주복 개발에 필요한 기능과 디자인 요소에 대해 조사하고, PPT로 제작하여 발표해 보자.

관련학과

의상학과, 의류학과

활용 자료의 유의점

- 상대방의 의견에 객관적 근거를 제시하여 비평하고 토론
- 탐구과제를 조사하여, 자료를 활용할 시에는 반드시 출처 기재
- 시사 현안에 대한 입장을 정리할 때에는 일관성 있게 주장을 펼치고 증명
- 보고하는 글, 비평하는 글, 건의하는 글 등을 작성하며 과학적 근거 제시

MEMO

독서

핵심키워드

□ 과학의 의미 □ 과학적 사고 □ 인수공통 전염병 □ 지구온난화 □ 기후대이변
□ 스마트 패션 □ 패션 트렌드 □ 우주비행 □ 여성 수학자

영역 독서의 분야

성취기준

[12독서03-03] 과학·기술 분야의 글을 읽으며 제재에 담긴 지식과 정보의 객관성, 논거의 입증 과정과 타당성, 과학적 원리의 응용과 한계 등을 비판적으로 이해한다.

탐구주제

3.독서 — 독서의 분야

1 리차드 파인만의 「과학이란 무엇인가」는 물리학자 리처드 파인만이 1963년 워싱턴 대학교에서 세 차례의 강연을 통해, '과학이란 무엇인지' 그리고 '과학적인 사고방식이 사회의 다른 분야에 어떤 영향을 미치는지'에 관하여 설명한 내용을 담고 있다. 이 책을 읽고, 같은 문제를 더 깊은 통찰력으로 바라볼 수 있게 하는 과학의 의미를 이해하고, 가설을 세우고 실험을 통해 증명하며 진실을 파헤치는 과학의 매력에 대해 고찰해 보자. 또한 사회의 비합리적인 문제에 대해 끊임없이 의심하고 도전하는 과학적 사고의 중요성에 대한 자신의 의견을 정리하여 발표해 보자.

(과학이란 무엇인가, 리처드파인만, 승산)

관련학과

전 자연계열

2 데이비드 콰먼은 책 「인수공통 모든 전염병의 열쇠」에서 인간이 70만을 넘어서면서 동물의 공간을 침범하였고, 이로 인해 인간-동물로 연결되는 바이러스가 발생하였다고 하였다. 사람들을 공포에 떨게 했던 사스, 신종플루, 메르스, 코로나바이러스 모두 인수공통 전염병이라는 경각심을 바탕으로, 인간과 동물이 공존하기 위한 전 지구적 차원의 노력에 대해 조사하고, 인수공통 전염병의 심각성에 대한 자신의 생각을 정리하여 발표해 보자.

(인수공통 모든 전염병의 열쇠, 데이비드콰먼, 꿈꿀자유)

관련학과

동물자원학과, 산림자원학과, 생명과학과, 생물학과, 수의학과, 의생명과학과, 축산학과

탐구주제

3 모집 라티프의 책 「기후의 역습」은 지구온난화로 인한 해수면 상승 및 기상 대이변이 나타나는 원인과 과정을 이야기하면서, 기후 변화의 원인이 인간임을 명시하고 있다. 전 지구적으로 나타나고 있는 '기후 변화' 현상에 대한 원인을 규명하고, 그 심각성과 극복방안에 대해 정리해 보자. *(기후의 역습, 모집라티프, 현암사)*

관련학과

대기과학과, 물리학과, 지구환경과학과

4 미래 사회 변화에 대비하여 패션도 최첨단 기술에 맞춰 진화하고 있다. IoT기술과 빅데이터를 이용한 스마트 미러에 의류 데이터베이스를 내장하여 다양한 옷을 시연하거나, 의류에 IT 기술을 활용하여 옷을 입은 사람의 체온과 심박동수를 감지할 수 있는 의류를 개발하는 스마트 패션이 대표적인 예이다. 바이러스 유행, 기후 변화, 가상공간, 반려동물 시장의 확대 등 사회 변화를 반영한 패션 트렌드에 대한 내용을 신문 또는 저널, 인터넷 검색을 통해 조사하여 발표해 보자.

관련학과

의류학과, 의상학과

5 영화 '히든 피겨스'의 실제 주인공인 캐서린 존슨은 아프리카계 미국인 여성 수학자로, 인종차별이 만연했던 1950년대 미항공우주국(NASA)에서 우주비행에 필요한 계산을 수행하며, 최초의 우주비행과 달 탐사 임무를 성공적으로 이끄는데 기여하였다. 인터넷을 검색하여 캐서린 존슨에 대한 정보를 읽고, 당시 미국의 우주비행과 달 탐사연구에 대한 사회적 배경과 연구에 기여한 그녀의 업적에 대해 조사해 보자.

관련학과

수학과, 우주과학과, 천문우주학과

활용 자료의 유의점

- 과학의 의미와 과학적 사고의 특징을 이해하는 데 도움을 주는 책을 탐독
- 과학자들의 삶과 연계하여 시대적 배경을 이해하고, 인류의 삶에 다양한 영향을 준 과학기술에 대해 탐구
- 과학·기술 분야의 독서를 통해 전문분야의 지식을 갖출 수 있도록 포트폴리오 작성
- 다양한 매체의 정보를 탐색 및 습득하고, 선별하여 종합할 수 있는 비평적 사고와 창의적 사고의 함양을 위해 노력

MEMO

핵심키워드

□ 오존층 □ 산림예방보호 정책 □ 데이터마이닝 □ 이종의식 □ 의료용 축산물
□ 고수온 현상 □ 앨런 튜링 □ 김치 □ 마이야르 반응 □ 실비아 얼

영역 언어와 매체의 본질

성취기준

[12언매01-04] 현대 사회의 소통 현상과 관련하여 매체 언어의 특성을 이해한다.

▶ 현대 사회 의사소통에서 복합 양식적 특성을 지닌 매체가 가장 많이 활용됨을 이해하고, 오늘날 다양한 매체들은 소리, 음성, 이미지, 문자, 동영상 등이 복합적으로 이뤄진 양식임을 이해한다.

탐구주제

4.언어와 매체 — 언어와 매체의 본질

① 오존은 인체에 해로운 태양의 자외선을 흡수하는 기능을 가지고 있다. 그러나 무분별한 프레온 가스 사용으로 오존층은 파괴되고 있고, 자외선은 인간에게 그대로 노출되어 피부암 등 각종 피부성 질환이 증가하고 있다. 자외선 과다 노출로 인한 위험과 가전제품 및 생활용품에서 사용되는 프레온 가스의 실태에 대해 UCC로 제작하여 발표해 보자.

관련학과

대기과학과, 물리학과, 지구환경과학과

② 장마철 산사태는 숲에 나무가 적거나 경사가 급한 산을 위주로 발생하게 된다. 산사태와 같은 자연재해를 대비하여 산림 예방 보호 정책의 필요성과, 산사태 방지를 위해 나무의 수분 조정 능력을 보강하고 토양 유실을 방지하기 위한 대처방안에 대해 토의한 내용을 PPT로 제작하여 발표해 보자.

관련학과

산림자원학과, 원예학과, 임학과, 지구환경과학과

탐구주제

3 빅데이터는 디지털 환경에서 소프트웨어의 수용 한계를 넘어 수치, 문자, 영상을 포함하는 대규모 데이터를 의미한다. 대규모 데이터 중에서 가치 있는 정보를 추출하는 것을 데이터 마이닝(data mining)이라 하는데 데이터 마이닝과 통계학은 데이터에서 필요한 정보를 추출한다는 의미에서 유사하다. 데이터 마이닝의 통계학적 의의와 중요성에 대해 발표해 보자.

관련학과

수학과, 통계학과

4 유튜브 National Geographic Korea 채널에서 실비아 얼의 해양 탐사 및 해저 실험에 대한 동영상을 감상해 보자. 1970년대 해양 탐사의 길을 개척한 해양과학자이자 환경보호 운동가로서의 실비아 얼의 업적을 조사하여 발표해 보자.

(영상 출처: https://www.youtube.com/watch?v=-c5gfyxs1Hc)

관련학과

지구환경과학과, 지구해양학과, 해양학과

영역 매체 언어의 탐구와 활용

성취기준

[12언매03-03] 목적, 수용자, 매체의 특성을 고려하여 다양한 매체 자료를 생산한다.

▶ 수용자에 대한 생산자의 인식과 관계, 소통의 목적, 매체의 특성 등 소통의 맥락을 전체적으로 고려하여 매체 자료를 생산하는 능력을 기른다.

탐구주제

1 질병관리본부 통계에 의하면 2020년 기준으로 장기이식 대기자는 41,000명에 도달하였다. 그러나 실제 장기이식 수요자에게 건강한 장기를 이식한 사례는 10%에 지나지 않는다. 이러한 상황에서 동물 장기를 활용한 이종이식은 새로운 대안으로 주목받고 있다. 이종이식이란 동물의 간, 심장, 신장 등 기관이나 장기를 다른 동물에게 이식하는 것을 의미한다. 특히 돼지는 장기의 크기가 사람과 비슷하고 유전자 배열이 유사하여 이종이식에서 중요한 연구 실험체로 활용하고 있다. 이종이식에 있어 돼지의 의료용 축산물로서의 가치와 최근 연구사례에 대해 조사해 보자.

관련학과

동물자원학과, 생명과학과, 생물학과, 수의학과, 의생명과학과, 축산학과

2 각종 수산물은 우리에게 어업 또는 양식을 통해 공급된다. 우리나라는 2019년부터 양식 수산물이 어업 수산물의 총량을 넘어섰고, 전체 수산물의 60%가 양식으로 대체되었다. 그러나 바닷물 온도가 28℃ 이상 올라가는 고수온 현상으로 인해 바다의 산성화가 진행되어 양식어들마저 폐사되고 있다. 해양 환경을 보호하고 양식장의 쾌적한 환경 유지를 위한 바다의 고수온 피해 예방 대책을 UCC로 제작하여 발표해 보자.

관련학과

식품영양학과, 수의학과, 지구해양학과, 해양학과

3 영화 '이미테이션 게임: The Imitation Game'에서 암호학자인 앨런 튜링은 알고리즘과 계산식을 튜링기계에 대입하여 독일의 암호를 푸는 데 성공한다. 튜링의 업적 중 통계학과 암호학을 발전시키고, 컴퓨터 과학에 기여한 점을 조사하여 보고서로 작성해 보자.

관련학과

수학과, 통계학과

4 영국 매체 '더 선(The Sun)'의 보도에 따르면 프랑스 몽펠리에 대학 연구진이 '코로나19 사망자 수와 국가별 식생활 차이의 상관관계'를 분석한 결과, 절인 배추에 고춧가루, 마늘 등이 함께 발효되는 과정에서 생성한 단백질이 인체 면역세포(TRPA1·TRPA2 등) 조절을 통해 코로나바이러스를 이겨낼 수 있도록 한다는 것을 밝혔다. 팬데믹 상황에서 주목받는 김치의 우수성을 밝히고, 김치의 세계화 방안에 대하여 보고서를 작성해 보자.

관련학과

식품공학과, 식품생명공학과, 식품영양학과

5 마이야르 반응(Maillard reaction)이란, 아미노산과 환원당(포도당, 과당, 맥아당 등)이 작용하여 갈색의 중합체인 멜라노이딘(Melanoidin: 갈변 물질)을 만드는 반응을 말한다. 마이야르 반응으로 고기를 구우면 표면의 수분이 제거되고, 단백질 분자들이 작게 분해되면서 풍부한 맛과 향을 느낄 수 있게 한다. 유명 쉐프의 스테이크 굽는 영상을 시청하고, 마이야르 반응을 활용하여 음식의 맛을 최적화할 수 있는 팁을 PPT로 제작하여 발표해 보자.

관련학과

식품영양학과, 화학과 등

활용 자료의 유의점

- (!) 다양한 매체의 정보들 중 사실로 입증할 수 있는 정보를 선별
- (!) 탐구 보고서, PPT 자료, UCC 등 다양한 매체를 활용하여 주제를 연구
- (!) 사람들과 소통을 위해 플랫폼 등에 내용을 공유
- (!) 특정 주제에 대해 다양한 의견을 수렴하여 새로운 정보를 수정 및 보완

MEMO

핵심키워드

☐ 양서류 ☐ 냉혈동물 ☐ 온혈동물 ☐ 연금술 ☐ 과학의 상대성 ☐ 비평적 사고 ☐ 조화로운 삶

영역 문학의 수용과 생산

성취기준

[12문학02-04] 작품을 공감적, 비판적, 창의적으로 수용하고 그 결과를 바탕으로 상호 소통한다.

탐구주제

5.문학 — 문학의 수용과 생산

1 염상섭의 「표본실의 청개구리」를 읽고, 청개구리를 해부하는 과정에서 "김이 모락모락 나는 청개구리의 오장을 차례차례 끌어내어"의 오류를 밝히고, 냉혈동물과 온혈동물의 차이에 대해 정리해 보자.

(표본실의 청개구리, 염상섭, 지식의 숲 외)

관련학과

생물학과, 동물자원과학과, 수의학과, 축산학과

2 파울로 코엘료의 「연금술사」를 읽고, 고대 시대부터 내려온 연금술에 대해 조사하여 과학적 관점에서 비평하되, 변형과 변환의 관점에서 연금술이 과학에 기여한 점과 현실의 한계를 뛰어넘는 연금술의 의의에 대해 조사해 보자.

(연금술사, 파울로 코엘료, 문학동네)

관련학과

물리학과, 지구물리학과, 화학과

3 2019년 한국과학문학상 장편 대상 수상작인 「천개의 파랑」은 미래 2035년 한국 사회에서 인간, 동물, 휴머노이드가 어우러져 살아가는 모습을 보여준다. 특히 인간에게 착취당하는 경주마의 삶을 통해 동물 스스로가 지구의 한 개체로서의 삶을 스스로 포기할 수 있음을 경고한다. 지구의 주류를 차지하는 개체인 인간이 다른 종과의 조화로운 삶을 살아가기 위해, 과학과 과학기술을 규제하기 위한 방안에 대해 정리해 보자. *(천개의 파랑, 천선란, 허블)*

(예: 멸종위기 동물을 보호하기 위한 세계자연보전연맹 적색목록, 인공지능 윤리강령 법제화 등)

관련학과

생물학과, 동물자원과학과, 물리학과, 수의학과, 축산학과

활용 자료의 유의점

- ⓘ 문학작품 속 소재를 당시 사회적 배경과 과학이론들로 연결
- ⓘ 문학작품의 탐독을 통해 과학과 과학기술에 대한 과학자의 사명에 대해 고찰
- ⓘ 문학작품 속의 특정 현상이 나타나게 된 원인과 결과를 분석
- ⓘ 과학자, 수학자, 물리학자 등 자연계열의 직업을 가진 주인공이 나오는 작품들을 탐독

MEMO

국어과

6

실용 국어

핵심키워드

☐ 신재생 에너지 ☐ 임상 전염병 ☐ 코로나바이러스 ☐ 의류 폐기물 ☐ 의류 폐기물 재활용
☐ 로그의 발견 ☐ 패션의 사회적 논란 ☐ 표현의 자유 ☐ 유전자변형식품

영역 정보의 해석과 조직

성취기준

[12실국02-01] 필요한 정보를 수집하여 핵심 내용을 이해한다.

[12실국02-03] 정보를 체계적으로 조직하여 대상과 상황에 적합하게 표현한다.

▶ 보고서 작성, 발표 등 실제적인 언어 표현 활동을 중심으로 핵심적인 내용을 짜임새 있게 조직하는 방법에 중점을 둔다.

탐구주제

6.실용 국어 — 정보의 해석과 조직

1. 현재 세계는 화석연료와 원자력 에너지 소비를 줄이고, 신재생 에너지를 대폭 늘리는 에너지 전환을 강조하고 있다. 우리나라 또한 신재생 에너지를 확대하고 관련 일자리를 창출함으로써 코로나19로 인한 세계 경기침체와 고용불안을 해결하고자 하는 한국판 그린 뉴딜 정책을 추진하고 있다. 친환경적이고 지속 가능한 신재생 에너지와 관련된 미래 유망직업에 대해 조사하여 발표해 보자.

관련학과

대기과학과, 물리학과, 지구물리학과, 지구환경과학과

2. 코로나바이러스는 RNA를 유전체로 이용하는 RNA 바이러스이다. RNA 바이러스는 증식 과정에서 돌연변이를 자주 일으키는데 코로나바이러스 외에도 인플루엔자 바이러스, 인체 면역결핍 바이러스(HIV), 애볼라 바이러스 등이 있다. 코로나바이러스가 인체에 침입하여 증식하는 과정을 정리하고, 돌연변이를 잘 일으키는 신종 RNA 바이러스를 대비하기 위한 백신과 치료제의 개발 등 기초과학 연구의 중요성에 대해 조사해 보자.

관련학과

생명과학과, 생물학과, 의생명과학과

탐구주제

6.실용 국어 — 정보의 해석과 조직

③ 옷은 섬유와 접착제, 액세서리 등 여러 요소들이 결합되어 있어 플라스틱이나 유리, 종이처럼 재활용하기가 어렵다. 의류 폐기물은 재활용이 쉽지 않아 대부분 매립되거나 소각처리를 하게 되는데 이때 많은 양의 탄소를 발생시켜 대기오염을 배출하게 된다. 의류 폐기물로 인한 환경오염에 대해 경각심을 갖고, 의류 폐기물의 다양한 재활용 사례를 조사해 보자.

관련학과

의류학과, 의상학과, 지구환경과학과

④ 16세기와 17세기의 과학 혁명에 있어 수학은 중추적인 역할을 하였다. 특히 네이피어의 로그(log)의 발견은 케플러와 뉴턴의 만유인력에도 영향을 주어 과학 발전에 크게 기여를 하였다. 이와 같이 수학이 자연과학 분야의 발전에 기여한 사례를 조사하여 보자. 그리고 수학이 생활의 편리함과 과학의 발전 즉, 인류 문명에 기여한 점과 의의에 대해 정리해 보자.

관련학과

수학과, 물리학과, 생물학과, 우주과학과, 천문우주학과, 해양학과, 화학과

영역

설득과 협력적 문제해결

성취기준

[12실국03-01] 타당한 근거를 들어 자신의 주장을 설득력 있게 표현한다.

▶ 주장과 근거의 관계에 대한 이해를 바탕으로 논제를 정하여 찬성과 반대 입장에서 토론에 참여하여 질문하고 논박하는 활동을 할 수 있다. 또는 토론의 내용을 들은 후에 논의된 쟁점을 바탕으로 주장과 근거를 재구성하여 설득적인 글을 쓰는 활동을 할 수 있다.

탐구주제

6.실용 국어 — 설득과 협력적 문제해결

① 최근 패션계는 표현의 자유와 다른 나라의 역사에 대한 인식 부족에 따른 윤리적 고찰로 충돌하고 있다. 이탈리아의 명품 브랜드 구찌(GUCCI)는 정신이상 환자를 연상하게 하는 패션쇼 컨셉으로, 영국 유명 패션스쿨인 런던 칼리지에서는 욱일기 문양을 이용한 옷으로 사회적 논란을 일으킨 바 있다. 패션의 영역에서 논란이 되었던 사례들이 디자이너의 예술적 표현으로 인정받아야 하는지, 다른 나라의 문화와 역사에 대한 인식 부족으로 비판받아야 할 것인지에 대한 자신의 의견을 선택하고, 타당한 근거를 마련하여 토론해 보자.

관련학과

의류학과, 의상학과

탐구주제

2 유전자변형식품(GMO)에 대한 소비자들의 불신으로 각 나라는 비GMO 방식을 통한 유전자 편집 기술을 만드는데 주력하고 있다. 미국 식품의약국(FDA)의 유전자변형식품 기준은 '외부 DNA의 유기체 삽입 여부'이지만, 각 나라마다 유전자변형식품에 대한 기준이 모호하여 많은 논란이 있다. 최근 식물품종개량에 크리스퍼 유전자 가위(CRISPR-Cas9)를 이용한, DNA가 아닌 리포솜 활용 연구가 활발히 진행되고 있다. 유전자변형식품을 둘러싼 찬성과 반대 입장의 과학적 근거를 정리하고, 국내외 유전자변형 기술에 대한 판정 기준에 대해 조사해 보자.

관련학과

농생물학과, 생물학과, 식물자원학과, 식품생명공학과, 원예학과, 환경생명화학과 등

활용 자료의 유의점

- 일상 속에서 다양한 사람들과 공감할 수 있는 주제를 탐색
- 자연계열 학문에 대한 기초 지식과 교양을 쌓고 선입견을 극복할 수 있는 기회 마련
- 보고서 작성 후, 프리젠테이션 및 토론 등 다양한 방법으로 의견을 교환
- 다른 사람들과의 자연스러운 의견 교환을 통해 배양할 수 있도록 노력

MEMO

핵심키워드

☐ 블랙홀 ☐ 지구대멸종 ☐ 환경문제 ☐ 페르마의 마지막 정리 ☐ 해양식물 ☐ 상대성이론
☐ MSG ☐ 골디락스 존 ☐ 로봇세 ☐ 표절 ☐ 과학윤리

영역 논리적 사고와 의사소통

성취기준

[12심국01-01] 학업에 필요한 정보를 수집하여 분석한다.

▶ 학술 정보를 수집하고 분석할 때에는 문서 자료, 인터넷 자료, 면담 자료, 조사 자료 등 다양한 학술 자료를 수집하는 데 중점을 둔다.

[12심국01-02] 대상과 목적을 고려하여 정보를 체계적으로 조직한다.

▶ 정보를 전달하는 담화나 글의 구조와 내용 조직 원리를 이해하도록 한다. 의사소통의 대상과 목적에 대한 분석에 그치는 것이 아니라 분석 결과를 바탕으로 하여 정보를 체계적으로 조직하는 실제적인 방법을 익히도록 한다.

탐구주제

7.심화 국어 — 논리적 사고와 의사소통

① 2020 노벨 물리학상은 블랙홀(Black Hole)의 존재를 이론으로 규명한 로저 펜로즈와 블랙홀을 실제 관측한 라인하르트 겐젤, 안드레아 게즈가 공동 수상하였다. 블랙홀은 질량에 의해 시공간이 휘게 되고, 휘어진 시공간에서 빛을 포함한 어떠한 입자도 빠져나올 수 없어 검게 보이는 천체를 의미한다. 블랙홀 연구에 대한 자료를 검색하고, 블랙홀 연구가 갖는 과학사적 의의와 중요성에 대해 정리해 보자.

관련학과

물리학과, 우주과학과, 천문우주학과

2 국내외 연구진과 전문가들에 따르면, 현재 지구는 6번째 대멸종이 진행되는 중이라고 예측하고 있다. 앞선 5차례의 대멸종을 살펴보면 일정한 패턴이 발견되는데 가장 큰 특징이 온도가 5℃ 이상 급격하게 오르거나 감소하는 것이다. 산업혁명 이후 지구의 온도는 1.5℃ 정도 오른 상태이며, 우리나라를 포함한 해외의 대형 산불 등이 그 예라고 할 수 있다. 만약 지구의 온도가 2℃ 오른다면, 시베리아 및 북극의 해안에서 해양 밑에 있었던 메탄이 대량 발생할 것이고, 인류가 그 환경의 변화를 통제할 수 없을 것이다. 지구의 5차례 대멸종 시기에 이루어졌던 환경변화를 바탕으로, 우리나라 사계절의 온도 변화 및 가을과 겨울의 시기를 조사하여 6번째 대멸종 진행의 증거를 조사해 보자.

관련학과

대기과학과, 지구물리학과, 지구해양학과, 지구환경과학과, 해양학과, 환경생명화학과

---

3 페르마의 마지막 정리*는 350여 년 동안 저명한 수학자들이 페르마가 남긴 수학적 난제에 대해 끊임없이 도전하면서 완성되었다. 페이먼 싱의 책 「페르마의 마지막 정리」를 읽고, 영국의 수학자인 앤드류 와일스가 7년간의 연구 끝에 페르마의 마지막 정리를 완벽하게 증명한 과정에 대해 고찰하여 보자. 또한 저명한 수학자들의 도전과 추론을 마무리 할 수 있었던 와일즈의 업적과 증명 과정에 대해 정리해 보자. *(사이먼 싱, 페르마의마지막정리, 열림카디널)*

* 페르마의 마지막 정리: n이 3이상의 정수일 때, 이 방정식을 만족하는 정수 x, y, z는 존재하지 않음.

17세기의 프랑스의 법률가 피에르 드 페르마가 자신이 읽고 있던 책 귀퉁이에 남긴 말로, 그는 이 명제에 대해 증명을 하였으나, 여백이 부족해 적지 않았다고 밝혔다. 그 뒤로 쇼피 제르맹, 에른스트 쿠머 등 많은 수학자들이 페르마의 증명에 대해 도전하였으나 1994년 앤드류 와일스가 증명해낼 때까지 아무도 성공하지 못했다.

관련학과

수학과

---

4 해조류는 영양원이나 의약품으로 활용 가치가 높다. 바다에 방치되어 있던 해조류인 큰 열매 모자반의 경우, 혈압과 관절염에 탁월한 효과를 지니고 있고, 인공종자 배양에도 성공하여 의약적·산업용으로 이용 가치가 높아졌다. 해조류를 녹조류, 갈조류, 홍조류로 구분하여 각각의 대표 식물의 영양성분을 분석해 보고, 인공종자 배양을 통한 의약품 원료 활용 현황에 대해 조사해 보자.

관련학과

생명과학과, 식물자원학과, 식품생명공학과, 식품영양학과, 의생명과학과, 해양학과, 환경생명화학과

---

5 알버트 아이슈타인은 일반상대성이론에서 질량이 충분히 무거운 물체는 그 질량으로 인해 다른 시공간을 휘게 만들어 또 다른 물체에 영향을 줄 수 있다고 하였다. 이를 통해 아이슈타인은 수성의 근일점 이동(수성이 태양과 가장 가까워지는 시점)에서 나타나는 궤도의 변형을 증명할 수 있었다. 또한 개기일식 때 별들의 위치를 관찰하여 일반상대성이론을 더욱 세밀하게 증명하였다. 당시 일반상대성이론은 진리라 믿었던 유럽학계에서 뉴턴의 중력법칙을 밀어낸 획기적인 사건이었다. 아이슈타인의 일반상대성이론을 증명한 수성의 근일점 이동과 개기일식 실험 검증에 대해 조사하여 보자.

관련학과

물리학과, 우주과학과, 천문우주학과

---

6 MSG(Mono Sodium Glutamate)는 음식의 풍미를 좋게 하여 햄, 스프, 치즈 등 가공식품의 첨가제로 널리 사용되고 있다. MSG의 안전성에는 많은 논란이 있지만 미국 식품의약청(FDA)에서는 '대체적으로 안전한'것으로 분류하고 있다. MSG의 부작용과 위해성 유무에 대한 과학적 근거를 조사하고 자신의 생각을 정리해 보자.

관련학과

식품생명공학과, 식품영양학과, 화학과, 환경생명화학과

탐구주제

7 골디락스 존(goldilocks zone)은 생명체 거주 가능 영역으로 우주에서 물과 적당한 온도로 생명체가 존재할 수 있는 지역을 의미한다. 태양계에서는 지구와 화성만이 골디락스 존안에 있다고 할 수 있지만, 화성에서는 물이 흐른 흔적이 있을 뿐 생명체는 살지 않는 것으로 밝혀졌다. 골디락스 존에 대한 연구는 활발히 진행되고 있고, 드넓은 우주에 또 다른 생명체가 있다는 논란도 여전히 진행 중이다. 골디락스 존에 대한 연구를 조사하고, 우주에 지구인이 아닌 외계 생명체의 존재 여부에 대해 상상력을 동원하여 자신의 생각을 정리해 보자.

관련학과

물리학과, 우주과학과, 천문학과

8 AI(인공지능)는 미래사회의 변화에 가장 주목을 받는 기술이다. AI의 등장으로 인간은 일자리를 빼앗기게 되지만, 기업은 업무의 효율이 높고 건강보험 등 각종 세금에서 자유로워질 수 있다. AI로 인해 기업이 로봇 고용에 더욱 적극적일 것은 충분히 예상할 수 있는 가운데 AI에 과세를 부과하는 로봇세의 필요성이 대두되었다. 로봇세에 대한 찬성과 반대 입장을 밝히고, 자신의 의견을 발표해 보자.

관련학과

전 자연계열

영역

윤리적사고와 학문 활동

성취기준

[12심국04-01] 쓰기 윤리의 중요성을 인식하고 책임감 있는 태도로 글을 쓴다.

▶ 쓰기 윤리를 위반하는 기준에 대한 명확한 이해를 바탕으로, 다른 사람이 생산한 자료를 표절하지 않고 올바르게 인용하기, 연구 결과를 과장하거나 왜곡하지 않고 사실에 근거하여 기술하기 등에 중점을 둔다.

탐구주제

1 표절은 다른 사람의 글과 정보 등을 출처를 밝히지 않고 그대로 도용하는 것을 의미한다. 특히 인터넷상의 부정확한 정보들에 대한 선별작업은 반드시 필요하며, 남의 글이나 정보 등을 사용할 때에는 반드시 출처를 밝혀야 한다. 자신이 진학하고자 하는 자연계열 학과와 관련된 표절 사건에 대해 조사해 보자. 그리고 정보의 선별적 정보 탐색과 쓰기 윤리에 맞는 보고서 작성의 중요성에 대해 정리해 보자.

(예: 루이 파스퇴르의 앙투안 베샹의 연구 표절 논란, 미국의 과학 저널 논문 철회 사례, 외국의 유명 의류 브랜드를 모방한 아이돌 무대 의상 등)

관련학과

전 자연계열

탐구주제

2 과학적 사고에 바탕을 둔 연구는 증명할 수 있는 사실만을 진실이라고 할 수 있다. 연구자의 신념을 지키기 위해 실험을 조작하여 연구 결과를 과장한 사례를 탐색하고, 과학자의 사명과 연구를 위한 행동 및 윤리강령의 필요성에 대한 자신의 생각을 정리해 보자.

(예: 멘델의 실험조작, 황우석 박사 사건 등)

관련학과

전 자연계열

활용 자료의 유의점

- 빅데이터 시대에서 표절의 위험성과 지적 재산권에 대해 이해
- 다양한 자료의 탐색과 분석을 통해 다른 학문과 연계하여 폭넓은 교양을 쌓기 위해 노력
- 심층적인 자료의 분석, 탐구활동을 통해 주제에 대한 고찰 과정을 정리
- 자연계열과 관련된 표절 시비 및 연구 결과 조작 등 사례 분석

MEMO

국어과

8

고전 읽기

핵심키워드

☐ 칼 세이건 ☐ 코스모스 ☐ 과학적 사고 ☐ 하이젠베르크 ☐ 양자역학 ☐ 농사직설

영역 고전의 수용

성취기준

[12고전02-01] 인문·예술, 사회·문화, 과학·기술, 문학 등 다양한 분야의 고전을 균형 있게 읽는다.

▶ 관심을 가지고 흥미를 느끼는 분야에서 시작하여, 점차 다양한 분야의 고전을 균형 있게 읽는 태도를 기른다.

[12고전02-03] 현대 사회의 맥락을 고려하여 고전을 재해석하고 고전의 가치를 주체적으로 평가한다.

▶ 고전의 가치를 수용함과 동시에 현대 사회의 맥락 속에서 그 의미를 다시 해석하고 가치를 새롭게 인식한다.

탐구주제

8.고전 읽기 — 고전의 수용

1 칼 세이먼의 「코스모스*」를 읽고, 우주의 근원에 대해 고찰하여 인류가 우주에 대한 호기심을 갖는 이유를 토의해 보자. 그리고 칼 세이먼이 이 책을 통해 인류에게 남기고자 하는 메시지가 무엇이며, 우주론적 관점에서 단 하나 뿐인 지구를 지켜야 하는 이유에 대해 토의해 보자. *(칼 세이먼, 코스모스, 사이언스북스)*

*코스모스(COSMOS) : 질서와 조화를 지니고 있는 우주 또는 세계를 의미

관련학과

우주과학과, 천문우주학과

2 과학적 사고는 진실이라 믿었던 정설에 대해 끊임없이 의심하고 도전하는 데서 출발한다. 새로운 시대와 급격한 환경 변화 속에서 더 이상 진실이 아닐 수도 있지만, 과학 고전을 통해 알 수 있는 과학적 가치에 대해 고찰해 보고, 고전의 중요성에 대해 정리해 보자.

(예: 아이로봇, 아이작아시모프, 우리교육 / 지구 속 여행(잃어버린 세계를 찾아서), 쥘베른, 열림원 / 슈뢰딩거의 고양이를 찾아서, 존그리빈, 휴머니스트 등)

관련학과

전 자연계열

탐구주제

3 하이젠베르크의 책 「부분과 전체」는 양자역학의 발전에 참여한 수많은 천재들의 캐릭터와 일화가 밀도 높게 기록되어 있다. 이 책을 읽고, 하이젠베르크가 과학자들의 대담과 토론을 통해 양자역학*의 발전 과정과 철학적, 정치적 문제에 대해 고찰한 내용을 탐색하여 보자. 또한 하이젠베르크의 연구방법과 다른 과학자들의 연구방법을 비교하여, 과학적 접근에 있어서 철학적 사유의 중요성에 대해 토의해 보자. *(하이젠베르크, 부분과 전체, 서커스)*

* 양자역학: 원자, 분자, 소립자 등 미시적 물질세계를 설명하는 현대물리학의 기본 이론

관련학과

물리학과, 수학과, 화학과

활용 자료의 유의점

- (!) 자연계열의 고전을 꾸준히 탐독하여 소양을 쌓기 위해 노력
- (!) 고전의 시대적 상황 및 배경과 연결하여 탐독하고 현대 사회의 기초 과학을 마련한 이론 등에 대해 고찰
- (!) 독서록 정리를 통해 폭넓은 독서 및 탐구 보고서의 기틀을 마련

MEMO

MEMO

자연계열편

사회과 교과과정

핵심키워드

☐ 천문도 ☐ 범종 ☐ 고려의 활발한 대외교류 ☐ 목화 ☐ 화약 ☐ 적조현상 ☐ 조선 축산 정책 ☐ 농사직설
☐ 자격루 ☐ 혼천의 ☐ 우장춘 박사 ☐ 유전육종학 ☐ 치산녹화10년 계획 ☐ 백의민족

영역 고대국가의 발전

성취기준

[10한사02-04] 고대 문화와 예술의 특징을 살펴보고, 고대 국가들이 주변 나라들과 다양하게 교류한 내용을 탐구한다.

▶ 삼국과 통일신라시대의 문화재를 통해 고대인들의 발달된 과학기술을 관찰하고 과학적 의의를 인지한다.

탐구주제

1.한국사 — 고대국가의 발전

1 우리나라의 천문도는 고구려가 처음으로 돌에 새겼다고 전해진다. 고구려 천문도의 탁본은 고려를 거쳐 조선에까지 계승되었다. 조선시대(태조4년)에 제작된 세계에서 두 번째로 오래된 천문도인 천상열차분야지도는 고구려의 천문도를 바탕으로 제작한 것으로 육안으로 확인할 수 있는 별이 1,400여 개나 된다. 또한 7세기경 제작한 것으로 추정되는 일본 기토라 고분에서 천문도가 발견되었는데 일본 학자들은 천문도의 별들이 약 1,400여 개 발견되며 기원 전후 300년전 고구려의 밤하늘을 그린 것으로 추정하고 있다. 조선시대의 천상열차분야지도와 일본의 기토라 고분에서 발견된 천문도가 고구려 천문도의 영향을 받았다는 사실을 고증을 바탕으로 증명해 보자.

관련학과

우주과학과, 천문우주과학과

2 통일신라시대의 범종은 때를 알리거나 불교에서 의식을 행하여 대중을 모을 때 사용하던 것으로, 대표적인 범종은 혜공왕 때 완성된 성덕대왕 신종이다. 성덕대왕 신종은 소리가 은은하고 여운이 남는 아름다운 종소리가 가장 큰 특징이라고 할 수 있다. 성덕대왕 신종의 구조에 대한 분석을 바탕으로 소리와 진동의 원리에 대해 정리해 보자.

관련학과

물리학과

영역

고려의 성립과 발전

성취기준

[10한사03-04] 유교·불교문화의 특징과 문화의 다양성을 탐구하고, 고려가 개방적 사회로서 여러 나라와 활발하게 교류하였음을 이해한다.

▶ 고려는 유교와 불교사상이 공존하는 가운데 다른 나라의 문화에 대해 개방적이면서도 찬란한 문화를 발전시켰던 고려의 포용성과 역동성, 주체성에 대해 이해한다.

탐구주제

1 고려시대의 평민들은 요선철릭이라는 삼베와 모시로 만든 옷을 입었다고 한다. 그러다 고려 말(1363) 문익점이 원에서 목화 종자를 가져와 전국에 재배법을 널리 알리면서 무명실로 짠 옷을 활용하게 되었다. 목화가 들어오기 전 요선철릭 옷의 단점에 대해 정리해 보자. 그리고 목화로 만든 무명옷의 쓰임과 그 의의에 대해 조사해 보자.

관련학과

농생물학과, 산림자원학과, 식물자원학과, 의류학과, 의상학과

2 고려시대의 무인이자 과학자였던 최무선은 최초로 화약을 발명하였다. 이를 통해 왜구가 500여 척의 배로 진포(군산)에 침입하였을 때, 100척의 배로 화포를 사용하여 완벽한 승리를 거두었다. 최무선의 화약 제조법은 조선시대까지 이어지는데 그가 화약을 발명하게 된 사회적 배경과 화약의 제조과정, 그리고 화포의 비행 원리에 대해 정리해 보자.

관련학과

물리학과, 화학과

영역

조선의 성립과 발전

성취기준

[10한사04-04] 새로운 사상과 종교의 등장을 사회 변동 상황과 관련지어 파악하고, 국학과 과학기술 및 서민 문화의 발달을 사례를 중심으로 살펴본다.

탐구주제

1 조선왕조실록에 의하면, 붉은 바다에 대한 언급이 81차례 기록되어 있다. 특히 정조원년(1399년) 8월에는 '경상도 바닷물이 울주에서 동래까지 길이 30리, 너비 20리로 피같이 붉었는데 나흘 동안이나 그러하였다. 수족(물속에 사는 생물의 총칭)이 모두 죽었다'고 적어 구체적인 피해 규모를 남기기도 했다. 이는 조선 시대에도 적조현상에 대해서 인지하고 관찰을 했다는 증거가 될 수 있는데 적조현상의 원인과 피해사례를 정리하고 이를 줄일 수 있는 해결 방안(위성관측 등)에 대해 설명해 보자.

관련학과

우주학과, 지구물리학과, 지구해양학과, 지구환경과학과, 해양학과, 천문우주학과

2 조선시대에는 목장의 수도 많고 규모도 컸는데 이는 가축의 중요성을 인지하고 가축을 기르기 위해 노력했던 증거로 볼 수 있다. 특히 명나라로 인해 여진과 몽골의 말이 수입되는 길이 끊어져 북방종 말이 적어지고 잡종 말이 성행하였다. 그러자, 좋은 품질의 북방종 말을 보호하기 위한 조치가 취해졌다. 조선시대 우량종 말을 보호하기 위해 했던 노력과 당시 말의 역할에 대해 정리해 보자.

관련학과

동물자원학과, 생물학과, 수의학과, 축산학과

3 조선 세종대왕의 명으로 정초, 변효문 등은 풍토가 변하면 농법도 변한다는 사명 아래 중국의 농업서를 탈피하여 곡물의 재배법에 대해 정리한 「농사직설」을 편찬하였다. 이 책의 의의에 대해 고찰하고, 4차 산업혁명 시대에 영양학적으로 유망한 토종 식물 재배의 중요성과 저장기술의 발전 방향에 대해 탐구해 보자.

관련학과

농생물학과, 식물자원학과, 식품공학과, 식품생명공학과, 원예학과

4 장영실은 태종 때부터 그 능력을 인정받았고, 세종의 총애를 받아 관노의 신분을 벗고 궁정 기술자로서 본격적으로 활약하였다. 그는 시간이 되면 스스로 알아서 종이 울리는 자동 물시계인 자격루, 천체의 운행과 그 위치, 적도좌표·황도경도 및 지평좌표를 관측하는 혼천의 등을 개발하였다. 당시 농업사회였던 조선은 자격루와 혼천의로 인해 절기에 따른 태양의 위치를 정확하게 알게 되었고, 농사를 짓는 백성들에게 크게 도움이 되었다. 자격루와 혼천의 제작과정과 작동원리에 대해 조사해 보자.

관련학과

물리학과, 우주과학과, 천문우주학과

영역

대한민국의 발전과 현대 세계의 변화

성취기준

[10한사07-03] 경제 성장의 성과 및 과제를 이해하고, 그 과정에서 나타난 사회·문화의 변화 내용을 설명한다.

탐구주제

1 중국의 「삼국지 위지 동이전」에는 부여와 신라 사람들이 흰옷을 즐겨 입었다는 내용이 실려있다. 고려시대와 조선시대에 이르기까지 흰옷을 입는 풍속은 그대로 전해왔는데 조선시대 태조, 세조, 명종, 인조, 영조에 이르기까지 여러 차례 흰색 옷을 금지하려 하였으나 실패하였다. 고대에서 근현대사에 이르기까지 우리 민족의 '흰옷'에 대한 상징적 의미를 고찰하고, 흰옷을 입는 풍속이 사라지게 된 사회적 배경에 대해 정리해 보자.

관련학과

의류학과, 의상학과

2 우장춘 박사의 대표 업적인 종의 합성이론과 한국에 귀환하여 연구한 배추와 무의 품종 개량 등 자료를 조사하여, 그가 한국 농학발전 및 세계 유전육종학 발전에 기여한 역사적 사실과 의의에 대해 정리해 보자.

관련학과

농생명학과, 생명과학과, 생물학과, 식물자원학과, 식품생명공학과, 식품영양학과

3 박정희 정부는 경제개발 5개년 계획(1962~1986)으로 대한민국 경제발전의 토대를 마련함과 동시에 산업발전과 공해 방지법, 환경 보존법 등과 같은 환경보호 정책을 함께 실시하였다. 특히 1962년에 산림법이 제정되고 1967년에서 산림청을 발족하여 수립한 '치산녹화 10년계획'(1973~1983)은 성공적인 산림녹화 정책이었다. 박정희 정부의 환경보호 정책들을 정리하고, 그 의의와 한계에 대해 조사해 보자.

관련학과

대기과학과, 산림자원학과, 원예학과, 임학과, 지구환경과학과

활용 자료의 유의점

- ! 당시의 사회적 배경과 역사적 사실을 연계하여 고찰
- ! 박물관과 유적지를 방문하여 역사적 탐구력을 기르고, 각종 유물의 원리와 쓰임에 대해 탐구
- ! 신문과 인터넷, 영화 등 자료를 탐색하여 정보통신 능력을 기르고, 융합적 사고력을 가질 수 있도록 노력
- ! TV 드라마, 문학작품, 영화 등을 자료로 활용할 경우에는 허구와 역사적 사실을 구별하여 정리

MEMO

핵심키워드

☐ 해양오염 ☐ 해양생태계 ☐ 비거니즘 ☐ 인간과 자연의 연대 ☐ 생태모방기술 ☐ 동물실험
☐ 우주쓰레기 ☐ 미세플라스틱 ☐ 경제적 불평등 ☐ 디지털 불평등 ☐ 지구온난화
☐ 문화융합 ☐ 열섬현상 ☐ 에너지 소비 ☐ 지속 가능한 발전 ☐ 적정기술

영역 인간, 사회, 환경과 행복

성취기준

[10통사01-01] 시간적, 공간적, 사회적, 윤리적 관점의 특징을 이해하고, 이를 바탕으로 인간, 사회, 환경의 탐구에 통합적 관점이 요청되는 이유를 파악한다.

▶ [10통사01-01]에 따르면 인간의 삶을 이해하기 위한 '통합적 관점'은 하나의 사회현상에 대한 시대적 배경과 맥락, 장소와 영역 및 네트워크 등 공간 정보, 사회 구조 및 제도의 영향력, 규범적 방향성과 가치 등을 고려하여 통합적으로 살펴보는 것을 의미한다.

탐구주제

2.통합사회 — 인간, 사회, 환경과 행복

① 해양오염 및 무분별한 포획으로 인한 해양 동물의 생태 위기 문제를 시간적·사회적·공간적·윤리적 관점으로 나누어 분석해 보자. 그리고 이러한 각각의 관점을 종합적으로 고려하여 해양오염의 문제점과 해양 동물의 생태계 보존을 위한 방안을 통합적 관점에서 모색하여 발표해 보자.

관련학과

동물자원과학과, 생물학과, 수의학과, 식품영양학과, 지구해양학과, 지구환경과학과, 해양학과

② 유엔식량농업기구(FAO)는 2019년 기준으로 전 세계 육류 소비량이 3억 톤에 달하며, 해마다 증가하는 인구수에 대비하면 2050년 육류 소비량은 4억 5천만 톤에 이를 것으로 예측하였다. 이에 따라 목초지 증가, 온실가스 배출, 동물 학대 및 살상 등 여러 문제들이 파생되고 있다. 최근 비거니즘*(Veganism)의 등장에 따라 고기에 근접한 대체육과 배양육에 대한 연구가 활발히 진행되고 있다. 비거니즘에 대해 통합적 관점에서 분석하고, 비거니즘의 등장 배경과 사회적 가치에 대해 고찰해 보자.

* 비거니즘(Veganism): 동물을 착취해서 생산되는 제품을 거부하고, 동물권을 옹호하며 종간의 차별에 반대하는 사상

관련학과

동물자원과학과, 생물학과, 생명과학과, 식품생명공학과, 식품공학과, 식품영양학과, 지구환경과학과

영역

자연환경과 인간

성취기준

[10통사02-02] 자연에 대한 인간의 다양한 관점을 사례를 통해 설명하고, 인간과 자연의 바람직한 관계에 대해 제안한다.

▶ 인간 중심주의와 생태 중심주의를 중심으로 구체적인 사례를 통해 학습하도록 하고, 자연 생태계와 인간의 삶은 유기적으로 연계되어 있음을 고려하면서 인간과 자연의 바람직한 관계를 다루도록 한다.

[10통사02-03] 환경 문제 해결을 위한 정부, 시민사회, 기업 등 다양한 노력을 조사하고, 개인적 차원의 실천 방안을 모색한다.

▶ 환경 문제 해결을 위한 정부의 제도적 노력이나 시민단체들의 시민운동 및 캠페인, 기업 차원에서의 시설 정비 및 기술 개발 등 다양한 실제 사례들을 조사하고, 개인적 차원에서 할 수 있는 분리수거, 에너지 절약 등 실천 방안을 탐색할 수 있도록 한다.

* 관련용어(① ~ ②)
* 인간 중심주의: 인간과 자연과의 관계에서 인간의 이익과 행복을 중요시하는 관점을 의미함.
* 생태 중심주의: 인간과 자연과의 관계에서 인간을 포함한 자연 전체, 자연을 이루고 있는 모든 생명체의 균형과 조화를 중요시 함.

탐구주제

2.통합사회 — 자연환경과 인간

① 독일의 생태작가 페터 볼레벤은 「인간과 자연의 비밀연대」에서 인간이 유행에 따라 수종을 선택하여 인위적으로 조성한 인공조림의 사례를 지적하면서 인간이 숲에 잘못 개입하여 자연이 파괴되고 그 피해가 인간에게 돌어올 수 있음을 경고하고 있다. 책을 읽고 인공조림이 지구온난화 및 자연재해에 대한 올바른 대안이 될 수 없는 이유를 정리해 보자. 그리고 기후와 환경의 위기 상황에서 자연과 인간의 바람직한 관계에 대해 자신의 의견을 발표해 보자.

(페터 볼레벤, 인간과 자연의 비밀연대, 더숲)

관련학과

동물자원학과, 생명과학과, 의생명과학과, 화학과, 환경생명화학과

② 고대 그리스의 철학자 아리스토텔레스는 "자연이 하는 일에는 쓸데없는 것이 없다"라고 하였다. 현재의 과학기술로 해결할 수 없는 환경문제 및 다양한 사회문제에 대한 해결책을 찾기 위해, 생태계 또는 생물체의 구조와 기능을 모방하는 생태모방기술에 주목하고 있다. 이러한 생태모방기술의 연구 동향과 구체적 활용 사례를 찾아 정리하고, 환경문제의 대안으로 생태모방기술이 지닌 가치에 대해 토론해 보자.

관련학과

농생물학과, 산림자원학과, 생물학과, 식물자원학과, 지구환경과학과

탐구주제

3 우주 쓰레기란 우주를 떠도는 고장 또는 사용이 완료된 인공위성, 인공위성과 로켓에서 비롯된 파편들, 우주 비행사가 놓친 공구와 장치 등 인공적인 모든 물체를 의미한다. 우주 쓰레기에 따른 위험은 1978년 미국항공우주국(NASA)의 과학자 도널드 케슬러가 경고하였는데 지구 주위의 우주쓰레기는 약 6,000톤에 달하고 있어 많은 과학자들은 케슬러 증후군*이 현실화 될 것을 우려하고 있다. 무분별한 우주 쓰레기 문제로 인한 우주 환경오염 문제 실태와 이를 방지하기 위한 각 나라들의 노력에 대해 정리해 보자.

* 케슬러 증후군: 인공위성과 같은 우주 쓰레기로 인해 파생된 파편이 다른 인공위성과 충돌하는 등 위협 현상을 의미함.

관련학과

우주과학과, 천문우주학과

4 미세플라스틱(microplastics)은 해양 오염뿐만 아니라 토양 오염에도 심각한 영향을 준다. 매사추세츠대 애머스트 캠퍼스 연구팀은(2020.06.) 미세플라스틱을 흙에 섞어 '애기장대*'를 재배하는 실험을 하였는데 플라스틱 입자를 대량으로 섞은 흙으로 키운 애기장대는 성장이 훨씬 느리고, 뿌리도 약한 것으로 나타났다. 미세플라스틱이 농작물에 영향을 주는 원인과 피해 사례에 대해 인터넷과 저널, 전문 서적 등을 활용하여 조사해 보자.

* 애기장대: 십자화과의 두해살이 풀로, 식물연구를 위한 모델 식물

관련학과

농생물학과, 식물자원학과, 지구환경과학과, 환경생명화학과

영역 사회정의와 불평등

성취기준

[10통사06-03] 사회 및 공간 불평등 현상의 사례를 조사하고, 정의로운 사회를 만들기 위한 다양한 제도와 실천 방안을 탐색한다.

▶ 사회 계층의 양극화, 공간 불평등, 사회적 약자에 대한 차별 등 사례를 조사하여 원인을 분석하고, 이를 해결하기 위한 사회 복지 제도, 지역 격차 완화 정책, 적극적인 우대 조치 등을 다루도록 한다.

탐구주제

1 경제적 불평등은 우리 사회가 직면한 가장 중요한 사회문제이다. 기능론의 입장에서는 사회적 약자의 개인적 노력에 대해 강조하고, 갈등론의 입장에서는 사회를 이루고 있는 구조의 불평등에 집중한다. 빈부격차의 원인은 다양할 수 있지만, 결과적으로는 취약계층의 아동과 청소년을 비롯한 사회적 약자는 건강에 해로운 음식에 더 많이 노출된다. 경제 형편에 따라 다르게 섭취하는 음식의 종류와 건강 실태에 대해 조사하고, 사회적 약자를 위한 건강증진 정책을 제안해 보자.

관련학과

식품공학과, 식품영양학과, 식품생명공학과

탐구주제

2 과학기술의 발전에 따라 디지털 불평등 문제가 화두가 되고 있다. 최근 코로나바이러스로 인한 비대면 서비스는 활성화되고 있는데 디지털 기기에 익숙하지 않은 노인들이 사용하기에는 많은 어려움이 있다. 노인계층을 위한 디지털 불평등에 따른 정보격차 문제를 해결할 수 있는 방안을 구체적 사례를 들어 논의해 보자.

관련학과

전 자연계열

영역

문화와 다양성

성취기준

[10통사07-01] 자연환경과 인문 환경의 영향을 받아 형성된 다양한 문화권의 특징과 삶의 방식을 탐구한다.

▶ 문화권의 형성에 영향을 주는 요인으로 자연환경은 기후와 지형을, 인문 환경은 종교와 산업에 초점을 두어 다룬다. 그리고 자연환경과 인문 환경의 영향을 받아 형성된 다양한 문화권의 특징과 삶의 방식은 비교 문화의 관점에서 고찰하도록 한다.

탐구주제

2.통합사회 — 문화와 다양성

1 지구온난화에 따른 기상 이변 등으로 세계는 식량 위기에 대한 대비책을 준비하고 있다. 특히 코로나바이러스가 유행함에 따라 전 세계로 연결되어 있는 식량 공급 유통망이 흔들리고 있어 식량안보에 대한 경각심은 더욱 강조되는 상황이다. 식량안보에 대한 위기의식을 바탕으로 국내 식량 자급률을 높일 수 있는 대응 방안에 대해 조사해 보자.

관련학과

농생명학과, 생명과학과, 생물학과, 식품공학과, 식품생명공학과, 의생명과학과, 환경생명화학과

2 남한과 북한의 정치체제의 차이는 음식 조리법에 대한 차이를 가져왔다. 남한은 세계의 다양한 문화를 흡수하고 창의적 레시피의 연구와 개발을 통해 K-푸드의 위상을 널리 알렸다. 반면에 식재료의 자립을 강조한 북한은 표준화된 조리법 연구에 매진하여 전통음식의 조리법을 체계화하였다. 남한의 발전된 저장·가공기술과 북한이 보유한 전통음식 조리법에 대해 조사해 보자. 그리고 과학적 원리에 바탕을 둔 남북한 간 음식 조리법의 융합 아이디어를 제안하여 K-푸드의 세계화 방안에 대해 발표해 보자.

관련학과

식품공학과, 식품생명공학과, 식품영양학과

영역 # 미래와 지속 가능한 삶

성취기준

[10통사09-02] 지구적 차원에서 사용 가능한 자원의 분포와 소비 실태를 파악하고, 지속 가능한 발전을 위한 개인적 노력과 제도적 방안을 탐구한다.

▶ 지구적 차원에서 사용 가능한 자원의 분포와 소비 실태는 석유, 석탄, 천연가스 등을 중심으로 다룬다. 그리고 지속 가능한 발전은 경제, 환경뿐만 아니라 사회가 균형 있게 성장하는 포괄적이고 총체적인 성장에 있음을 고려하면서 개인적 노력과 제도적 방안을 다루도록 한다.

[10통사09-03] 미래 지구촌의 모습을 다양한 측면에서 예측하고, 이를 바탕으로 자신의 미래 삶의 방향을 설정한다.

▶ 정치적·경제적 문제에 따른 국가 간 협력과 갈등, 과학기술의 발전에 따른 인간과 삶의 변화, 생태 환경의 변화 등 다양한 측면에서 미래 지구촌의 변화 양상을 예측하도록 하고, 이를 바탕으로 자신의 미래 삶의 방향을 자신이 지구촌의 구성원이라는 점과 관련지어 설정할 수 있도록 한다.

*에너지경제연구원 홈페이지 참조(http://www.keei.re.kr/main.nsf/index.html)
*관련(① ~ ②)

탐구주제

2.통합사회 — 미래와 지속 가능한 삶

1 2017년 OECD 최종 에너지 소비량 통계에 따르면(출처자료: OECD iLibrary) 한국은 OECD 주요 국가 중 '최종 에너지 소비량 5위, 1인당 최종 에너지 소비량은 8위'이며, 주로 석탄, 석유, 천연가스, 원자력 에너지를 많이 소비하고 있다고 나타났다. 에너지경제연구원 홈페이지를 참조하여 3년간(2018~현재) 석탄, 석유, 천연가스, 원자력 에너지의 소비량을 조사하여 통계 자료를 제작하고(그래프, 인포그래픽 등), 에너지 전환*의 중요성과 당위성에 대해 발표해 보자.

*에너지 전환: 에너지 공급체계인 화석연료에서 지속 가능한 재생 에너지로 전환하는 것을 의미함.

관련학과

대기과학과, 물리학과, 수학과, 지구물리학과, 지구환경과학과, 통계학과

2 현세대와 미래 세대의 연결을 위한 '지속 가능한 발전'의 의미를 사회·경제·환경적 차원에서 정리해 보자. 그리고 환경오염과 이상 기후에 대비하고 지속 가능한 발전을 이루기 위해, 개인과 국가의 노력 중점 방향에 대해 PPT로 제작하여 발표해 보자.

관련학과

대기과학과, 물리학과, 산림자원학과, 임학과, 지구물리학과, 지구환경과학과

3 열섬현상(heat island)이란 특정 지역의 기온이 다른 곳보다 높은 것을 의미한다. 열섬현상은 다른 지역에 비해 특히 도시에서 발생하는데 같은 서울이라도 강남구, 송파구, 서초구 등 건물이 많고 밀집된 지역일수록 기온은 높아진다. 이러한 도시열섬현상의 원인을 키르히호프의 복사에 대한 법칙*과 연결하여 규명하고, 우리나라 도시에서 볼 수 있는 도시열섬현상의 사례에 대해 정리해 보자.

* 키르히호프의 복사에 대한 법칙: 열역학적인 열평형상태인 일정한 온도에서 같은 파장의 복사에 대한 물체의 흡수율과 방출률의 비는 물체의 성질과 상관없이 일정한 값을 가짐.

관련학과

물리학과, 지구물리학과, 지구환경과학과

탐구주제

4 소설이나 영화 속에서 묘사되는 미래 사회는 과학기술로 인한 종말이나 부정적 측면들이 등장하곤 한다. 「적정기술*의 이해」를 읽고, 과학기술이 에너지, 사회, 경제 등 미래 인류의 경제적 불평등을 극복하고 사회를 발전시키는 데 기여할 수 있는 긍정적 측면을 찾아보자. 그리고 과학기술의 긍정적 측면과 부정적 측면을 비교한 후, 과학기술에 대한 자신의 생각과 소감을 작성하여 발표해 보자. *(적정기술의 이해, 신관우, 7분의 언덕)*

* 적정기술: 주로 개발도상국의 특정 기술이 사용되는 공동체의 삶의 질 향상과 빈곤퇴치를 위해 정치, 사회, 문화, 윤리, 환경적인 측면을 모두 고려하여 고안된 기술. 적은 비용으로 제작할 수 있어 특정 지역의 환경에 맞게 기술적 해법을 제시해주며, 대표적 사례는 라이프 스트로우(Life Straw)와 큐드럼(Q-drum)이 있음.

관련학과

전 자연계열

5 자연계열의 학과 중 희망학과와 관련된 미래 유망 직업을 선택하여 하는 일과 미래 전망 등을 분석하되, 해당 직업이 미래 사회의 발전과 인류의 행복한 삶에 어떻게 기여할 수 있는지 정리하여 발표해 보자.

관련학과

전 자연계열

활용 자료의 유의점

- (!) 토의 또는 토론을 할 때 구체적인 근거를 제시
- (!) 통합사회 교과에 나오는 사회용어들에 대해 개념을 정리
- (!) 사회현상과 과학기술의 동반자적 탐구 자세를 통해 사회문제 해결을 위한 방안을 고찰
- (!) 사회현상을 분석하는데 있어 객관적 정보수집, 통계자료 활용 등 과학적 사고로 접근
- (!) 다양한 의견을 수렴하고 융합하여 창의적 사고력을 향상할 수 있도록 노력

MEMO

핵심키워드

□ 농경과 목축 □ 벼농사 □ 유목 생활 □ 은의 유통 □ 연은분리법
□ 서구 근대문물의 수용 □ 사회진화론 □ 양력

영역 동아시아 역사의 시작

성취기준

[12동사01-02] 동아시아의 다양한 자연환경을 배경으로 나타난 삶의 모습을 농경과 목축을 중심으로 파악한다.

▶ 농경과 목축을 통해 동아시아 지역에서 사람들이 살아가는 모습을 파악하는 데 중점을 둔다.

탐구주제

3.동아시아사 — 동아시아 역사의 시작

1. 동아시아의 역사에서 벼농사는 기원전 6,000년경에 시작되어 한반도를 거쳐 일본까지 전파되었다. 동아시아를 기점으로 벼농사의 전파과정에 대해 설명하고 특히 한국, 중국, 일본의 각 나라별 벼농사 시작의 시기와 특징을 분석해 보자.

관련학과

농생물학과, 식물자원학과, 식품공학과, 식품영양학과

2. 벼농사의 가장 중요한 재배환경 중의 하나는 물이다. 연평균 강수량이 400mm 이하인 지역에서는 벼농사가 어려워 목축으로 생활을 영위하였는데 특히 비가 적고 기온이 낮은 몽골에서는 계절에 따라 이동하며 목축을 하는 유목이 성행하였다. 몽골의 유목 생활에서 가장 중요한 오축(양, 염소, 소, 말, 낙타)의 쓰임과 유목 생활에서 나타날 수 있는 가축의 사육 방법에 대해 조사해 보자.

관련학과

동물자원과학과, 수의학과, 축산학과

영역

동아시아 사회변동과 문화 교류

성취기준

[12동사03-02] 동아시아 지역의 교역망 발달과 서양과의 교역 확대로 인한 은 유통의 활성화 과정을 이해한다.

▶ 중국, 한국, 일본의 은에 대한 입장의 차이를 비교하고, 은 유통에 따른 경제권 형성의 의의를 고려하도록 한다.

탐구주제

3.동아시아사 — 동아시아 사회변동과 문화 교류

1 16세기 전 세계의 은이 중국으로 유입된 배경을 이해하고, 명나라에서 활용된 은의 쓰임에 대해 조사하여 보자. 특히 은본위제의 확립 과정과 은이 명나라에 영향을 준 경제적 측면과 국제 정세적 측면에 대해 정리하여 발표해 보자.

관련학과

지구물리학과, 지구환경과학과

2 조선의 김감불과 김검동은 소나무재를 이용해 은에 포함되어 있던 납을 분리하는 획기적인 기술인 연은분리법*을 개발하였다. 연은분리법은 일본의 혼슈 시네마현에 있는 이와미 은광산에 도입되어 일본이 전 세계 생산의 1/3을 차지할 정도로 많은 영향을 주었다. 연은분리법의 원리에 대해 설명하고, 일본이 은 생산의 주요 수출국으로 자리매김 할 수 있었던 이유에 대해 조사해 보자.

* 연은분리법: 16세기 초, 조선 연산군 때에 고안되었으며 납이 포함된 은광석에서 납을 산화시켜 은을 채취하는 기술

관련학과

지구물리학과, 지구환경과학과, 화학과

영역

동아시아의 근대화 운동과 반제국주의 민족운동

성취기준

[12동사04-03] 동아시아 각국에서 서양 문물의 수용으로 나타난 사회·문화·사상적 변화 사례를 비교한다.

▶ 만국 공법, 사회 진화론, 과학기술, 신문과 학교, 시간과 교통, 도시, 여성, 청년 등 주제를 중심으로 다루고, 가능할 경우 각국 간의 연관성을 부각시켜 제시하도록 한다.

탐구주제

1 서구 근대 문물의 수용으로 일본, 한국, 중국 순으로 양력이 도입되었다. 우리나라는 양력의 수용으로 서구식 시간관념이 생겨나 학교와 철도의 이용 등에 통일된 시간관념이 사용되었지만, 여전히 음력에 바탕을 둔 절기와 명절을 선호하기도 한다. 양력과 음력의 기원과 원리에 대해 조사하고, 양력 도입의 의의에 대해 정리해 보자.

관련학과

천문학과

활용 자료의 유의점

(!) 동아시아 국가의 과학기술 발전과 사회현상의 연관성을 비교하는 데 중점

(!) 각종 문헌과 학술자료를 이용하여, 각 역사적 사건의 시대적 배경과 인과관계를 조명

(!) 서양에 비해 동아시아 국가의 과학기술이 빠르게 발전하지 못했던 이유에 대해 분석

MEMO

핵심키워드

☐ 고대수학 ☐ 측량법 ☐ 메소포타미아 문명 ☐ 기하학 ☐ 지구 구형설 ☐ 지동설 ☐ 유럽 과학혁명
☐ 신항로 개척 ☐ 사피엔스 ☐ 전염병의 미래 ☐ 팬데믹

영역 인류의 출현과 문명의 발생

성취기준

[12세사01-03] 여러 지역에서 탄생한 문명의 내용을 조사하여 공통점과 차이점을 설명한다.

▶ 청동기의 사용, 문자의 발명, 계급의 발생, 도시와 국가의 형성 등이 문명의 발생으로 이어졌음을 이해한다. 중국, 인도, 메소포타미아, 이집트 등지에서 발생한 문명이 다양하게 발전해 나가는 모습을 탐구하도록 한다.

탐구주제

4.세계사 — 인류의 출현과 문명의 발생

1 「수학의 세계」를 읽고 고대 메소포타미아 문명에서 수학의 쓰임과 의의를 이해해 보자. 그리고 60진법의 정수와 분수, 360°의 사용 등을 구체적으로 조사하여 메소포타미아 수학이 현대 수학에 기여한 점에 대해 설명해 보자.

(수학의 세계, 박세희, 서울대학교출판문화원)

관련학과
수학과

2 세계 4대 문명 중 가장 먼저 시작한 이집트 문명은 나일강의 범람으로, 범람 시기를 예측하기 위해 양력을 사용하였다. 또한 범람된 토지를 관리하고 효율적으로 이용하기 위해 측량 기술이 발달하였다. 기하학(Geometry)의 어원은 '땅을 재다'로 기하학이 땅을 측량하는 데서 유래하였음을 알 수 있는데 고대 이집트에서 활용된 측량법의 내용과 수학적 의의에 대해 정리해 보자.

관련학과
수학과

영역

유럽 아프리카 지역의 역사

성취기준

[12세사04-03] 신항로 개척이 가져온 유럽의 흥기와 절대 왕정의 등장에 대해 탐구하여 유럽 사회의 변화된 모습을 파악한다.

▶ 종교 개혁이나 신항로의 개척에서 유래한 유럽 사회의 변화와 연계하여 오늘날의 전 세계의 모습을 조사한다.

탐구주제

4.세계사 — 유럽 아프리카 지역의 역사

1 '지구의 외형은 둥글다'라는 지구 구형설은 고대 그리스의 피타고라스에 의해 처음 주장되었으나, 1522년 마젤란이 세계 일주에 성공할 때까지 받아들여지지 않았다. 고대에서부터 대항해 시대에 이르기까지 지구 구형설을 주장한 학자들과 그들의 이론 및 지동설이 입증된 과정에 대해 정리해 보자.

관련학과

지구물리학과, 지구환경과학과, 우주과학과, 천문우주학과 등

2 16세기 유럽은 해상무역의 발달로 대양에서의 위치를 관측하기 위해 경도와 위도의 측정이 필요하게 되었다. 이에 따라 측량, 지도 제작, 달력의 사용을 위한 천문학과 수학이 발달하였으므로 근대 유럽의 과학기술이 해상무역 발달의 중요한 원인이 되었음을 이해해 보자. 그리고 신항로의 개척 및 해상무역과 관련된 과학기술의 발달과정을 정리하여 발표해 보자.

관련학과

수학과, 우주과학과, 지구물리학과, 지구환경과학과, 지구해양학과, 천문우주과학과, 해양학과

3 역사학자 유발 하라리는 「사피엔스」에서 인류 역사의 획기적인 변화를 가져온 사건을 인지혁명, 농업혁명, 인류의 통합, 그리고 과학혁명으로 총 4부로 제시하였다. 유럽이 과학혁명의 중심이 될 수 있었던 이유와 과학혁명이 무지의 혁명이라 표현할 수 있는 이유에 대해 고찰해 보자. *(사피엔스, 유발하라리, 김영사)*

관련학과

전 자연계열

영역

현대 세계의 변화

성취기준

[12세사06-02] 세계화와 과학·기술 혁명이 가져온 현대 사회의 변화를 파악하고, 지구촌의 갈등과 분쟁을 해결하려는 태도를 기른다.

▶ 세계화·정보화·과학기술의 발달 등 현대 사회의 다양한 특성을 이해한다. 세계 각지에서 나타나고 있는 갈등과 분쟁을 세계사적 관점에서 접근함으로써 원인을 규명하고 해결 방안을 모색한다.

탐구주제

4.세계사 — 현대 세계의 변화

1 현대 과학기술의 발전으로 인한 자원, 식량, 환경 등 문제점에 대해 고찰하여 과학기술의 발달과 세계화가 인류에 영향을 준 명암에 대해 구체적 사례를 들어 정리해 보자. 또한 4차 산업 혁명 시대의 자원, 식량, 환경문제에 있어 미래 과학기술 경쟁력 확보의 중요성에 대해 토의해 보자.

관련학과

전 자연계열

2 「전염병이 휩쓴 세계사」를 읽고 역사적으로 전염병에 대해 인류가 어떻게 도전하고 극복하였는지의 과정을 고찰해 보자. 그리고 글로벌 네트워크 형성으로 강력한 파급력을 지닌 코로나바이러스로 인해 팬데믹을 겪은 인류가 미래에 등장할 수 있는 전염병에 대처하는 자세와 지속적인 백신 개발의 중요성에 대해 토의해 보자.

(전염병이 휩쓴 세계사, 김서형, 살림)

관련학과

전 자연계열

활용 자료의 유의점

- ! 역사적 사실에 근거한 역사의 흐름과 인과관계 및 역사적 의미에 대해 고찰
- ! 동시대의 4대륙(아시아, 유럽, 아메리카, 아프리카)의 역사적 사건들을 연결하여 자료를 수집
- ! 자연계열의 학문적 탐구를 통해 과거 인류의 역사와 미래사회 변화에 기여할 수 있는 점을 정리
- ! 사회적 배경에 따른 동양과 서양의 사회적, 경제적, 문화적 관점의 차이가 현대사회에 어떤 영향을 주었는지 탐색

경제

핵심키워드

□ 마스크 대란 □ 곤충산업 □ 스마트팜 □ 폴리우레탄 □ 폴리우레탄폼 □ 환율 □ 바이오
□ 코로나19와 중국 □ 외환시장의 원리 □ 시장경제 □ 태양광 연금

영역 경제생활과 경제문제

성취기준

[12경제01-01] 사람들의 경제생활에서 희소성이 존재함을 인식하고 합리적 선택의 필요성을 이해한다.

▶ 정해진 예산과 같은 희소성의 상황에서 최대 만족을 얻기 위한 합리적인 선택을 이해할 수 있게 한다.

[12경제01-03] 경제 문제를 해결하는 다양한 방식의 장단점을 비교하고, 시장경제의 기본 원리와 이를 뒷받침하는 사회 제도를 파악한다.

▶ 전통 경제, 계획경제, 시장경제의 특성을 간단히 비교한 후 시장경제는 경제 주체의 자유와 경쟁을 바탕으로 가격 기구를 통해 경제 문제를 해결하려고 한다는 점을 강조한다. 또한 이러한 시장경제를 뒷받침하기 위해서는 사유 재산권, 경제활동의 자유, 공정한 경쟁 등이 보장되어야 한다는 점을 이해한다.

탐구주제

5.경제 — 경제생활과 경제문제

1 2019년 겨울 코로나바이러스 사태로 전 세계적으로 마스크 품귀 현상이 일어났다. 이렇게 대비하지 못한 상황에서 갑작스럽게 특정 물품이 품귀 현상이 일어나면 수요가 급격하게 증가하고, 공급이 미처 따라가지 못해 사재기와 급격한 가격 인상 등 많은 부작용이 초래된다. 관련 물품을 생산하는 공장들을 무조건 늘릴 수 없는 상황을 유념하여 미세먼지, 예상치 못한 바이러스의 출현 등 한정된 재화에서 마스크 수급 현상을 늘리기 위해 개인, 기업, 정부가 할 수 있는 구체적인 해결 방안을 제시해 보자.

관련학과

의류학과, 의상학과, 화학과

2 버려지는 음식물들로 지구의 환경오염은 가속화되고, 여전히 세계 인구의 절반은 굶주림에 시달리고 있다. 무작정 경작지를 늘린다면, 식량 생산은 가속화되겠지만 이에 따른 환경피해도 뒤따를 것이다. 환경보호와 식량 생산으로 인한 환경피해의 상관관계에 대해 분석해 보자. 또한 환경피해를 최소화하면서 공존할 수 있는 식량 생산의 방안을 곤충산업, 배양육, 스마트팜의 미래산업과 연관 지어 제시해 보자.

관련학과

농생물학과, 산림자원학과, 생명과학과, 생물학과, 식물자원학과, 식품공학과, 식품생명공학과, 식품영양학과, 의생명과학과, 환경생명화학과

3 한정된 지구자원의 효율성을 높이기 위해서는 자원의 재활용이 중요하다. 폴리우레탄(polyurethane)은 열을 가할수록 결합도가 높아지는 열경화성 폴리머로 재활용하거나 처리하기가 어렵다. 그러나 폴리우레탄이 형성되는 과정에 발포제를 사용하여 폴리우레탄폼(polyurethane foam)을 만들 수 있는데 이 폴리우레탄폼은 건물 내부 벽의 단열재, 매트리스, 카펫, 의류, 자동차 의자 등 다양한 곳에 사용되고 있다. 폴리우레탄과 폴리우레탄폼의 생성원리와 다양한 분야에 응용되는 사례에 대해 조사하여 발표해 보자.

관련학과

의류학과, 의상학과, 화학과

4 국제결제은행(BIS)은 기후 변화 문제가 화폐와 금융의 안정성까지 위협하여 금융위기를 초래할 수 있음을 경고하였다. 또한 기후 위기를 경제적 불확실성을 의미하는 '블랙스완'에 적용하여 '그린스완'으로 규정하였다. 더불어 기후 위기가 홍수, 산불, 가뭄, 인수공통 전염병 등 생태위기를 야기하고 생태위기와 인류의 삶을 위협하여 막대한 경제적 피해를 초래할 수 있음을 강조하였다. 기후 위기로 인해 경제적 피해가 초래됐던 사례를 조사하고, 이를 극복할 수 있는 방안에 대해 토의해 보자.

관련학과

대기과학과, 삼림자원학과, 임학과, 지구환경과학과

5 전라남도 신안군은 전국 최초로 '신재생 에너지 개발 이익 공유에 관한 조례'를 제정하였다.(2018.10.) 2021년을 기준으로 신안군은 신재생 에너지 태양광 발전사업 1.8GW를 추진하고, 태양광발전단지 2개소에서 상업 운전을 시작하였다. 정부는 '신재생 에너지 개발 이익 공유에 관한 조례'에 근거하여 관련 주민들에게 최대 월 42만 원의 연금을 지급하기로 결정하였다. 시장경제의 관점에서 신안군의 '태양광 연금'에 대해 분석하고, 공정한 경쟁에 있어 국가 개입의 필요성에 대한 자신의 의견을 정리해 보자.

관련학과

대기과학과, 지구환경과학과

영역

세계시장과 교역

성취기준

[12경제04-02] 외환 시장에서 환율이 결정되는 과정과 환율 변동이 국가 경제 및 개인의 경제생활에 미치는 영향을 파악한다.

▶ 국가 간 거래의 필요성을 인식하고, 상품과 생산요소의 이동에 따른 외환 시장의 작동 원리와 국제 수지의 변화를 이해한다.

탐구주제

5.경제 — 세계시장과 교역

1. 원·달러 환율이 상승할 때, 수입원료 비중이 높은 화장품 업계와 글로벌 브랜드를 판매하는 패션 업계의 상황을 구체적으로 분석해 보자. 특히 최근 환율 변동에 따른 글로벌 브랜드의 수입가격 추이를 분석하여, 이러한 상황이 소비자들에게 어떤 영향을 줄 수 있는지에 대해 조사해 보자.

관련학과

의류학과, 의상학과, 화학과, 환경생명화학과

2. 원·달러 환율이 하락할 때, 국내 원료에 기반한 국내 바이오의약품 업계의 수출 시장 상황을 구체적으로 분석하여 국가의 경제 및 해외시장의 변화가 국내 바이오의약품 업계에 미칠 수 있는 영향에 대해 정리해 보자.

관련학과

생명과학과, 생물학과, 의생명과학과, 환경생명화학과

3. 경제적인 측면에서 중국은 코로나19의 피해자이자 수혜자가 되었다. 중국은 낮은 인건비로 세계의 공장이라 불렸지만, 인건비 상승과 미·중 무역 갈등으로 여러 나라의 기업들이 베트남 등 동남아시아로 이전하여 '탈중국 현상'이 나타났었다. 그러나 코로나19로 인해 많은 기업들이 조기 방역에 어느 정도 성공한 중국으로 다시 회귀하였다. 이러한 중국 수출 시장의 변화와 미·중 갈등 상황에서 우리나라의 경제적 대처방안에 대해 정리해 보자.

관련학과

생명과학과, 생물학과, 의생명과학과, 환경생명화학과

활용 자료의 유의점

- (!) 최근 시사 자료의 경제 이슈들을 검색해 정치 및 사회문화 환경이 경제에 미칠 수 있는 영향에 대해 고찰
- (!) 신문, 경제 저널, 인터넷 등을 통해 경제용어와 도표 및 통계에 대한 내용을 분석할 수 있는 기초 지식을 쌓도록 노력
- (!) 토론, 발표, 논술, 조사 등 다양한 방법을 통해 경제 현상을 이해하고 경제 문제에 접근
- (!) 논쟁적인 경제적 이슈를 자연계열의 이슈와 연계하여 창의융합적 사고를 쌓을 수 있도록 노력

사회과

6

정치와 법

핵심키워드

☐ 동물돌봄서비스 ☐ 시민단체 ☐ 정치참여 ☐ GMO 완전표시제 ☐ 특허분쟁 ☐ 크리스퍼 가위 ☐ 김치
☐ 과학기술 ☐ 한일대륙붕협정 ☐ 죄형법정주의 ☐ 7광구 ☐ 미세먼지
☐ 국제관계 ☐ 국제분쟁 ☐ 생물다양성협약

영역 정치과정과 참여

성취기준

[12정법03-03] 정당, 이익집단과 시민단체, 언론의 의의와 기능을 이해하고, 이를 통한 시민 참여의 구체적인 방법과 한계를 분석한다.

▶ 정당, 이익집단, 시민단체, 언론 등 다양한 정치 주체의 기능과 역할을 이해하고, 우리가 일상생활에서 실천할 수 있는 시민 참여의 구체적인 방법을 탐색한다.

탐구주제

6.정치와 법 — 정치과정과 참여

1 최근 서울시는 「동물공존도시」를 선언하며 동물복지와 시민의 안전망 확충을 위한 "동물돌봄체계"와 "동물돌봄서비스" 계획을 발표하였다.(2019) 시민참여 방법으로 ① 생명존중 의식 교육, ② 어르신과 어린 동물 매개활동, ③ 시민봉사단 위촉 등을 기획하여 시민의 동물보호 정책참여를 확대하기 위한 방안을 마련하였다. 위 4개의 지원방안 중 하나를 선택하여 '시민이 참여하는 「동물공존도시」 조성 계획서'를 구체적으로 작성해 보자.

관련학과

동물자원과학과, 수의학과, 축산학과

2 참여연대와 민생경제연구소 등 시민단체들은 코로나19로 인한 민생위기 극복방안을 제시하였다. 재난 긴급지원의 보편지원, 소득이 급감할 경우 한시적으로 계약을 해지하지 못하도록 하는 임차인을 위한 긴급구제 3법, 급격한 매출 감소로 변제계획을 이행하지 못하는 채무자에게 법원이 면제판단을 내리는 등 민생을 보호하기 위한 정책을 제안하였다. (2020.09.) 이러한 시민단체들의 주장 중에서 현실적으로 어렵다고 생각하는 방안을 선택하여 그 이유를 밝히고, 내용을 수정하여 정리해 보자.

관련학과

전 자연계열

탐구주제

6.정치와 법 — 정치과정과 참여

③ GMO 완전표시제는 유전자 변형 농수산물(GMO)을 원료로 사용할 때, 함량과 관계없이 그 사용 여부를 완전히 표기해야 한다는 표시 방식을 의미한다. 그러나 열처리 등으로 DNA나 단백질 구조가 완전히 파괴된 식품은 GMO 표시를 하지 않아도 된다는 예외 규정이 있다. 시민단체들은 식품에 대한 정확한 정보를 알고 선택할 권리를 위해 완전표시제 도입을 주장하고, 반면에 과학적 측면에서는 가공식품은 GMO 제품이 아니기 때문에 표시할 이유가 없고, 과학적 근거 없이 GMO에 대한 부정적인 인식을 키울 뿐이라고 주장한다. 이러한 갈등은 점점 심화되어 시민단체들은 'GMO 표시제도 사회적 협의체'를 중단하기에 이르렀다. GMO 완전표시제에 대한 시민단체의 입장과 해외 사례에 대해 조사하고, 찬성과 반대의 입장을 정하여 토론하여 보자.

관련학과

농생물학과, 생명과학과, 생물학과, 식품공학과, 식품생명공학과, 식품영양학과, 환경생명화학과

영역

사회생활과 법

성취기준

[12정법05-01] 형법의 의의와 기능을 죄형 법정주의를 중심으로 이해하고, 범죄의 성립 요건과 형벌의 종류를 탐구한다.

▶ 죄형법정주의*를 중심으로 형법의 의의, 범죄의 의미와 형벌의 종류를 이해하고, 형사 절차에서 인권 보장을 위해 마련된 원칙과 제도를 탐구한다. 이때 그 구체적인 제도와 절차를 지나치게 세부적으로 나열하기보다는 인권 보장을 위해 어떤 원칙이 형사 절차 속에 구현되어 있는지에 초점을 맞추어 탐구한다.

* 죄형법정주의 범죄와 형벌은 법률로 정해져야 한다는 원칙

탐구주제

6.정치와 법 — 사회생활과 법

① 최근 과학기술의 특허과 관련하여 많은 공방이 오가고 있다. 과학자들의 연구 실적 도용 및 특허 기술권 소유 등 실제 형법상의 문제가 되는 사례도 증가하고 있다. 제약회사 간의 분쟁, 크리스퍼 기술 특허 분쟁 등 신문이나 인터넷 자료 검색을 통해 과학기술 특허와 관련된 실제 사례를 검색하여 형법상 어떤 부분에서 죄형법정주의를 적용할 수 있는지에 대해 조사해 보자.

(예: 기초과학연구원(IBS)과 툴젠의 법적 공방)

관련학과

생명과학과, 생물학과, 의생명과학과, 환경생명화학과

② 김치는 소화 촉진 및 각종 질병을 예방하고 면역기능을 활성화시켜 세계가 주목하는 우리나라의 고유 음식이다. 그러나 1983년 다국적 기업인 스위스 네슬레사가 김치와 유사한 조리법의 특허를 신청하여 14개국에서 조리 방법을 보유하고 있기도 하였다. 그 뒤로 우리나라는 전통 식품의 지적 재산권 확보를 위해 노력하여 유네스코에 김치를 한국의 인류무형문화유산으로 등재하였다. 당시 스위스 네슬레사가 특허받은 김치와 유사한 조리법에 대해 조사하고, 김치 외에도 보호해야 할 우리나라의 지적 재산권과 당위성에 대해 발표해 보자.

관련학과

식품공학과, 식품생명공학과, 식품영양학과

영역

국제 관계와 한반도

성취기준

[12정법06-03] 우리나라의 국제 관계를 이해하고, 외교적 관점에서 한반도를 둘러싼 국제 질서를 분석한다.

▶ 우리나라의 국제 관계에 대한 이해를 토대로 한반도를 중심으로 국제 분쟁의 해결 과정에서 충돌하는 국가 주권의 문제를 분석하고, 외교적 관점에서 우리나라의 바람직한 국제 관계의 방향을 탐구한다.

탐구주제

6.정치와 법 — 국제 관계와 한반도

1 김치의 영양학적 우수성은 코로나19로 인해 세계에 더욱 알려졌다. 그러나 일본과 중국이 김치 제조기술에 대한 해외 특허에 매진하는 동안 한국은 풍미 증진, 건강기능, 발효저장 등 국내 특허에 그치고 있다. 김치와 관련된 해외의 연구 및 조리법 개발 등 현황을 조사하고, 김치 종주국으로서 글로벌 위상을 높이기 위한 방안에 대해 정리해 보자.

관련학과

농생물학과, 식품공학과, 식품생명공학과, 식품영양학과

2 한국과 일본은 제주도 남쪽과 규슈 서쪽에 위치한 7광구에 석유 자원개발 가치가 있다고 인정하고 있다. 7광구의 소유권은 현재 한국에 있지만 '한·일 대륙붕협정'이 끝나는 2028년에는 E.E.Z.(200해리 배타적 경제수역)으로 인해 지리적으로 가까운 일본이 유리해질 전망이다. 또한 7광구 서쪽 남중국해에서 유전을 개발하여 석유를 생산하고 있는 중국도 7광구 소유권 분쟁에 합류할 것으로 예상된다. 7광구의 지정학적 위치와 국제 해양법 상으로 볼 때 한국의 승패여부를 분석한 뒤, 7광구의 영유권을 보존하기 위한 방안을 토의해 보자.

관련학과

지구물리학과, 지구해양학과, 지구환경과학과, 해양학과

3 미세먼지는 폐암이나 폐 질환과 같은 호흡기 질환뿐만 아니라 당뇨병, 우울증 등 각종 성인병 및 피부질환의 원인으로 추정되고 있다. 최근 우리나라에서 발생하는 고농도 미세먼지의 발생 원인을 국내 원인과 국외 원인으로 구분하여, 중국발 미세먼지의 발생에 대해 과학적 근거를 제시하고 자신의 의견을 정리하여 발표해 보자.

관련학과

대기과학과, 물리학과, 지구환경과학과

4 1993년 12월에 발효된 '생물다양성협약'은 토종 씨앗의 소유권을 인정하는 생물의 다양성을 보존하기 위한 국제협약이다. 생물다양성협약에 따르면 "생물 다양성이란 육상, 해상, 그 밖의 수생생태계 및 생태학적 복합체를 포함하는 모든 자원으로부터의 생물간 변이성을 의미하며, 종들 간 또는 종과 그 생태계 사이의 다양성을 포함한다"라고 명시되어 있다.전세계는 신품종의 개발과 공급을 둘러싼 소유권 다툼으로 '종자전쟁'이 심화되고 있다. 제주도의 구상나무가 세계적으로 다양한 품종의 크리스마스 트리로 활용되는 것처럼, 특정 나라의 종자로 다른 품종을 개발한 사례와 종자로 인한 특허 소송 사례에 대해 조사해 보자.

관련학과

농생물학과, 산림자원학과, 생명과학과, 생물학과, 식물자원학과, 원예학과, 환경생명화학과

사회과

활용 자료의 유의점

- 민주시민이 갖추어야 할 자세를 고찰하고, 과학 관련 법규에 대해 탐색
- 정치와 법 사이의 분쟁을 사회 문제 등 실제 사례와 연결 지어 탐구
- 신문과 인터넷 자료를 활용하여 국내외 문제들을 탐색하고, 그 이유에 대해 분석
- 우리 사회에서 발생하는 분쟁들에 대해 국내 요인과 국외 요인을 구분하여 정리
- 법과 관련된 전문용어들에 대해 정리하고, 실제 생활에서 활용되는 예시를 정리

MEMO

핵심키워드

☐ 사회·문화 현상 ☐ 자연현상 ☐ 패션산업 ☐ 환경오염 ☐ 멸종 위기 동물 ☐ 통계역학
☐ 양적 연구 방법 ☐ 기아 문제 ☐ 전쟁 ☐ 과학의 사명

영역 사회 · 문화 현상의 탐구

성취기준

[12사문01-01] 사회·문화 현상이 갖는 특성을 분석하고 다양한 관점을 적용하여 사회·문화 현상을 설명한다.

▶ 사회·문화 현상의 특성을 자연 현상의 특성과 비교하여 분석하고 사회·문화 현상을 설명하는 기능론, 갈등론, 상징적 상호 작용론 등 다양한 관점의 특징을 파악한다.

[12사문01-02] 사회·문화 현상을 탐구하기 위한 양적 연구 방법과 질적 연구 방법의 특징 및 차이점을 비교한다.

▶ 양적 연구 방법과 질적 연구 방법의 특징과 장점 및 한계점을 학습하여, 이들을 상호 보완적으로 활용함으로써 사회·문화 현상을 보다 잘 파악할 수 있다는 점을 인식한다.

탐구주제

7.사회·문화 — 사회·문화 현상의 탐구

1 세계 최고의 패션 잡지 회사에서 패션과 미의 소유를 통한 권력의 차이로 상대적 빈곤감과 박탈감을 나타낸 영화 '악마는 프라다를 입는다'를 감상해 보자. 이를 바탕으로 패션을 통해 인간이 표현하고 싶은 심미적 욕구와 현대사회에서 차지하는 패션산업의 역할에 대해 고찰하고, 영화에서 나타난 패션산업의 역할에 대해 갈등론 또는 기능론의 입장을 선택하여 정리해 보자.

관련학과

의류학과, 의상학과

탐구주제

2 세계자연보존연맹에 의하면 지구상의 2만 5,000여 종의 식물과 1,000여 종의 동물이 멸종위기에 놓여있다고 한다. 자연은 살아있는 유기체이며, 인간은 생태계의 일부를 이루는 한 부분이다. 현재 환경오염으로 인한 자연생태계의 위기에 대해 해결 방안을 제시하고, 자연과 인간의 관계를 기능론적인 관점에서 분석하여 정리해 보자.

관련학과

농생물학과, 대기과학과, 동물자원학과, 산림자원학과, 생물과학과, 생물학과, 수의학과, 식물자원학과, 원예학과, 임학과, 의생명과학과, 지구해양학과, 지구환경과학과, 축산학과, 해양학과, 환경생명화학과

3 통계는 인구수, 쌀 생산량, 기후 변화와 같은 다양한 사회 현상을 연구하는 등 양적 연구 방법에 널리 활용된다. 뿐만 아니라 입자들의 행동 특성으로 전체적인 움직임을 예측하는 통계역학에도 적용된다. 통계역학은 기체의 운동, 기상의 변화, 다양한 종의 생명현상처럼 복잡하고 다양한 구성 요소로 이루어진 물리계를 통계학의 방법을 적용하여 새로운 질서를 발견하는 물리학의 중요한 이론체계이다. 통계의 사회, 경제, 과학 분야의 활용과 중요성에 대해 이해하고, 통계가 인간의 행복한 삶 유지에 공헌한 사례를 조사해 발표해 보자.

관련학과

물리학과, 수학과, 통계학과, 화학과

4 양적 연구 방법은 사회·문화 현상과 자연현상은 본질적으로 다르지 않기 때문에 자연과학의 연구 방법을 사회·문화 현상에도 적용이 가능하다고 강조하여, 방법론적 일원론의 성격을 지닌다. 자연과학 연구 방법의 특징에 대해 고찰하고 사회·문화 현상에 있어 양적 연구 방법의 한계와 자연과학 현상에 있어 질적 연구 방법의 한계에 대해 비교해 보자.

관련학과

전 자연계열

영역 현대의 사회 변동

성취기준

[12사문05-04] 전 지구적 수준의 문제와 그 해결 방안을 탐색하고 세계시민으로서 지속 가능한 사회를 위해 노력하는 태도를 가진다.

▶ 환경 문제, 자원 문제, 전쟁과 테러 등 양상을 살펴보고, 이에 대응하는 과정에서 세계시민으로의 의식과 실천이 중요하다는 점을 인식한다.

탐구주제

1 인류를 위협하는 전 지구적 차원의 환경문제에 대해 고찰하여 보자. 지구온난화, 열대우림 파괴 등 특정 현상을 선택하여 관련된 국제협약 및 단체의 현황과, 환경문제 극복을 위한 전 지구적 차원의 노력과 그 의의에 대해 정리해 보자.

(예: 생물 멸종위기-세계자연보존연맹, 적색 생명 리스트 등)

관련학과

대기과학과, 지구물리학과, 지구환경과학과

2 지구의 북반구에 위치한 선진국들은 식량의 과잉 생산으로 음식 쓰레기가 사회 문제로 대두되는 한편, 남반구에 위치한 다수의 지역에서는 식량 부족으로 인한 기근과 영양결핍으로 고통받고 있다. 「왜 세계의 절반은 굶주리는가」를 읽고, 글로벌 기업들의 횡포, 사막화와 산림파괴, 식민지 정책 등으로 고통받는 사람들의 실태와 원인에 대해 분석하여 보자. 또한 기아로 인한 생명파괴에 대처하기 위한 전 지구적 차원의 해결 방안에 대해 토의해 보자.

(왜 세계의 절반은 굶주리는가, 장지글러, 갈라파고스)

관련학과

전 자연계열

3 노벨 물리학상을 수상한 마스카 도시히데의 「과학자는 전쟁에서 무엇을 했나」를 읽고, 과학 연구의 목적에서 업적주의와 실용주의 측면이 강조되면서 방사능, 핵물리학, 살상무기 등 인류의 생명을 위협하는 무기로 악용된 사례에 대해 조사해 보자. 그리고 과학자의 연구가 인류의 평화와 생존에 기여하기 위해 선행되어야 할 과제에 대해 발표해 보자.

(과학자는 전쟁에서 무엇을 했나, 마스카도시히데, 동아시아사)

관련학과

전 자연계열

활용 자료의 유의점

- (!) 사회현상과 자연현상의 차이점에 대한 이해를 바탕으로 연구하기
- (!) 양적 연구 방법과 질적 연구 방법의 필요성, 자연과학현상에서 질적 연구 방법의 적용 분야 등을 고찰해 보기
- (!) 토론과 토의를 통해 다양한 관점으로 사회문제를 분석하고 내용을 공유하기
- (!) 전 지구적 차원의 사회문제 탐구를 통해 과학자들이 추구해야 방향과 사명에 대해 고찰하기

MEMO

사회문제 탐구

핵심키워드

□ 가공식품 □ 통계 □ 저출산·고령화 □ 사회문제 □ 융합적 사고 □ 지구온난화 □ 해양생태계 위기
□ 유전자 변형식품 □ 옥상정원 □ 플라스틱 분해 효소 □ 실버산업
□ 미래자원 확보 □ 비판적 분석 □ 합리적 해결능력

영역 사회현상의 이해

성취기준

[12사탐01-01]	사회문제의 의미와 특징을 이해하고, 사회문제를 바라보는 서로 다른 관점을 비교한다.
[12사탐01-03]	사회문제 탐구 과정에서 발생할 수 있는 윤리적 쟁점을 파악하고, 이에 대한 해결 방안을 모색한다.
[12사탐01-04]	사회현상에 대한 통계적 조사를 수행하는 다양한 기관(통계청, 한국은행, 여론조사 기관 등)과 관련 직업에 대해 파악한다.

탐구주제

8.사회문제 탐구 — 사회현상의 이해

식품생명공학, 식품공학, 식품영양학

❶ 가공식품의 소비 분석을 통해 빈부 격차에 따른 건강 실태 분석
❷ 환경문제와 식량 위기에 대처하기 위한 미래형 가공식품 기술 사례 연구

대기과학과, 지구물리학과, 지구해양학과, 지구환경과학과, 해양학과, 환경생명화학과

❶ 북극해 얼음의 녹는 시기 변화 분석을 통한 지구온난화의 폐해 연구
❷ 해양생태계를 위협하는 플라스틱 폐기물 실태 조사 (남해안을 중심으로)

농생물학과, 생명과학과, 생물학과, 환경생명화학과

❶ 유전자 변형 수입식품의 국내 표기 강화 방안에 대한 고찰
❷ 스마트팜을 활용한 도심 속 옥상 농장 활성화 방안 연구

탐구주제

8.사회문제 탐구 — 사회현상의 이해

수학과, 통계학과

❶ 코로나19와 한국 통계 패러다임 변화 연구 *참고자료: 통계청 블로그(https://blog.naver.com/hi_nso)
❷ 코로나19의 K방역에 기여한 통계학적 의의에 대한 고찰

영역 저출산 • 고령화에 따른 문제

성취기준

[12사탐04-04] 저출산·고령화 사회로의 변화에 따라 수요가 증가할 것으로 예상되는 직업과 수요가 감소할 것으로 예상되는 직업에 대해 조사한다.

탐구주제

8.사회문제 탐구 — 저출산·고령화에 따른 문제

의류학과, 의상학과

❶ 저출산에 대비한 유아의류 시장의 변화 추이 예측
❷ 고령층의 편의성과 심미성을 고려한 의상 트렌드 연구

생명과학과, 생물학과, 의생명과학과

❶ 고령화 사회에 대비한 유망 실버산업 분석 (의료산업을 중심으로)
❷ 신 바이러스 출현에 대비한 유전자 편집기술 적용의 명암 연구

영역 사회문제 사례연구

성취기준

[12사탐06-03] 선정한 사회문제를 바라보는 다양한 관점을 파악하고, 토의를 통해 해결 방안을 도출한다.

[12사탐06-04] 토의를 통해 도출된 사회문제 해결 방안을 직접 실천해보고, 사회문제 탐구 및 해결 과정에 대한 보고서를 작성하여 발표한다.

탐구주제

생물학과, 화학과, 환경생명화학과

❶ 페타제와 메타제를 결합한 플라스틱 분해 효소 생성 원리 분석
❷ 과산화수소 촉매제 개발을 통한 친환경 세제 소비 활성화 연구

식물자원학과, 생물학과, 화학과, 환경생명화학과

❶ 식물 자원의 의약품 활용에 대한 효율성과 안전성 연구
❷ 동해안 해조류 감소에 따른 생태 복원 방안 연구

물리학과, 지구물리학과

❶ 미래자원 확보를 위한 희토류의 가치와 후속 연구의 중요성
❷ 지구온난화 현상이 열대 토양에 미치는 영향에 대한 연구자료 분석

활용 자료의 유의점

(!) 사회문제에 대한 과학적 접근을 시도
(!) 실생활과 관련된 구체적인 사회문제에 대해 마인드맵을 작성하고, 원인과 결과에 대해 추론
(!) 통계청 홈페이지(http://kostat.go.kr/portal/korea/index.action)에 접속하여 국가통계에 대한 이해를 바탕으로 주제 선정 및 자료의 신뢰도를 높이도록 노력
(!) 자연계열의 주제들에 대해 사회적 이슈로 융합하여 다양한 시도

MEMO

핵심키워드

☐ 한반도의 형성 ☐ 한반도의 지질구조 ☐ 촉발지진 ☐ 지열발전 ☐ 지진발생지역 ☐ 산지 지형
☐ 자연재해 ☐ 기후 변화 ☐ 생물권 보존지역 ☐ 북한의 자연환경 ☐ 남북한 협력

영역 지형 환경과 인간 생활

성취기준

[12한지02-01] 한반도의 형성 과정을 이해하고, 이를 중심으로 우리나라 산지 지형의 특징을 설명한다.

▶ 지금의 한반도가 지질 시대별로 어떤 형성 작용 및 과정을 통해 형성되었는지를 주요 암석의 분포, 지질 및 지체 구조를 통해 파악하고, 우리나라 지형의 골격을 이루는 산맥과 산지 지형 체계를 지각 운동과 관련지어 설명할 수 있도록 한다.

탐구주제

1 한국지질자원연구원 사이트를 참고하여 한반도의 지체구조* 형성 시기를 파악해 보자. 또한 경주, 포항 등 지체구조 특징을 분석하고, 2019년 '포항지진 정부조사단'에 의해 지열발전에 의한 '촉발지진'이라고 밝혀진 포항지진의 원인에 대해 규명해 보자.

*지체구조: 대규모의 지각변동으로 넓은 지역에 걸쳐 형성된 지질구조를 의미함.
*참고사이트: 한국지질자원연구원(https://www.kigam.re.kr/)

관련학과

물리학과, 지구물리학과, 지구환경과학과

2 우리나라의 산지 지형을 탐색하고 지역별 대표산지를 선정하여 형성 시기, 지질학적 특징, 자연환경 등을 PPT로 제작하여 발표해 보자.

관련학과

산림자원학과, 식물자원학과, 임학과, 원예학과, 지구물리학과, 지구환경과학과

영역
기후 환경과 인간 생활

성취기준

[12한지03-03] 자연재해 및 기후 변화의 현상과 원인, 결과를 조사하고, 인간과 자연환경 간의 지속 가능한 관계에 대해 토론한다.

▶ 자연재해와 기후 변화의 원인을 추론하여, 인간과 자연의 공생과 공존을 위한 해결방안을 도출한다.

탐구주제

9.한국지리 — 기후 환경과 인간 생활

1. 자연재해(산불, 지진, 태풍, 홍수 등)를 발생 원인에 따라 자연발생적 원인과 인위적 원인으로 분류하고, 도시화, 화석연료, 지구온난화 등 환경문제로 인한 자연재해의 사례를 정리해 보자.

관련학과

대기과학과, 지구물리학과, 지구환경과학과

2. 국가기후환경회의 블로그를 참고하여, 세계적인 기후 변화 양상에 대한 통계자료를 활용하여 미세먼지와 기후 변화의 원인을 이해하여 보자. 그리고 미세먼지와 기후 변화에 대한 대처 방안을 PPT로 제작해 발표해 보자.

(예: 화석연료 대체 방안, 온실가스 감소방안, 멸종위기 동물 보호 등)

* 참고사이트: 국가기후환경회의 (https://blog.naver.com/nccatalk)

관련학과

대기과학과, 지구환경과학과, 지구해양학과, 해양학과

영역
우리나라 지역의 이해

성취기준

[12한지07-02] 북한의 자연환경 및 인문 환경 특성, 북한 개방 지역과 남북 교류의 현황을 파악하고 통일 국토의 미래상을 설계한다.

▶ 한민족으로서의 북한에 대한 기초지식을 바탕으로 현재 남북 교류에 대해 분석하고, 평화와 성장을 위한 미래지향적인 남북교류에 대한 방안을 제시한다.

탐구주제

1 한반도에 지정되어 있는 생물권 보존지역*에 대해 정리하고, 한반도의 평화와 발전을 위해 남북한이 공동으로 추진할 수 있는 생물권 보존지역을 선정하여 발표해 보자.

*생물권 보존지역: 전 세계적으로 보전 가치가 있어 지속 가능한 발전을 지원하기 위해 유네스코에서 선정하는 생태계 지역을 의미함.

관련학과

산림자원학과, 생물학과, 원예학과, 임학과

2 북한의 지질도를 참고하여 자연환경의 특징에 따른 발전 가능성에 대해 고찰해 보자. 그리고 군사 기술에 집중되어 있는 북한의 과학기술을 첨단사업 분야로 전환하여 동반 성장하기 위한 구체적이고 현실적인 남북한 협력 방안에 대해 모색해 보자. (예: 북한의 희토류 활용과 북한의 스마트팜 농업기술 지원 등)

관련학과

전 자연계열

활용 자료의 유의점

- 우리나라 국토의 자연환경과 인문 환경에서 나타나는 다양한 지리 현상에 대해 이해
- 인터넷, 신문, 지질 관련 사이트 등을 이용하여 다양한 지리적 정보를 수집하고 공유
- 수집한 지리 정보를 지도화, 도표화하고 관련 지식을 습득하여 지리 정보를 분석
- 북한의 발전 가능성에 대한 객관적 정보를 수집하고, 전체적인 시각에서 탐구주제를 도출

MEMO

핵심키워드

□ 열대우림 □ 작물의 고향 □ 작물전파경로 □ 지중해성 기후 □ 세계 대지형 □ 쌀의 이동 □ 바이오연료
□ 인수공통 전염병 □ 에너지전환 □ 「총,균,쇠」 □ 열대우림파괴 □ 환경의 불평등문제

영역 세계의 자연환경과 인간 생활

성취기준

[12세지02-01] 기후 요인과 기후 요소에 대한 기본 이해를 바탕으로 열대 기후의 주요 특징과 요인을 분석한다.

[12세지02-02] 온대 동안 기후와 온대 서안 기후의 특징 및 요인을 서로 비교하고, 이러한 기후 환경에 적응한 인간 생활의 모습을 파악한다.

▶ 기후나 지형 환경이 세계 각 지역의 생활 모습 및 인간 생활에 미치는 주요 사례들을 조사하고, 탐구하도록 해야 한다.

[12세지02-04] 지형형성작용에 대한 기본 이해를 바탕으로 세계의 주요 대지형의 분포 특징과 형성 원인을 분석한다.

▶ 세계지리에서 다루는 기후와 지형은 인간을 둘러싼 자연환경, 즉 인간의 삶에 영향을 주고 인간이 상호작용하고 적응해야 하는 환경으로서의 의미를 갖는다.

탐구주제

10.세계지리 — 세계의 자연환경과 인간 생활

1 열대우림 지역은 열대 기후 지역 중에서 연평균 2,000mm 이상의 많은 강수량으로 인해 다양한 종류의 나무가 우거진 밀림 지역을 의미한다. 이 지역 열대림의 특징과 다양한 종의 서식에 대해 조사하고, 열대우림의 산림생태학적 가치에 대해 분석하여 발표해 보자.

관련학과
산림자원학과, 원예학과, 임학과, 지구환경과학과

2 열대성 식물인 카사바 품종 개량으로 나이지리아의 식량난을 해결한 식물 유전·육종학자 한상기 박사의 「작물의 고

향」을 읽어 보자. 이를 통해 바빌로프 작물의 8대 원산지와 서부 아프리카 지역을 포함한 작물의 세계 9대 기원 센터에 대해 조사해 보자. 그리고 세계적으로 널리 재배되고 있는 주요 작물의 전파 경로와 특성에 대해 정리해 보자.

(한상기, 작물의 고향, 에피스테메)

관련학과

농생물학과, 생물학과, 식물자원학과, 식품생명공학과, 식품공학과, 식품영양학과, 환경생명화학과

---

3 지중해성 기후란 남북위 30~40° 대륙 서안에 위치하여 여름에는 매우 건조하고, 겨울에는 여름보다 습윤한 온대기후를 의미한다. 여름에 비가 거의 내리지 않는 고온 건조한 날씨로 인해 잎이나 껍질이 두껍고 뿌리가 깊은 경엽수림이 서식하여 수목농업이 활발하게 이루어진다. 반면 겨울에는 비가 많이 내려 밀과 같은 곡물 농업을 한다. 이러한 계절에 따른 농업 방식에 영향을 받은 지중해식 식문화는 유네스코 무형문화유산에 등재되어있다. 지중해식 식문화의 특징과 무형 문화유산으로서의 가치에 대해 조사하여 발표해 보자.

관련학과

농생물학과, 대기과학과, 산림자원학과, 식물자원학과, 식품생명공학과, 식품공학과, 식품영양학과, 환경생명화학과, 원예학과, 임학과

---

4 세계 대지형의 안정지괴, 고기습곡산지, 신기습곡산지의 형성과정을 알아보고, 이들 지형과 지하자원(철광석, 석탄, 석유) 분포와의 관련성을 정리해 보자. 더불어 철광석, 석탄, 석유 등 지하자원의 쓰임과, 각 국가들의 환경문제 극복을 위한 신재생 에너지 자원 활용 노력에 대해서도 조사하여 발표해 보자.

관련학과

대기과학과, 지구물리학과, 지구환경과학과

영역 세계의 인문 환경과 인문 경관

성취기준

[12세지03-04] 세계 주요 식량 자원의 특성과 분포 특징을 조사하고, 식량 생산 및 그 수요의 지역적 차이에 따른 국제적 이동 양상을 분석한다.

▶ 식량 자원을 중심으로 세계의 인문 현상들이 보여주는 보편적 원리나 지리적 일반성을 학습하는 것에 주안점을 둔다.

[12세지03-05] 세계 주요 에너지 자원의 특성과 분포 특징을 조사하고, 에너지 생산 및 그 수요의 지역적 차이에 따른 국제적 이동 양상을 분석한다.

▶ 자원의 이동과 관련해서는 거시적 경향 속에서 자원 분포의 지역적 편재성이 국제 이동의 기본 요인임을 알게 하고 주요 사례를 통해 시기에 따른 변화 특징을 탐구한다.

탐구주제

1 쌀이 밀보다 국제 이동량이 적은 이유를 설명하고, 쌀의 국제 이동량을 늘릴 수 있는 방안을 자연계열 학과와 연계하여 토의해 보자. (예: 쌀의 성분을 이용한 보습 및 미백 화장품, 휴대성과 보관성이 좋은 식품 개발, 건강 영양식을 강조한 의약품 개발 등)

관련학과

농생물학과, 식물자원학과, 식품생명공학과, 환경생명화학과

2 바이오연료는 화석연료보다 이산화 탄소를 적게 배출하여 인간과 자연이 공생할 수 있는 신재생 에너지로 주목받았다. 옥수수와 고구마 외 다양한 식물에서 추출할 수 있는 바이오 에너지원은 자동차 연료로도 사용할 수 있어 가장 친환경적인 에너지원으로 각광 받았다. 그러나 최근 바이오연료의 생성이 환경파괴의 주원인이 될 수 있다는 비판이 거론되고 있다. 바이오연료의 생성과정과 쓰임에 따른 환경 파괴 현상에 대해 분석하고, 친환경적 관점에서 바이오 에너지 사용에 대한 찬반 입장을 선택하여 토론해 보자.

관련학과

농생물학과, 대기과학과, 식물자원학과, 지구환경과학과

3 인수공통 전염병은 인간이 동물들의 터전인 자연을 훼손한 데서 시작한다. 가축들의 생육환경 유지를 위해 사물인터넷, 빅데이터, 인공지능 등 기술을 이용하여 외부 질병을 차단하고, 바이러스 예방과 건강 유지를 위해 가축의 건강상태와 취약점을 파악할 수 있는 방안에 대해 창의적 아이디어를 제시하여 발표해 보자.

(예: 가축 생태정보 DB 구축 및 가축 소유주의 실시간 모니터링 방안 등)

관련학과

동물자원학과, 생명과학과, 수의학과, 축산학과, 통계학과

4 코로나19의 영향으로 화석연료의 수요가 감소되면서 세계적인 석유기업들은 에너지 전환 정책으로 전환하고 있다. 에너지 전환이란, 화석연료를 지속 가능한 재생에너지로 바꿔나가는 것을 의미한다. 영국, 프랑스, 미국의 석유기업에서 진행하는 에너지 전환 전략을 조사하고, 유럽과 미국의 에너지 전환에 대한 입장 차이와 이유 등을 분석하여 우리나라가 추구해야 할 방향에 대해 토의해 보자.

관련학과

대기과학과, 지구물리학과, 지구환경과학과

영역 사하라 이남 아프리카와 중·남부 아메리카

성취기준

[12세지07-03] 사하라 이남 아프리카와 중·남부 아메리카에서 나타나는 자원 개발의 주요 사례들을 조사하고, 환경 보존이나 자원의 정의로운 분배라는 입장에서 평가한다.

▶ 자원 개발이 속도를 내면서 환경 보존이나 자원의 정의로운 분배를 둘러싼 지역 문제들이 나타나고 있는 만큼, 이에 관련된 주요 사례들을 중심으로 조사한다.

1 제라드 다이아몬드의 「총,균,쇠」를 읽고 세계적 관점에서 볼 때 아프리카 지역의 발전 불균형 원인에 대해 생각해 보자. 또한 사하라 이남 아프리카 지역의 광물자원 보유현황을 찾아보고, 이 지역에 여러 다국적 기업이 진출하여 자원을 개발하지만 여전히 빈곤과 기아에서 벗어나지 못하는 이유에 대해 조사해 보자.

관련학과

지구물리학과, 지구환경과학과

2 브라질 국립연구소는 우주 연구소의 실시간 위성 시스템(DETER)을 통해(2020.08.) 아마존 열대우림이 농작물 및 광물자원 개발 등의 이유로 빠르게 훼손되고 있다고 발표하였다. 브라질의 위성 시스템 이외에 열대우림 파괴를 막기 위한 각 국가별 정치, 경제적 해결 방안에는 어떤 것들이 있는지 조사하고, 전 지구적 차원에서 아마존의 열대우림을 보존하는데 동참하기 위해 필요한 실천 방안을 제안해 보자.

관련학과

대기과학과, 산림자원학과, 우주과학과, 임학과, 천문우주학과

3 지구온난화는 전 지구적인 심각한 환경문제이다. 그러나 아프리카 지역은 지리적 요인으로 인해 경제적 측면에서도 지구온난화의 피해를 고스란히 겪고 있다. 나이지리아의 해안지역은 열대우림에 속하는 반면, 내륙은 열대 사바나에 속하는 만큼 생태계 범위가 다양하기 때문에 기후대별로 재배하는 작물이 다양하다. 그러나 기온이 조금만 상승하여도 노동생산성과 작물 수확량에 타격을 입을 수 있다. 때문에 탄소배출이 적은 저소득 국가임에도 환경의 불평등으로 기후 난민으로 전락할 가능성이 높다. 아프리카에서 인구가 가장 많은 나이지리아의 지리적·환경적 요인으로 인한 불평등 문제의 원인에 대해 분석하고, 그 해결 방안을 전 지구적 차원의 관점에서 고찰해 보자.

관련학과

농생물학과, 대기과학과, 산림자원학과, 식물자원학과, 임학과, 원예학과, 지구물리학과, 지구환경과학과

활용 자료의 유의점

- (!) 지구과학과 연계하여 활용할 수 있는 융합탐구주제 분석
- (!) 통계자료를 활용할 때에는 최신 자료와 과거 3~5년 동안 진행된 연구를 활용하여 거시적 관점에서 자료를 분석하는 역량을 쌓도록 노력
- (!) 도서관, 시청각 자료, 학술정보 등을 이용하여 기본적인 개념에 대해 정리하고, 전 지구적 쟁점에 대한 주제를 탐구
- (!) 남반구와 북반구의 지리적·환경적인 원인에서 나타나는 환경문제 불평등에 대해 고찰

MEMO

핵심키워드

☐ 지리정보시스템 ☐ 문화재 현황 ☐ 측지VLBI ☐ 두루미 ☐ 천연기념물
☐ DMZ 두루미 평화타운 ☐ 환경 주제도 ☐ 생태관광 ☐ 스마트 시티

영역 여행을 왜, 어떻게 할까?

성취기준

[12여지01-03] 다양한 지도 및 지리 정보 시스템을 활용하여 여행지 및 여행 경로에 대한 정보를 수집·정리·조직한다.

탐구주제

11.여행지리 — 여행을 왜, 어떻게 할까?

1. 통계지리정보서비스(https://sgis.kostat.go.kr/view/index)사이트를 참고하여 통계 주제도의 문화재 현황을 확인하고, 우리나라의 지역별 문화재수와 대표 문화재를 선정하여 각 도별 역사탐방에 대한 여행계획을 세워보자. (통계지리정보서비스-통계 주제도-복지와 문화)

관련학과
수학과, 통계학과

2. 국토지리정보원(https://www.ngii.go.kr/kor/main.do)사이트를 참고하여 국토지리정보원이 운영하는 우주측지관측센터의 측지VLBI(Very Long Baseline Interferometry)의 정의와 관측 및 처리, 그리고 활용 분야에 대해 정리하고 발표해 보자.

관련학과
물리학과, 우주과학과, 천문우주학과

영역

매력적인 자연을 찾아가는 여행

성취기준

[12여지02-04] 우리나라의 매력적인 생태 및 자연여행이라는 주제로 우리나라의 생태 및 자연에 대한 이해를 높이고 즐길 수 있는 여행지를 선정하고 소개한다.

탐구주제

11.여행지리 — 매력적인 자연을 찾아가는 여행

1 두루미는 천연기념물 제202호이자 멸종위기종 1급인 겨울 철새이다. 한국에 서식하는 조류 중에 가장 큰 새이며, 러시아나 중국 북부 지역에 살면서 번식하고 겨울에는 추위를 피해 남쪽으로 내려와 겨울을 보낸다. DMZ 두루미 평화타운의 개설목적, 구성, 현황 등 자료를 조사해 보자. 그리고 생태보전지역의 가치에 대해 '야생 보존'과 '관광지역 개발'이라는 두 가지 입장을 논제로 찬반 토론을 해 보자.

관련학과

생물학과, 수의학과, 축산학과

2 환경공간정보서비스(https://egis.me.go.kr/main.do) 사이트를 참고하여 환경 주제도를 통해 토지이용 규제지역을 확인하고, 환경보호를 가능하게 하는 동시에 자연여행을 즐길 수 있는 관광상품을 개발해 보자.

관련학과

농생물학과, 산림자원학과, 생물학과, 임학과, 지구환경과학과

영역

인류의 성찰과 공존을 위한 여행

성취기준

[12여지04-03] 생태, 첨단 기술, 문화 창조 등으로 미래를 지향하는 지역을 사례로 인류의 미래를 탐색하고 실현할 수 있는 방안을 모색한다.

탐구주제

11.여행지리 — 인류의 성찰과 공존을 위한 여행

1 생태관광이란 생태와 경관이 우수한 지역에서 자연을 보존하면서 현명한 이용을 추구하는 자연 친화적인 관광을 의미한다. 생태관광지역에는 인제 생태마을, 양구 DMZ, 지리산 국립공원, 우포늪 등이 있다. 생태관광과 자연관광의 차이점을 이해하고, 생태관광의 필요성과 관심 있는 생태관광지역을 지정하여 해당 지역의 자연경관, 생태 환경에 대해 포트폴리오로 정리해 보자.

관련학과

농식물학과, 생물학과, 산림자원학과, 식물자원학과, 원예학과, 지구환경과학과

탐구주제

2 스마트 시티란 첨단 정보통신기술(ICT)을 활용하여, 도시 생활 속에서 유발하는 교통문제, 환경문제, 주거문제 등 해결을 통해 시민들이 편리하고 행복한 삶을 누릴 수 있도록 하는 도시를 의미한다. 국내외 스마트 시티 사례에 대해 조사하고, 스마트 시티의 긍정적 측면과 미래 가치에 대해 정리해 보자.

관련학과

대기과학과, 지구환경과학과

활용 자료의 유의점

- (!) 인류와 자연환경의 공생과 번영에 대해 고찰
- (!) 해당 탐구주제 선정에 있어 특정 지역에 편중되지 않도록 고려
- (!) 디지털 지도, 영상매체, 여행 블로그 같은 인터넷 자료와 통계 자료를 적극적으로 활용
- (!) UCC 제작 또는 거꾸로 수업 등 다양한 방법으로 탐구주제 연구에 도전, 인터넷 기반 콘텐츠의 활용, 탐구 포트폴리오 제작 등 다양한 방법으로 탐구주제 차별화

MEMO

자연계열편

도덕과 교과과정

핵심키워드

☐ 유전자 치료 ☐ 동물실험 ☐ 생명윤리 ☐ 인공지능 윤리기준 ☐ 네오러다이트운동 ☐ 책임윤리 ☐ 공동연구 ☐ 니콜라이 바빌로프 ☐ 규제과학 ☐ 인터스텔라 ☐ 멸종위기 동물 ☐ 음식윤리 ☐ 루왁커피

영역 생명과 윤리

성취기준

[12생윤02-02] 생명의 존엄성에 대한 여러 윤리적 관점을 비교·분석하고, 생명복제, 유전자 치료, 동물의 권리문제를 윤리적 관점에서 설명하며 자신의 관점을 윤리 이론을 통해 정당화할 수 있다.

탐구주제

1.생활과 윤리 — 생명과 윤리

1 유전자 치료란 외부에서 새로운 유전자를 주입하여 이상이 생긴 유전자를 치료하는 방법입니다. 유전자 치료는 악성 종양, 자가면역 이상, 희귀난치병, 에이즈 등에 혁신적인 치료법으로 주목받고 있다. 유전자 치료는 유전병을 예방하고 한 번의 처치로 치료 효과가 오래가는 장점이 있다. 그러나 유전자 변형 및 생명의 존엄성 등의 문제는 여전히 논란이 되고 있다. 유전자 치료의 윤리적 문제점을 밝히고, 유전자 치료법이 인류의 건강한 삶 유지에 기여할 수 있도록 유전자 치료에 대한 윤리강령을 제안해 보자.

관련학과

생명과학과, 생물학과, 의생명과학과

2 유전자 변형이란, 유전자를 인위적으로 결합시켜 새로운 특성의 품종을 개발하는 유전 공학 기술이다. 1982년 미국에서 유전자 변형 동물인 거대 생쥐를 생산한 이후로, 근육량이 많은 슈퍼 돼지, 알츠하이머 치매를 치료하기 위한 치매 돼지, 메탄을 적게 생산하는 젖소 등 수백 종의 유전자 변형 동물이 생산되었다. 유전자 변형 동물은 더 좋은 품질의 고기를 얻기 위해, 난치병 극복을 위해 또는 안전한 실험용 재료로 쓰이는 등 인류의 삶의 질 향상에 크게 기여하였다. 그러나 유전자 변형 과정에 있어 기형 및 돌연사, 키메라 연구 논란 등 윤리적 문제는 여전히 남아 있다. 유전자 변형 동물이 심각한 윤리 문제를 초래할 수 있음을 명심하고, 과학기술의 유용함과 윤리적 문제에 대한 자신의 생각을 정리해 발표해 보자.

(예: 키메라-서로 다른 종끼리의 결합으로 새로운 종을 만들어 내는 유전학적인 기술)

관련학과

동물자원학과, 생명과학과, 생물학과, 수의학과, 축산학과

탐구주제

3 인공지능(AI)을 개발하거나 활용할 때, 인간의 존엄성과 사회의 공공선을 우선하도록 하는 '인공지능 윤리기준'이 4차 산업혁명위원회에서 확정되었다.(2020.12.) 인공지능 윤리기준의 3대 원칙과 10대 요건을 살펴보고, '과학기술이 인간의 존엄성을 보완하고 있는가 아니면 위협하는 존재인가'에 대해 고찰하고 과학기술로 인한 구체적 인권 침해 사례를 제시하며 토의해 보자.

관련학과

전 자연계열

영역 과학과 윤리

성취기준

[12생윤04-01] 과학기술 연구에 대한 다양한 관점을 조사하여 비교·설명할 수 있으며 이를 과학기술의 사회적 책임 문제에 적용하여 비판 또는 정당화할 수 있다.

탐구주제

1 네오러다이트운동은 19세기 산업혁명 이후 기계의 등장으로 일자리를 잃게 된 영국 노동자들의 기계파괴운동인 러다이트에서 비롯되었는데 4차 산업혁명으로 단순노동을 넘어 전문직까지도 AI로 대체할 수 있다는 두려움에 첨단기술을 거부하는 반기계운동을 의미한다. 미래 사회의 변화에 대응하는 네오러다이트운동에 대해 비평하고 자신의 의견을 정리하여 발표해 보자.

관련학과

전 자연계열

2 독일의 생태 철학자 한스 요나스는 과학기술의 발전에 비해 그 기술을 통제할 윤리규범이 정립되지 않은 상황을 '윤리적 공백' 상태라고 하였다. 국내의 사례로는 2002년 마리아 생명공학 연구소에서 인간의 배아 줄기세포를 쥐에 이식한 '키메라 쥐'를 탄생시켰는데 당시에는 법적인 제재나 윤리강령조차 지정되지 않아 생명윤리 대한 많은 논란을 더욱 가중시켰다. '윤리적 공백'에 해당하는 사례를 조사하고, 책임윤리*의 필요성에 대한 자신의 생각을 정리해 보자.

* 책임윤리: 인간과 자연에 대한 도덕적 책임을 다루는 윤리, 요나스는 인간만이 책임을 질 수 있는 유일한 존재로, 책임질 수 있는 능력은 곧 책임을 이행해야 하는 당위적 문제로 이어져야 함을 강조 (예:자연개발, 환경 보전 등)

관련학과

전 자연계열

3 코로나바이러스 백신 개발을 위해 미국, 중국, 러시아 등 많은 나라들이 경쟁하고 있다. 러시아의 경우 모든 임상이 끝나기도 전에 자국의 백신을 승인하며 세계 최초 코로나바이러스 백신 개발에 성공했다는 타이틀을 쟁취하였지만 안전성은 검증할 수 없다. 중국 또한 검증이 되지 않은 코로나19 백신을 수십만 명에게 접종하여 물의를 일으키고 있다. 전 인류의 생명과 건강을 위협하는 코로나바이러스 백신 개발에 있어 공동연구의 중요성에 대해 발표해 보자.

관련학과

전 자연계열

4 「지상의 모든 음식들은 어디에서 오는가」를 읽고 전 세계를 누비며 씨앗을 모은 러시아의 식물육종학자 니콜라이 바빌로프의 생애와 연구에 대한 열정과 인류애, 그리고 굶주림과 죽음의 공포에서도 끝까지 바빌로프의 종자를 지킨 그의 동료들의 삶의 통해 미래 인류를 위한 과학자로서의 사명에 대해 정리해 보자.

(지상의 모든 음식들은 어디에서 오는가, 게리폴나브한, 아카이브)

관련학과

농생물학과, 산림자원학과, 식물자원학과, 식품영양학과, 원예학과

5 1970년대 유전공학 연구가 활발히 진행되면서 유전자 연구에 대한 긍정적 기대 못지않게 위험성에 대한 우려도 높았다. 유전공학이라는 신기술의 위험성을 최소화하기 위해 규제과학이라는 새로운 분야가 등장하였다. 이후 크게 발전한 규제과학의 역사와 의의, 특히 신기술의 등장과 규제과학의 중요성에 대해 정리해 보자.

관련학과

농생물과학과, 동물자원학과, 생명과학과, 생물학과, 식품생명공학과, 식품영양학과, 수의학과, 의생명과학과, 축산학과, 환경생명화학과

6 영화 '인터스텔라'를 감상한 후, 영화 속에서 등장하는 웜홀, 4차원 공간, 상대성이론, 블랙홀 등 과학용어에 대해 정리하고, 식량과 대기오염 등에 대한 전 지구적 차원에서의 과학자로서의 사명과 직업윤리에 대해 토의해 보자.

관련학과

농생물학과, 대기과학과, 물리학과, 식물자원학과, 우주과학과, 지구환경과학과, 천문우주학과

영역 문화와 윤리

성취기준

[12생윤05-02] 의식주 생활과 관련된 윤리적 문제들을 제시하고, 이를 윤리적 관점에서 비판할 수 있으며 윤리적 소비 실천의 필요성을 설명할 수 있다.

탐구주제

1.생활과 윤리 — 문화와 윤리

1 프랑스의 의류 브랜드 라코스테(LACOSTE)는 멸종위기 동물의 심각성을 알리고, 종을 보존하기 위해 국제자연보존연맹(IUCN)과 파트너십을 체결하였다.(2018) 이를 통해 멸종위기 동물 10종을 주력 상품인 폴로셔츠에 심볼을 담아 판매하고 있다. 의류 업계의 동물 자원 이용 차원에서의 윤리적 문제점을 지적하고, 의류 브랜드들이 증가하는 환경문제 발생을 막기 위한 노력과 의의에 대해 정리해 보자.

관련학과

의상학과, 의류학과

탐구주제

2 윤리의 의미를 '인간이 마땅히 지켜야 하는 도리와 인간 행위의 규범에 대한 고찰'이라고 정의 내렸을 때, 인간의 먹는 행위는 음식윤리에 포함된다고 할 수 있다. 곤충은 미래 식량의 주요 단백질원으로 각광받고 있는데 음식윤리의 측면에서 현재 곤충 식량 개발에 대한 곤충의 처우와 윤리적 문제점에 대해 고찰하고 해결 방안을 제시해 보자.

관련학과

식품생명공학과, 식품영양학과, 식품공학과

3 커피 소비량이 증가하면서 다양한 품종의 커피에 대한 관심도 높아졌는데 사향고양이, 족제비, 코끼리 등 동물들의 분변을 통해 얻는 커피는 높은 가격으로 악명이 높기도 하다. 동물 학대에 대한 강도 높은 비판이 꾸준히 제기되고 있고, 사향고양이는 사스의 중간 숙주로 지목받기도 했지만 루왁커피는 여전히 인기가 높다. 인간을 위한 동물의 피해 사례를 들고, 동물들의 기본권 확립과 인류와의 공존 방향에 대해 제시해 보자.

관련학과

동물자원학과, 생명과학과, 생물학과, 수의학과, 의생명과학과, 축산학과

활용 자료의 유의점

- (!) 과학의 효율성과 윤리적 문제에 대해 비판적으로 분석
- (!) 한쪽 방향으로 편중되기보다는 윤리와 과학이 공존할 수 있는 방안 고찰
- (!) 도덕적 사고와 추론 능력 향상을 위해 자신의 의견을 정리하고 친구들과의 토의를 통한 사유의 확장 경험
- (!) 같은 주제에 대해 상반된 윤리적 관점의 입장을 정리하여 비교하며, 자신의 생각을 정리

MEMO

핵심키워드

☐ 칸트 ☐ 순수이성비판 ☐ K방역 ☐ 공중보건 ☐ 개인정보 침해 ☐ 공리주의 ☐ 실존주의 ☐ 실용주의

영역 서양 윤리 사상

성취기준

[12윤사03-06] 의무론과 칸트의 정언명령, 결과론과 공리주의의 특징을 비교하여 각각의 윤리사상이 갖는 장점과 문제점을 파악할 수 있다.

[12윤사03-07] 현대의 실존주의, 실용주의가 주장하는 윤리적 입장들을 이해하고, 우리의 도덕적 삶에 기여하는 바를 설명할 수 있다.

탐구주제

2.윤리와 사상 — 서양 윤리 사상

1. 선험적 종합 판단으로 칸트는 순수이성비판에서 수학과 물리학 등 학문이 '어떻게 선험적이자 종합적 판단으로 가능한가'에 대해 증명하였다. 선험적, 종합적 명제의 의미와 수학과 물리학이 선험적이고 종합적으로 탐구하여 증명할 수 있는 학문인 이유에 대해 정리해 보자.

(순수이성비판, 임마누엘칸트, 동서문화사 등)

관련학과

물리학과, 수학과

2. 최근 K방역은 코로나바이러스로부터 국민들을 보호하고 공중보건과 위생을 달성한 방역 시스템으로 세계적 찬사를 받았다. 그러나 공중보건을 위해 개인정보 침해도 감수해야 하는 문제에 대해 논란이 있다. 공리주의 입장에서 최대 다수의 최대행복을 위해 개인정보 침해를 감수해야 하는지에 대해 찬반 의견을 밝히고, 친구들과 토론해 보자.

관련학과

생명과학과, 의생명과학과, 화학과

3. 실존주의 철학자 사르트르는 전문 지식인이 지배계층에 의해 정당화된 이데올로기를 그대로 받아들인다면, 그는 전문 기술자에 불과하다고 하였다. 그러나 기술자가 자기가 알지 못하는 목표에 이의를 제기하고 도전할 때, 비로소 지식인이 된다고 하였다. 과학자들의 앙가주망(engagement: 지식인의 사회참여) 사례에 대해 조사하고, 친구들과 토의한 후 그 내용을 발표해 보자.

관련학과

전 자연계열

4. 존 듀이는 '진실된 가치는 실제 생활에 유용한 것일 때 가능한 것인가'를 규정하는 실용주의 철학을 사회학, 교육학 등 미국 사회 전반에 적용하였다. 그는 상대론적 입장에서 도덕이나 윤리는 시대나 상황에 따라 변화하고 성장하는 것이므로, 고정적이고 절대적인 가치는 존재하지 않는다는 것을 강조하였다. 과학의 윤리 문제를 접근하는 데 있어 유용한 실용주의 철학에 대해 찬성과 반대의 입장을 선택하여 토론해 보자.

관련학과

전 자연계열

활용 자료의 유의점

- (!) 철학적 입장에서 자연계열 탐구를 할 수 있는 '지식과 사유의 확장' 경험
- (!) 과학과 철학의 필연성과 융합적 접근을 통해 인간으로서 마땅히 갖추어야 할 정의, 배려, 사회적 관계 등 가치 정립
- (!) 자연과학의 발전과 관련하여 칸트 사상 이해
- (!) 사상적으로 어렵게 접근하기보다는 윤리적 성찰과 철학적 사유를 할 수 있는 기회임을 인지

MEMO

핵심키워드

□ 격몽요결 □ 공리주의 □ 마이클샌델 □ 칸트 □ 동물의 기본권 □ 도가사상 □ 무위자연 □ 베이컨

영역 자신과의 관계

성취기준

[고윤01-01] 도덕적 주체로 살아가기 위해서 '뜻 세움'이 중요함을 알고 자신이 세운 뜻을 실현하기 위한 구체적인 계획을 수립하여 이를 실천하기 위한 방법을 제시할 수 있다.

▶ 삶의 목표가 단순히 대학 진학이나 직업 선택에 제한되는 것이 아닌, 도덕적 이상을 지향하고 실천하기 위해 노력하는 자세를 갖추게 하는 것을 지향하도록 한다. (『격몽요결』 - 뜻 세움과 나의 삶)

탐구주제

3.고전과 윤리 — 자신과의 관계

1 「격몽요결」은 율곡 이이가 학문을 시작하는 이들을 위해 저술한 책이다. 「격몽요결」의 '1장. 입지'에 의하면 "지금 책을 펼치고 학문을 시작하려고 하는 나와 공자, 맹자, 주자 같은 성인이 그 근본은 다를 것이 없다"고 하였다. 율곡 이이가 말하는 학문의 근본과 자연계열 전공을 희망하는 수험생으로서 가져야 할 탐구의 근본에 대해 정리하여 발표해 보자.

(격몽요결, 이이, 을유문화사)

관련학과

전 자연계열

2 자연계열은 과학, 수학 등 자연 질서를 탐구하고 연구하는 교육과정을 의미한다. 자연계열을 희망하는 수험생으로서 희망학과와 그에 따른 구체적인 학업 계획서를 작성해 보고, 이를 통해 궁극적으로 추구하고 싶은 자신의 학문적 이상에 대해 발표해 보자.

관련학과

전 자연계열

영역

자연 · 초월과의 관계

성취기준

[고윤04-01] 최대 다수의 최대 행복(쾌락)을 도덕의 기준으로 삼는 공리주의를 칸트의 견해와 비교하여 그것의 장점과 단점을 비판적으로 논의하고, 도덕적 고려의 대상을 인간뿐만 아니라 동물까지 확대해야 하는 이유를 제시할 수 있다.

(『공리주의』, 『동물해방』 - 최대 다수의 최대 행복과 도덕적 고려 범위의 확대)

[고윤04-02] 현대 사회에서 무위자연(無爲自然)의 도(道)의 필요성을 탐구하고, 편견과 선입견에서 벗어나 사회 문제 해결을 위한 자세와 방법을 제시할 수 있다.

(『노자』, 『장자』 - 자연의 이치에서 배우는 삶의 지혜, 편견과 선입견에서 벗어난 진정한 자유)

탐구주제

1. 공리주의를 바탕으로 동물의 해방을 주장하는 실천윤리학자 피터싱어의 「동물해방」을 읽고 세계적으로 자행되고 있는 동물실험의 실태와 종 차별주의에 대해 자신의 의견을 정리하고, '동물 실험이 정당화될 수 있는 경우는 어디까지인가'에 대해 고찰하여 인간의 생명권 보호를 위해 자행되는 동물실험의 윤리적 문제에 대해 정리해 보자.

(동물해방, 피터싱어, 연암서가)

관련학과

동물자원학과, 생명과학과, 생물학과, 수의학과, 의생명과학과, 축산학과, 화학과

2. 피터 싱어는 동물들도 고통을 느낄 줄 아는 존재, 감정적인 존재라 주장하면서 동물 또한 '윤리적 고려의 대상'이 되어야 하며 인간은 동물에게 보살핌을 베풀어야 한다고 제시하였다. 반면 톰 리건은 동물도 타고난 생명의 가치를 실현할 '도덕적 권리'가 있으며, 인간이 그들의 가치를 실현할 수 있는 권리를 빼앗아서는 안된다고 강조하였다. 피터 싱어의 '동물 해방론'과 톰 리건의 '동물 권리론'의 입장을 심도 있게 고찰하고, 자신이 공감하는 입장을 선택하여 '동물실험'에 대해 토론해 보자.

관련학과

전 자연계열

3. 코로나19 사태에 대비하여 각 나라들은 강력한 정부 규제안을 제시하고 있으나, 스웨덴은 바이러스의 종식은 불가능하다는 입장에서 자발적 거리두기 정도의 자가 면역 실험을 단행하였다. 도가 사상의 '무위자연(無爲自然)'의 관점에서 스웨덴의 집단면역 대처 방안과 한국의 K-방역 시스템에 대해 비교하여 정리해 보자.

관련학과

생명과학과, 생물학과, 의생명과학과

탐구주제

4 근대 경험론의 선구자 프란시스 베이컨(Francis Bacon)은 실험과 관찰을 중요시하여 자연에 대한 과학적 탐구를 강조하였다. 베이컨과 노자의 입장에서 동양과 서양의 자연관을 비교하고, 베이컨 또는 노자의 입장 중 하나를 선택하여 미래 사회변화와 환경오염에 대처하기 위한 해결방안에 대해 토론해 보자.

관련학과

대기과학과, 산림자원학과, 원예학과, 임학과, 지구환경과학과, 환경생명화학과

활용 자료의 유의점

- (!) 과학자로서의 사명감과 학문 탐구의 의의에 대해 철학적 소양을 쌓도록 노력
- (!) 고전에 제시된 개념과 내용을 기반으로 사유와 탐색의 과정을 수행
- (!) 소크라테스의 문답법을 적용해 인과관계가 분명한 과학적 주제에 대해 다양한 시도
- (!) 최신 사회적 이슈에 동서양 사상가의 이론을 대입하여 다양한 분석

MEMO

자연계열편

수학과 교과과정

수학

핵심키워드

☐ 잎 넓이 지수 ☐ 복소수 ☐ 프랙탈 ☐ 효율적 광고 ☐ 효율적 적재 방법 ☐ 판매 이익 ☐ 시소
☐ 테셀레이션 ☐ 프로그래밍 ☐ 귀류법 ☐ 자외선과 식물 ☐ 미세플라스틱
☐ 미생물 ☐ 스타링크 프로젝트 ☐ 키친넷

영역 문자와 식

성취기준

[10수학01-01] 다항식의 사칙연산을 할 수 있다.

[10수학01-05] 복소수의 뜻과 성질을 이해하고 사칙연산을 할 수 있다.

[10수학01-06~16] 방정식과 이차함수, 부등식을 활용하여 문제를 해결할 수 있다.

탐구주제

1.수학 — 문자와 식

1. 사회 여러 현상을 다항식을 활용하면 간결하게 표현할 수 있어 문제 해결에 도움이 된다. 새로운 제품을 개발하고 제작하는 데 들어가는 비용과 제품을 판매하여 얻은 총액을 다항식으로 표현할 수 있다. 제품을 판매할 때 생기는 이익을 다항식을 활용하여 구체적으로 어떻게 나타내는지 방법을 탐구해 보자.

관련학과

동물자원과학과, 수학과, 식품공학과, 식품생명공학과, 의류학과, 축산학과, 통계학과

2. 잎 넓이 지수(LAI : Leaf Area Index)는 식물이 차지하는 땅의 넓이에 비해 식물이 가진 잎 전체의 넓이의 비를 나타낸 것이다. 잎 넓이 지수에 나오는 나뭇잎의 넓이에 미지수를 사용하는 다항식이 어떻게 이용되었는지 발표해보고 서로 의견을 나누어 보자.

관련학과

농생물학과, 생명과학과, 수학과

3 복소수는 실수와 허수를 결합한 수체계로 진동이나 파동, 전류 등과 같은 자연 에너지를 표현하고 해석하는 데 많이 쓰인다. 물체가 시간에 따라 반복 운동하는 '진동'과 진동이 시간에 따라 주변으로 퍼져나가는 현상인 '파동'을 나타내고 계산할 때, 실수가 아닌 복소수를 사용하는 이유와 복소수가 어떻게 쓰이는지 조사해 보자.

관련학과

대기과학과, 물리학과, 지구물리학과, 지구환경과학과, 우주과학과, 천문우주학과, 화학과

4 부분의 모양·구조가 전체의 모양·구조와 닮은 형태(자기유사성)로 끝없이 반복(순환성)되는 형태를 프랙탈(fractal)이라 한다. 프랙탈은 해안선이나 나뭇가지, 번개, 구름, 우주의 모습 등과 같이 매우 복잡한 모양의 자연 현상을 표현하거나 불규칙적이고 복잡해 보이는 현상에서 숨은 질서를 찾아 예측 가능성을 높일 때 쓰인다. 프랙탈을 복소수로 나타내는 이유를 자신이 진학하려는 학과와 관련지어 발표해 보자.

관련학과

전 자연계열

5 사회에서 경제활동을 하다 보면 한정된 자원 속에서 최대의 이익을 내기 위해 최선의 선택을 해야 하는 경우가 많다. 이때 방정식과 부등식, 이차함수의 최댓값을 이용하면 문제를 쉽게 해결할 수 있다. 신제품 □개를 만드는데 □만원이 들어갔다면 신제품 1개의 적정 가격과, 할인 행사 시 할인을 몇%로 해야하는지, 몇 개를 판매한 이후부터 할인 행사를 해야 적절한지 탐구해 보자.

관련학과

농생물학과, 동물자원과학과, 생명과학과, 생물학과, 수학과, 식품공학과, 식품생명공학과, 식품영양학과, 의류학과, 의상학과, 의생명과학과, 지구환경과학과, 축산학과, 화학과

6 수많은 신제품이 쏟아지는 현대 사회에서 제품 개발과 더불어 제품을 소비자에게 알리는 광고의 중요성도 커지고 있다. TV 광고의 경우 시청률이 높은 프로그램 앞뒤로 광고를 하면 효과가 크지만 그만큼 광고 비용이 많이 들어간다. 방정식과 부등식을 활용하여 광고 비용은 최소화하면서 최대의 광고 효과를 낼 수 있는 방법을 탐구해 보자.

관련학과

농생물학과, 동물자원과학과, 생명과학과, 생물학과, 수학과, 식품공학과, 식품생명공학과, 식품영양학과, 의류학과, 의상학과, 축산학과, 통계학과, 화학과, 환경생명화학과

7 화물을 효율적으로 나르기 위해 쓰이는 금속 상자인 컨테이너에 제품을 넣어 배송할 때, 최대한 제품을 많이 들어가게 해야 운송비를 줄이고 이익을 높일 수 있다. 컨테이너에 들어가는 제품의 포장 상자 크기가 모두 같다 하더라도 상자가 정육면체가 아닌 직육면체인 경우가 많아 어떤 면을 아래로 가게 할지에 따라 다양한 적재 방법이 나온다. 상자의 가로, 세로, 높이에 따라 상자를 컨테이너에 최대로 넣을 수 있는 방법을 탐구해 보자.

관련학과

동물자원과학과, 생명과학과, 생물학과, 수학과, 식품공학과, 식품생명공학과, 식품영양학과, 의류학과, 의상학과, 축산학과, 화학과, 환경생명화학과

8 재료비가 오르면 제품의 판매 가격을 조정하게 된다. 하지만 제품의 가격을 잘못 올리면 판매량이 줄어들어 오히려 전체 매출이 낮아지는 문제가 생긴다. 제품의 가격을 올리면서도 매출이 증가해 최종 이익이 늘어날 수 있게 가격을 정하는 것이 중요하다. 이익을 최대로 하려면 제품 한 개의 판매 가격을 얼마로 정해야 되는지 방정식을 활용하여 탐구해 보자.

관련학과

동물자원과학과, 수학과, 식품공학과, 식품생명공학과, 의류학과, 의상학과, 축산학과, 통계학과

탐구주제

1.수학 — 문자와 식

9. 부등식을 활용하면 투입되는 원료량에 따른 최대 판매 이익을 찾을 수 있다. 제품원료 A와 B의 배합 비율에 따라 제품 C와 D가 만들어지고, 제품 C는 개당 □원, 제품 D는 개당 □원의 이익이 있다고 가정한다. 원료 A가 □kg, 원료 B가 □kg 있을 때, 얻을 수 있는 최대 이익을 부등식을 활용하여 탐구해 보자.

관련학과

동물자원과학과, 수학과, 식품공학과, 식품생명공학과, 의류학과, 의상학과, 축산학과, 통계학과

10. 어린이 놀이터에 가면 둘이서 반대편에 앉아 위아래로 움직이면서 타는 시소가 있다. 시소 속에 숨겨진 부등식을 찾고 부등식의 기호로 표현해 보자.

관련학과

수학과

영역 도형

성취기준

[10수학02-01] 두 점 사이의 거리를 구할 수 있다.

[10수학02-08] 평행이동의 의미를 이해한다.

탐구주제

1.수학 — 도형

1. 도형을 중학교 때 유클리드 기하의 관점으로 봤다면, 고등학교에서는 수학자 데카르트가 만든 좌표를 이용하여 도형의 문제를 방정식으로 나타내는 해석 기하의 관점으로 본다. 해석 기하학의 도입으로 인해 도형을 그림이 아닌 수식으로 이해할 수 있게 되었고, 기하와 대수를 결합해 도형의 성질을 쉽게 알 수 있게 되었다. 논증기하가 아닌 해석기하를 활용할 경우 문제를 쉽게 해결할 수 있는 사례를 조사해 보자.

관련학과

대기과학과, 물리학과, 수학과, 우주과학과, 지구물리학과, 지구환경과학과, 천문우주학과, 통계학과

2. 한 가지 이상의 도형을 이용하여 빈틈이나 겹침 없이 평면 또는 공간을 모두 채우는 쪽매 맞춤(쪽맞추기) 또는 테셀레이션(Tessellation)에는 도형의 이동이라는 수학적인 원리가 담겨 있다. 평행이동, 대칭이동(미끄럼, 좌우, 상하), 회전이동 등 다양한 도형의 이동을 이용하여 쪽매 맞춤을 할 수 있다. 쪽매 맞춤의 조건과 종류, 그리고 이를 쉽게 만드는 방법을 수학적 관점에서 조사해 보자.

관련학과

수학과, 의류학과, 의상학과

영역

집합과 명제

성취기준

[10수학03-01~8] 집합과 명제, 귀류법을 이해하고 문제를 해결할 수 있다.

탐구주제

1.수학 — 집합과 명제

1 집합과 명제는 수학의 다양한 분야 중에서 가장 논리적인 성격이 강하다. 집합은 명확한 기준으로 묶어서 만든 모임으로 원소를 분명하게 구분한다. 참, 거짓을 구분할 수 있는 문장인 명제는 집합의 개념을 이용하고 추론을 가능하게 한다. 그로 인해 명제는 논리 회로의 바탕이 되어 컴퓨터 프로그래밍에 활용된다. 명제와 함께 집합의 벤다이어그램, 드 모르간의 법칙을 프로그래밍에 어떻게 활용할 수 있는지 조사해 보자.

관련학과

수학과, 통계학과

2 귀류법은 어떤 명제가 참임을 증명할 때, 그 명제의 결론을 부정하면 모순이 생긴다는 것을 보여 처음의 명제가 참임을 간접적으로 증명하는 방법이다. 기원전에 소수의 무한함을 귀류법으로 증명한 것처럼 귀류법은 수학과 자연과학에서 자주 쓰이는 논증법이다. 귀류법의 장점과 쓰임새를 구체적인 예를 통해 탐구해 보자.

관련학과

농생물학과, 대기과학과, 물리학과, 생명과학과, 생물학과, 수학과, 우주과학과, 의생명과학과, 지구물리학과, 지구환경과학과, 천문우주학과, 통계학과, 화학과, 환경생명화학과

3 집합은 분명함을 중요하게 생각하여 확실한 기준에 따라 명료하게 대상을 구별한다. 이 때문에 집합을 기초로 수학을 체계화하는 게 가능했다. 하지만 현실 세계는 집합처럼 기준에 따라 명확하게 나뉘는 경우보다 불명확한 경우가 더 많다. 참과 거짓의 이진 논리 기반인 컴퓨터에서 불확실한 정보를 처리하는 데는 한계가 있다. 이러한 불확실함을 처리하기 위해 이분법적인 개념 대신 원소가 속하는 정도를 나타내는 퍼지 집합이 등장한다. 집합과 퍼지 집합 이론을 비교해보고 실생활에 적용한 사례를 조사해 보자.

관련학과

전 자연계열

4 '두 수가 양수일 때 산술평균은 기하평균보다 항상 크거나 같다'는 항상 만족하는 절대부등식이다. 산술 기하평균을 증명하는 다양한 방법과 의미를 찾아보고 서로 발표해 보자.

관련학과

수학과

영역

함수

성취기준

[10수학04-01~03] 함수와 그래프를 이해하고 함수를 구할 수 있다.

[10수학04-04] 유리함수 $y=\frac{ax+b}{cx+d}$의 그래프를 그릴 수 있고, 그 그래프의 성질을 이해한다.

[10수학04-05] 무리함수 $y=\sqrt{ax+b}+c$ 의 그래프를 그릴 수 있고, 그 그래프의 성질을 이해한다.

탐구주제

1.수학 — 함수

1 자연 현상이나 사회 현상을 탐구하는 도구로 함수를 사용한다. 함수는 변화하는 대상 간의 관계를 표현하고 질서와 규칙을 발견하여 이를 바탕으로 변화를 예측할 수 있게 하기 때문이다. 함수라는 수학적 개념을 통해 문제를 합리적으로 해결할 수 있는 최적의 대안을 찾을 수 있다. 함수를 활용하여 문제를 해결해보는 과정을 자신이 진학하려는 학과와 관련지어 발표해 보자.

관련학과

전 자연계열

2 환경오염의 문제로 오존층이 계속 파괴되면서 오존층에 흡수되었던 유해한 자외선이 지상까지 도달하여 문제가 되고 있다. 이 유해한 자외선은 식물의 광합성 속도를 낮추거나 과일 색깔을 비정상적으로 변하게 하고, 수확량을 낮추는 등 식물에 나쁜 영향을 끼친다. 자외선 증가에 따른 식물의 변화를 함수를 사용하여 나타내 보자.

관련학과

농생물학과, 생명과학과, 생물학과, 수학과, 식품공학과, 지구환경과학과, 환경생명화학과

3 코로나19로 플라스틱 사용량이 폭발적으로 늘어나면서 미세플라스틱에 대한 우려가 높아지고 있다. 미세플라스틱은 1μm(마이크로미터)~5mm 크기의 플라스틱이다. 미세플라스틱이 해양생물이나 소금뿐만 아니라 안전한 것으로 알려진 과일, 채소에서도 나오면서 사람이 일주일 동안 먹는 미세플라스틱이 신용카드 한 장이나 되고 있다. 세계적으로 플라스틱을 미생물로 분해하는 연구가 진행되어 10시간에 플라스틱병 1t을 분해할 수 있는 박테리아 효소를 만들었고 또 다른 연구에서는 기존보다 분해 속도가 6배 빨라진 효소를 만들었다고 한다. 미생물을 활용한 플라스틱의 분해 속도를 함수를 사용하여 나타내 보자.

관련학과

생명과학과, 생물학과, 수학과, 의생명과학과, 지구환경과학과, 화학과, 환경생명화학과

4 미생물은 너무 작아서 인간의 눈에 보이지 않는 생물이지만 미생물을 활용하여 식품, 화학, 농업, 환경, 에너지 생산까지 다양한 분야에서 부가가치를 창출하여 생명공학의 핵심 소재가 되고 있다. 더욱이 현재까지 발견한 미생물은 1%도 안돼 더 많은 연구가 진행된다면 혁신적인 변화가 기대된다. 미생물과 관련하여 온도별로 시간에 따른 미생물 변화를 함수를 활용하여 표현해보고, 이를 바탕으로 며칠 이후의 변화를 추정해 발표해 보자.

관련학과

농생물학과, 생명과학과, 생물학과, 수학과, 식품공학과, 식품생명공학과, 식품영양학과, 의생명과학과, 지구환경과학과, 화학과, 환경생명화학과

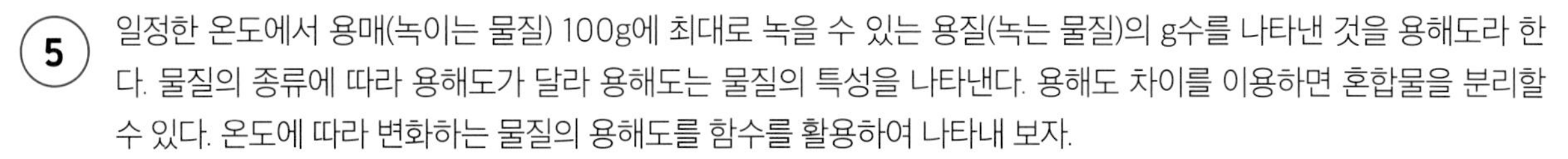

5 일정한 온도에서 용매(녹이는 물질) 100g에 최대로 녹을 수 있는 용질(녹는 물질)의 g수를 나타낸 것을 용해도라 한다. 물질의 종류에 따라 용해도가 달라 용해도는 물질의 특성을 나타낸다. 용해도 차이를 이용하면 혼합물을 분리할 수 있다. 온도에 따라 변화하는 물질의 용해도를 함수를 활용하여 나타내 보자.

관련학과

수학과, 식품공학과, 식품생명공학과, 식품영양학과, 의생명과학과, 지구환경과학과, 화학과, 환경생명화학과

6 우리나라의 1인당 연간 포장용 플라스틱 소비량은 세계 2위(2015년 기준)로 매우 높다. 한국인이 1년간 쓰는 플라스틱 컵 33억 개(2017년 기준)를 일렬로 늘어놓으면 지구와 달 사이 거리를 채울 정도다. 지난 몇 년간 플라스틱 쓰레기의 누적량을 통해 30년 뒤의 누적량을 함수를 활용하여 나타내 보자.

관련학과

수학과, 지구환경과학과, 통계학과, 환경생명화학과

7 불쾌지수, 체질량 지수, 물가지수, 식생지수, 빅맥지수, 가뭄지수, 물가지수, 스트레스 지수, 주가지수, 감성지수, 감염재생산 지수 등과 같이 생활 중에는 다양한 지수가 있다. 건강을 확인하고 예방하는 지수와 수치를 탐구해 보자.

관련학과

수학과

8 체중은 몸의 무게로 질량에 중력가속도를 곱한 양이라 중력에 따라 달라진다. 중력은 지구의 반지름에 반비례하여 고도에 따라 변화한다. 고도와 체중의 관계가 함수로 어떻게 표현되는지 발표해 보자.

관련학과

물리학과, 수학과, 우주과학과, 지구물리학과, 천문우주학과

9 소리(음파)는 파동의 한 종류로 공기가 앞뒤로 진동하면서 에너지가 전달되는 것이다. 공기 중에서 소리가 전달되는 데 걸리는 시간은 온도, 습도, 기압 등에 따라 달라진다. 온도를 제외한 모든 조건이 같을 때 공기 중에서 온도와 소리가 전달되는 데 걸리는 시간과의 관계를 함수로 표현하고 설명해 보자.

관련학과

대기과학과, 물리학과, 수학과, 지구물리학과, 지구환경과학과

10 민간 우주기업 스페이스X는 스타링크 프로젝트를 위해 현재까지 700개가 넘는 인공위성을 발사했다. 스타링크 프로젝트는 1만 2천여 개의 통신 위성을 발사해 전 세계에 1Gbps의 초고속 인터넷을 쓸 수 있게 하는 인터넷망 구축 프로젝트다. 인위적으로 지구 주위를 돌도록 만든 인공위성은 현재 대략 9천 개가 넘어 5년 안에 5만여 개가 늘어날 전망이라 인공위성이 서로 충돌하지 않도록 조정하는 것이 중요하다. 인공위성의 고도를 조정하면서 안정적인 궤도 운동을 할 수 있게 하려면 지구의 만유인력과 원심력이 평형을 이루어야 한다. 이를 통해 인공위성의 고도 변화와 속도와의 관계를 함수로 표현해보고 설명해 보자.

관련학과

물리학과, 수학과, 우주과학과, 지구물리학과, 천문우주학과

영역

경우의 수

성취기준

[10수학05-01] 합의 법칙과 곱의 법칙을 이해하고, 이를 이용하여 경우의 수를 구할 수 있다.

[10수학05-02] 순열의 의미를 이해하고, 순열의 수를 구할 수 있다.

[10수학05-03] 조합의 의미를 이해하고, 조합의 수를 구할 수 있다.

탐구주제

1 날씨를 예측하기 위해서는 여러 관측소에서 모은 기상 정보를 유체의 운동방정식, 질량보존 방정식, 열역학 방정식, 이상기체 상태방정식 등과 같은 방정식을 종합적으로 이용하여 계산한다. 이때 슈퍼컴퓨터를 이용하지만 계산해야 하는 양이 많고 복잡하며, 변수가 많아 날씨를 정확히 예측하는 것이 어렵다. 변수가 많아 날씨를 정확히 예측하는 것은 어렵다. 이를 보완하기 위하여 우리나라는 1987년부터 확률예보를 도입하였다. 일기예보에 확률(경우의 수)을 이용하는 사례를 찾아보고 장단점을 조사해 발표해 보자.

관련학과

대기과학과, 물리학과, 수학과, 지구물리학과, 지구환경과학과, 통계학과

2 식품 관련 분야에도 인공지능(AI)을 다양하게 도입하고 있다. AI 냉장고는 보관하고 있는 식재료를 가지고 요리할 수 있는 레시피를 제공한다. '키친넷'이라는 AI는 인터넷에 있는 레시피를 분석하여 3,500여 개의 식재료를 뽑아 특정 식재료를 입력하면 가장 잘 어울리는 재료를 추천해준다. 식재료 선택과 관련해서 순열과 조합이 어떻게 활용될 수 있는지 탐구해 보자.

관련학과

수학과, 식품공학과, 식품생명공학과, 식품영양학과

3 생물학에서 분자 수준의 생명 현상을 연구하는 분자생물학이 발달하면서 수학으로 생물학을 연구하는 수리생물학의 중요성이 커졌다. 생물학 연구에 수학이 적극적으로 활용되면서 다양한 문제들이 해결되고 있는데, 유전학의 경우 확률이 기본이 된다. DNA의 염기서열은 순열과 어떤 관계가 있는지, 멘델의 유전법칙은 조합과 어떻게 연관이 되는지 탐구해 보자.

관련학과

농생물학과, 생명과학과, 생물학과, 수학과, 의생명과학과, 축산학과, 환경생명화학과

활용 자료의 유의점

- ⓘ 수학적 모델링 능력을 신장하기 위해 생활 주변이나 사회 및 자연 현상 등 다양한 맥락에서 파악된 문제를 해결하면서 일반화시키도록 노력
- ⓘ 귀납, 유추 등 개연적 추론을 사용하여 학생 스스로 수학적 사실을 추측하고 적절한 근거에 기초하여 이를 정당화시키기 위해 노력
- ⓘ 수학을 타 교과나 실생활의 지식, 기능, 경험을 연결·융합하여 새로운 지식, 기능, 경험을 생성하고 문제를 해결
- ⓘ 수학을 생활 주변과 사회 및 자연 현상과 관련지어 수학의 역할과 가치를 인식
- ⓘ 과정과 결과를 말, 글, 그림, 기호, 표, 그래프 등을 사용하여 의사소통

MEMO

핵심키워드

☐ 공룡 ☐ 악취지수 ☐ 선형 검색 ☐ 이진 검색 ☐ 지진의 규모 ☐ 코로나19 ☐ 방사성 탄소 연대 측정법 ☐ 베버-페히너 법칙 ☐ 행성 간 거리 ☐ GPS시스템 ☐ 혜성 ☐ 세균 증식

영역 지수함수와 로그함수

성취기준

[12수학 I 01-01] 거듭제곱과 거듭제곱근의 뜻을 알고, 그 성질을 이해한다.

[12수학 I 01-02] 지수가 유리수, 실수까지 확장될 수 있음을 이해한다.

[12수학 I 01-03] 지수법칙을 이해하고, 이를 이용하여 식을 간단히 나타낼 수 있다.

[12수학 I 01-04] 로그의 뜻을 알고, 그 성질을 이해한다.

[12수학 I 01-05] 상용로그를 이해하고, 이를 활용할 수 있다.

[12수학 I 01-06] 지수함수와 로그함수의 뜻을 안다.

[12수학 I 01-07] 지수함수와 로그함수의 그래프를 그릴 수 있고, 그 성질을 이해한다.

[12수학 I 01-08] 지수함수와 로그함수를 활용하여 문제를 해결할 수 있다.

탐구주제

2.수학 I — 지수함수와 로그함수

1 공룡이 얼마나 빨리 달렸는지에 대한 여러 연구 결과 대략 시속 17~40km 범위로 나온다. 그중 알렉산더 박사의 공룡의 속도를 구하는 공식을 보면 중력가속도, 공룡이 달릴 때의 보폭과 다리 길이를 알면 공룡의 속도를 구할 수 있다. 이 공룡의 속도를 구하는 공식에 거듭제곱과 유리수 지수 등이 어떻게 활용되었는지 발표해 보자.

관련학과

생물학과, 수학과

2 소리의 크기를 측정할 때 데시벨(decibel, ㏈)을 사용하는데 데시벨은 실제값이 아닌 상댓값이다. 소리의 크기를 데시벨로 나타내는 이유와 소리의 크기와 거리와의 관계를 로그와 관련해서 탐구해 보자.

관련학과

물리학과, 수학과, 지구물리학과, 지구환경과학과

3 악취는 암모니아, 황화 수소처럼 사람에게 불쾌감과 혐오감을 주는 냄새이다. 악취의 세기인 악취지수는 후각을 이용하여 악취의 정도를 나타낸 것으로 상용로그와 관련이 있다. 악취의 농도와 사람이 느끼는 악취지수와의 관계를 상용로그를 활용하여 나타내 보자.

관련학과

생명과학과, 수학과, 지구환경과학과, 환경생명화학과

4 자료의 양이 많아질수록 빠르게 검색하여 원하는 자료를 얻는 것이 중요하다. 컴퓨터에서 기본적인 검색 알고리즘으로 선형 검색과 이진 검색이 있다. 선형 검색은 배열 순서대로 하나씩 검색 자료와 비교를 하고, 이진 검색은 자료를 반으로 나누어 찾고자 하는 값과 비교하면서 검색한다. 지수와 로그의 개념이 선형 검색과 이진 검색에 어떻게 활용되었는지 조사해보고 선형 검색과 이진 검색의 차이점을 그래프를 활용하여 발표해 보자.

관련학과

수학과

5 지진의 크기는 절대적인 값인 규모와 상대적인 값인 진도로 나누어진다. 보편적으로 사용하는 '규모'는 지진파의 최대 진폭에 따라 결정된다. 지진의 '규모'에 상용로그를 활용했을 때의 이로움과 규모의 단계가 올라갈 때의 지진에너지 변화를 조사해 보자.

관련학과

수학과, 지구물리학과

6 전 세계적으로 유행하고 있는 코로나19는 바이러스로 세균(박테리아)과 다르다. 코로나19는 세균과 달리 영양을 공급해주는 숙주가 있어야 하고 2차 감염이 잘 되는 특징이 있다. 코로나19와 같은 전염병의 확산을 지수함수를 활용하여 설명해보고, 감염자 수가 시간이 지남에 따라 지수함수와 다르게 나타나는 이유를 조사해 보자.

관련학과

농생물학과, 생명과학과, 생물학과, 수학과, 의생명과학과

7 화석의 나이를 계산할 때 방사성 탄소 연대 측정법을 이용한다. 탄소14 동위원소가 방사성 원소의 붕괴를 통하여 질소14가 되는데 이 탄소14의 양이 반으로 줄어드는데 걸리는 시간을 이용해 연대를 측정한다. 로그함수를 방사성 탄소 연대 측정법에 어떻게 활용하는지 발표해 보자.

관련학과

물리학과, 생명과학과, 생물학과, 수학과, 우주과학과, 지구물리학과, 천문우주학과

8 소리가 2배 커져도 사람은 그 소리가 2배로 커졌다고 느끼지 못한다. 사람이 오감(시각, 후각, 청각, 미각, 촉각)을 통해 느끼는 정도는 자극의 세기에 따라 똑같이 커지지 않는다. 감각의 양은 외부 자극에 로그함수 적으로 비례하는데 이를 베버-페히너 법칙이라 한다. 별의 밝기, 악취, 소리 등 베버-페히너 법칙과 관련 있는 사례를 찾아 로그함수의 개념을 활용하여 발표해 보자.

관련학과

물리학과, 생명과학과, 생물학과, 수학과, 우주과학과, 의류학과, 의상학과, 의생명과학과, 천문우주학과

영역

삼각함수

성취기준

[12수학 I 02-01] 일반각과 호도법의 뜻을 안다.

[12수학 I 02-02] 삼각함수의 뜻을 알고, 사인함수, 코사인함수, 탄젠트함수의 그래프를 그릴 수 있다.

[12수학 I 02-03] 사인법칙과 코사인법칙을 이해하고, 이를 활용할 수 있다.

탐구주제

2.수학 I — 삼각함수

1. 우주를 연구하는 천문학에서 행성 간 거리를 아는 것은 중요하다. 삼각함수를 활용하면 두 지점 사이의 거리를 직접 재지 않아도 알 수 있는 장점이 있어서 삼각함수는 천문학에 널리 사용되었다. 행성 간의 거리를 계산하는데 삼각함수를 어떻게 활용하는지 발표해 보자.

관련학과

수학과, 우주과학과, 천문우주학과

2. GPS 위성에서 보내는 신호를 받아 현재 위치를 계산하여 알려주는 GPS 시스템이나 휴대전화에 거리와 높이를 재는 애플리케이션에는 삼각함수의 원리가 들어있다. 삼각함수를 어떻게 활용하여 위치와 거리, 높이를 알 수 있는지 탐구해 보자.

관련학과

수학과, 물리학과, 우주과학과, 천문우주학과

3. 주기적으로 변화하거나 진동이 있는 현상은 삼각함수를 이용하여 설명할 수 있다. 뇌세포가 활동할 때 나오는 전류의 파동을 뇌파라고 하는데 뇌파에는 규칙적인 주기가 있어서 삼각함수로 표현할 수 있다. 뇌파를 포함해서 심전도검사, 초음파검사, CT 검사 등 우리가 병원에서 받는 다양한 검사에 삼각함수가 어떻게 활용되는지 탐구해 보자.

관련학과

물리학과, 생명과학과, 수학과, 의생명과학과

영역

수열

성취기준

[12수학Ⅰ03-01] 수열의 뜻을 안다.

[12수학Ⅰ03-02] 등차수열의 뜻을 알고, 일반항, 첫째항부터 제 n 항까지의 합을 구할 수 있다.

[12수학Ⅰ03-03] 등비수열의 뜻을 알고, 일반항, 첫째항부터 제 n 항까지의 합을 구할 수 있다.

[12수학Ⅰ03-06] 수열의 귀납적 정의를 이해한다.

[12수학Ⅰ03-07] 수학적 귀납법의 원리를 이해한다.

[12수학Ⅰ03-08] 수학적 귀납법을 이용하여 명제를 증명할 수 있다.

탐구주제

2.수학Ⅰ — 수열

1. 태양계 내에 속하면서 행성이나 태양을 초점으로 타원이나 포물선에 가까운 궤도를 그리며 도는 천체를 혜성이라 한다. 지름이 30m가 넘는 혜성이 지구와 충돌할 경우 매우 위험하여 사전에 차단해야 한다. 혜성의 궤도 주기를 수열을 통해 예측하여 발표해 보자.

관련학과

수학과, 우주과학과, 천문우주학과

2. 페트병에 입을 대고 생수를 마실 경우, 처음에는 물 안에 세균(박테리아)의 수가 얼마 되지 않지만, 하루가 지나게 되면 기준치의 400배가 넘어 주의가 필요하다는 실험 결과가 있었다. 타액에 있는 여러 물질로 인하여 세균이 증식했기 때문이다. 시간이 지남에 따라 늘어나는 세균(박테리아)의 수를 수학적 귀납법을 활용하여 예측해 보자.

관련학과

농생물학과, 생명과학과, 생물학과, 수학과, 식품공학과, 식품생명공학과, 의생명과학과, 환경생명화학과

활용 자료의 유의점

- 구체적인 자연 현상이나 사회 현상을 지수함수와 로그함수로 표현하고 문제를 해결해봄으로써 지수함수와 로그함수의 유용성과 가치를 인식
- 사인법칙과 코사인법칙을 활용하여 여러 가지 문제를 해결해봄으로써 삼각함수의 유용성과 가치를 인식
- 등비수열과 그 합을 이용하여 연금의 일시 지급이나 대출금 상환 등과 같이 지나치게 복잡한 상황을 포함하는 문제는 제외

핵심키워드

☐ 온도의 변화 ☐ 한계효용 체감의 법칙 ☐ 해발 고도와 산소 농도 ☐ 자연의 연속성 ☐ 누진세 ☐ 과속단속 카메라 ☐ 음식과 온도 ☐ 비행기 활주로 ☐ 한계 비용과 총비용 ☐ 식물 성장 ☐ 문화재 복원

영역 **함수의 극한과 연속**

성취기준

1 함수의 극한

[12수학Ⅱ01-01] 함수의 극한의 뜻을 안다.

[12수학Ⅱ01-02] 함수의 극한에 대한 성질을 이해하고, 함수의 극한값을 구할 수 있다.

2 함수의 연속

[12수학Ⅱ01-03] 함수의 연속 뜻을 안다.

[12수학Ⅱ01-04] 연속함수의 성질을 이해하고, 이를 활용할 수 있다.

탐구주제

3.수학 Ⅱ — 함수의 극한과 연속

1 뜨거운 물체나 차가운 물체를 상온에 놓으면 물체 온도가 처음엔 급격하게 변하다가 점차 서서히 느려지면서 기존 온도와 가까운 온도로 변한다. 이처럼 뜨겁거나 찬 물체가 주위의 온도와 같게되는 온도의 변화를 시간과 관련된 그래프로 나타내면 특정한 값에 점차 가까워지는 그래프로 나타낼 수 있다. 냉장고 음료수, 남극의 빙하, 뜨거운 음식의 온도변화, 야외에서 얼음 녹는 변화, 실내에서 얼음 녹는 변화, 냉장고에서 얼음 녹는 변화 등과 같이 실생활에서 나타낼 수 있는 실험을 하고 실험을 통해 나타난 결과를 그래프로 나타내 보자.

관련학과

생명과학과, 생물학과, 수학과, 식품공학과, 지구환경과학과, 환경생명화학과

2 기후 변화로 생물의 개체 수가 급감하는 현상이 나타나고 있다. 국립생태원은 우리나라 구상나무가 환경 변화로 인해 한라산, 지리산, 덕유산 등에 분포된 개체 수가 멸종위기로 분류되었다고 한다. 기후 변화와 구상나무의 감소를 탐구해 보자.

관련학과

농생물학과, 산림자원학과, 생명과학과, 생물학과, 수학과, 원예학과, 환경생명화학과

3 어떤 음식이나 기기의 사용은 처음 사용할 때보다 자주 사용하면 각자 느끼는 만족도가 점점 줄어든다는 이론이 한계효용 체감의 법칙이다. 한계효용 체감의 법칙을 정의하고 법칙에 대한 주제를 설정한 후 주제 내용을 탐구해 보자.

관련학과

농생물학과, 생물학과, 수학과, 식품공학과, 식품생명공학과

4 사람 몸속 산소의 양과 건강과의 관계, 해발 고도 0m 지점부터 높이를 측정하는 산의 해발 고도 등은 기준이 필요하다. 해발 고도가 높아지면 공기 중 산소의 농도가 점점 적어진다. 대기권을 벗어나면 공기 중 산소의 농도가 0이 되는 것과 해발 고도에 따라 변하는 산소의 농도를 탐구하고, 산소와 관련된 다양한 실생활의 경우를 조사해 보자.

관련학과

농생물학과, 생명과학과, 생물학과, 수학과, 의생명과학과, 환경생명화학과, 지구환경과학과

5 우체국이나 택배 회사를 이용하여 물건을 보낼 때, 무게에 따라 요금이 정해진다. 인터넷을 통해 우체국이나 택배회사의 요금체계를 알아보고, 무게와 요금 사이 관계를 그래프로 표현해 보자. 그래프로 얻어진 결과를 통해 일정한 규칙을 알 수 있다면, 규칙을 찾고 이를 수학적인 식으로 표현하는 방법을 탐구해 보자.

관련학과

수학과, 지구환경과학과

6 자연 현상은 시간의 흐름에 따라 연속적으로 변하는 성질을 가지고 있다. 기온의 변화, 물을 끓이는 온도의 변화, 청소년기 학생들의 신장 변화, 식물들이 자라는 속도, 자동차 속도의 증가 등 자연 현상 속에서 관찰할 수 있는 연속된 움직임을 찾고 그 현상을 함수로 표현하는 방식을 탐구해 보자.

관련학과

농생물학과, 대기과학과, 생명과학과, 수학과, 식품공학과, 식품생명공학과, 지구환경과학과, 환경생명화학과

7 지구상의 어느 나라든 소득이 많은 사람에게 세금을 많이 부과한다. 그중에서도 누진세율을 적용하는 누진세 제도를 도입하고 있는데 우리나라의 누진세 관련 자료를 통계청에서 찾아보고 각기 다른 분야별로 부과되는 누진세를 탐구해 보자. 또한, 외국의 사례를 조사하여 우리나라의 누진세가 외국의 누진세와 어떤 차이점이 있는지 비교하며 서로 토론해 보자.

관련학과

수학과

8 건물이나 다리의 균열과 같이 시각적으로 쉽게 볼 수 없는 경우 균열을 어떻게 알 수 있을까? 바닷속 물고기들 이동은 어떻게 알 수 있을까? 초음파를 발사해 사물까지의 왕복 거리를 측정하면 이런 문제를 해결할 수 있는데 이 원리를 탐구하고 발표해 보자.

관련학과

농생물학과, 생명과학과, 수학과, 식품공학과, 지구환경과학과

영역 미분법

성취기준

1 미분계수

[12수학Ⅱ02-01] 미분계수의 뜻을 알고, 그 값을 구할 수 있다.

[12수학Ⅱ02-02] 미분계수의 기하적 의미를 이해한다.

2 도함수

[12수학Ⅱ02-05] 함수의 실수 배, 합, 차, 곱의 미분법을 알고, 다항함수의 도함수를 구할 수 있다.

3 도함수의 활용

[12수학Ⅱ02-06] 접선의 방정식을 구할 수 있다.

[12수학Ⅱ02-08] 함수의 증가와 감소, 극대와 극소를 판정하고 설명할 수 있다.

[12수학Ⅱ02-09] 함수의 그래프의 개형을 그릴 수 있다.

[12수학Ⅱ02-11] 속도와 가속도에 대한 문제를 해결할 수 있다.

탐구주제

3.수학 Ⅱ — 미분법

1 자동차가 출발하여 운전 중 브레이크와 가속페달을 번갈아 가면서 밟으며 목적지까지 운전하면 속도가 일정하지 않다는 사실을 알 수 있다. 가속페달을 밟으면 갑자기 속도가 변하게 되는데 변하는 곳에서의 속도의 변화를 알 수 있다. 자동차가 출발해서 도착할 때까지의 운행과정에서 발생하는 속도의 변화를 알아보고, 이 같은 현상을 탐구해 보자.

관련학과

수학과, 환경생명화학과, 지구환경과학과

2 과속단속 카메라는 극히 짧은 시간 동안 달리는 자동차의 속도 변화를 인식하는 기계장치다. 과속 카메라의 원리를 알아보고, 탐구한 내용을 시간과 이동 거리와의 관계를 중심으로 나타내 상호 토론하면서 미분이 어떻게 적용되는지 확인해 보자.

관련학과

수학과, 지구환경과학과

3 스키, 수영, 자전거, 야구, 놀이 기구, 봅슬레이, 자유 낙하 물체, 주사액과 혈압의 수치와 같은 실생활에서 경험할 수 있는 순간적인 속도를 알아보고, 순간에서의 속도를 알 수 있는 경우와 이를 측정하는 방법에 관하여 탐구해 보자.

관련학과

농생물학과, 생명과학과, 수학과, 지구환경과학과, 환경생명화학과

4 음식은 어느 일정한 온도를 유지할 때 가장 맛이 난다고 한다. 식빵은 220~230℃, 아이스크림은 -14℃, 스테이크는 69℃, 커피는 70℃ 에서 가장 맛있다고 한다. 가장 맛있는 온도에서 먹을 수 있다면 최고의 만족도를 제공할 것이다. 음식과 온도 사이 최적의 조건을 탐구해 보자.

관련학과

생명과학과, 수학과, 지구환경과학과, 환경생명화학과

5 비행기 이착륙 시 운항되는 비행기는 활주로의 지면과 접선을 이룬다. 비행 안전과 최적화를 위해 비행기가 그리는 곡선은 지면과 접선이 되어야 한다. 비행하는 원리를 알아보고, 이륙, 착륙과 접선과의 관계를 발표해 보자.

관련학과

수학과, 지구환경과학과

6 바다에서 밀물과 썰물, 놀이동산에서 롤러코스터, 바닷속 초음파 지형도 그리기, 자동차가 제동을 건 후 달린 거리 등과 같이 실생활에서 미분을 적용할 수 있는 경우를 찾아 발표해 보자.

관련학과

수학과, 지구환경과학과, 지구해양학과, 해양학과, 환경생명화학과

7 공장에서 생산되는 제품은 생산되는 비용이 있고, 총비용이 있다. 한계 비용은 재화나 서비스를 1단위 더 생산하는 데 들어가는 추가적인 비용이다. 총비용을 미분하면 한계 비용이 된다. 한계 비용은 총비용 증가분을 생산량 증가분으로 나눈 것으로, 생산량 한 단위를 증가시킬 때 총비용이 얼마나 변화하는지를 나타낸다. 총비용과 한계 비용의 관계를 탐구해 보자.

관련학과

수학과

8 고체, 액체, 기체는 일정한 온도에서 변화가 일어난다. 고체를 가열하거나 냉각시킬 때 발생하는 가열곡선과 냉각곡선을 나타낼 수 있다. 이러한 곡선을 바탕으로 증가와 감소를 이루는 부분을 미분을 사용하여 나타내는 원리를 찾고 이를 탐구해 보자.

관련학과

수학과, 지구환경과학과, 화학과, 환경생명화학과

9 스키 타기, 구심력, 성장 곡선과 같이 실생활 속 곡선운동을 하는 경우를 살펴보고 각각의 경우 증가와 감소 및 접선의 기울기가 0이 되는 지점에서 발생하는 상황을 설명하고 미분과 연계하여 탐구해 보자.

관련학과

수학과, 지구환경과학과

영역

적분법

성취기준

1 부정적분

[12수학 II 03-01] 부정적분의 뜻을 안다.

[12수학 II 03-02] 함수의 실수배, 합, 차의 부정적분을 알고, 다항함수의 부정적분을 구할 수 있다.

2 정적분

[12수학 II 03-03] 정적분의 뜻을 안다.

[12수학 II 03-04] 다항함수의 정적분을 구할 수 있다.

3 정적분의 활용

[12수학 II 03-05] 곡선으로 둘러싸인 도형의 넓이를 구할 수 있다.

[12수학 II 03-06] 속도와 거리에 대한 문제를 해결할 수 있다.

탐구주제

1 식물 성장은 씨앗을 발아해서 모종을 만들고, 모종을 옮겨 심으면서 식물의 성장이 이루어진다. 식물 성장을 지속적으로 측정하여 성장함수를 만들고, 이 함수를 바탕으로 식물 높이를 적분을 사용하여 나타내고 탐구한 결과를 토론해 보자.

관련학과

농생물학과, 생명과학과, 수학과, 지구환경과학과, 환경생명화학과

2 어느 기업이건 생산량이 없어도 기계 감각액, 임대료, 부대 비용 등이 든다. 한계 비용은 최소 단위 하나를 생산하는데 드는 비용이고 총비용은 기업이 지출하는 비용의 총액이다. 한계 비용이 함수로 제시되면 적분을 사용하여 기업의 총비용을 알 수 있다. 한계 비용의 예를 찾아보고 총비용을 구하는 과정을 적분을 통해 탐구해 보자.

관련학과

수학과, 지구환경과학과

3 문화재 복원은 유물을 원래 있던 모습으로 되돌려 놓는 것이다. 숭례문을 복원하면서 어려운 점이 많았고, 14세기에 세워진 경복궁은 임진왜란 때 불탔다. 경복궁은 대원군 시대에 중건했고, 일제 강점기에 총독부 건물이 들어서면서 본래의 모습과 많은 차이를 보이다가 최근에 복원하고 있다. 문화재 복원이나 문화유산 복원에서 온전하지 않은 부분들을 모아 복원하는 과정을 적분을 이용해 서로 설명해보고 발표해 보자.

관련학과

수학과, 지구환경과학과

4 함수가 1:1 대응일 때 역함수는 성립하고, x 는 y 로 y 는 x 로 바꾸어 정리하면 된다. 역함수는 $y=x$ 그래프에 대칭이 되는 그래프가 됨을 알 수 있다. 작은 부품들을 모아서 하나의 작품이 되듯이 미분해 놓은 많은 부품을 모아 적분이 되는 예를 설명하고 발표해 보자.

관련학과

수학과, 환경생명화학과, 지구환경과학과

5 점이 모이면 직선이 되고, 직선이 모이면 평면이 되며, 평면을 모으면 공간이 된다. 작은 조각들을 모으면 물체가 되는 원리를 통해 적분을 설명하고 블록 조작과 같이 실제 조작을 통해 사물을 완성하는 과정을 탐구해 보자.

관련학과

수학과, 환경생명화학과, 지구환경과학과

6 열기구, 수직 공던지기, 자동차 속도 등을 시간과 연관하여 함수로 표현할 수 있다. 이 함수에서 시간과 가속도를 구하는 원리를 적분을 통해 구할 수 있는 내용을 찾아 서로 나누고 발표해 보자.

관련학과

수학과, 환경생명화학과, 지구환경과학과

7 드론은 꿀벌, 개미와 같이 곤충의 수컷을 의미하는 단어로 시작되었으나 현재는 물류를 수송하는 택배나 상공에서 사진을 촬영하는 기능을 하고 있으며 미래사회에 많이 적용될 기술로 통한다. 드론을 이용해 고래의 무게를 측정할 수 있는 방법을 생각해 보고 이를 발표해 보자.

관련학과

농생물학과, 생명과학과, 수학과, 환경생명화학과

8 속도, 거리, 가속도 사이의 관계를 미분에서 학습한 바 있다. 미분의 역을 통해 실생활과 관계된 문제를 적용하고 이를 수식으로 표현한 후 함수를 적분을 통해 해결책을 구해 보자.

관련학과

수학과, 환경생명화학과, 지구환경과학과

9 우리 주변에 곡선으로 이루어진 많은 사물(나뭇잎, 꽃병, 식물 잎)을 볼 수 있다. 나뭇잎을 책상 위에 놓고 잎의 반을 x 축 위에 놓고 대칭이 되는 반쪽을 x 축 아래에 놓는다. 한쪽 끝을 y 축으로 정하여 나뭇잎과 사물의 넓이와 부피를 구하는 과정을 탐구해 보자.

관련학과

농생물학과, 생명과학과, 수학과, 지구환경과학과, 환경생명화학과

활용 자료의 유의점

- (!) 속도와 가속도에 대한 문제는 직선 운동에 한하여 적용
- (!) 미분의 의미를 이해하고, 이를 활용하여 여러 가지 문제를 해결함으로써 미분의 유용성과 가치를 인식
- (!) 적분의 의미를 이해하고, 이를 활용하여 여러 가지 문제를 해결함으로써 적분의 유용성과 가치를 인식

핵심키워드

☐ 거울의 상 ☐ 토끼와 거북이 ☐ 프랙탈 ☐ 가속페달과 제동거리 ☐ 소리의 변화 ☐ 낮의 길이
☐ 인구 변화 예측 ☐ 사이클로이드 곡선 ☐ 현수선 ☐ CT촬영
☐ 뉴턴의 냉각 법칙 ☐ 연대측정법 ☐ 포도주 통

영역 수열의 극한

성취기준

1 수열의 극한

[12미적01-01]	수열의 수렴, 발산의 뜻을 알고, 이를 판별할 수 있다.
[12미적01-02]	수열의 극한에 대한 기본 성질을 이해하고, 이를 이용하여 극한값을 구할 수 있다.
[12미적01-03]	등비수열의 극한값을 구할 수 있다.

2 급수

[12미적01-04]	급수의 수렴, 발산의 뜻을 알고, 이를 판별할 수 있다.
[12미적01-05]	등비급수의 뜻을 알고, 그 합을 구할 수 있다.
[12미적01-06]	등비급수를 활용하여 여러 가지 문제를 해결할 수 있다.

탐구주제

4.미적분 — 수열의 극한

1. 신문 반으로 접기를 몇 번 하다 보면 몇 번 하지 않아 시행에 어려움이 있음을 알게 된다. 신문 접기를 통해 겹쳐지는 신문 장수의 규칙을 찾을 수 있고, 반으로 접었을 때의 넓이를 살펴보면 다른 규칙도 찾을 수 있다. 신문을 접어서 나오는 다양한 규칙을 찾아 적어보고 서로의 규칙을 발표해 보자.

관련학과

수학과

2 등차수열·등비수열을 정의해 보고, 이 수들의 규칙을 찾아 함수식으로 표현해 보자. 이 수들의 나열이 계속해서 된다면 어느 한 곳으로 가는 경우와 수가 규칙 없이 계속 작아지거나 커지는 경우를 탐구해 보자.

관련학과

수학과, 지구환경과학과

3 거울을 자신의 앞에 하나 두고 비스듬하게 뒤에 하나 두면 상이 무한하게 많이 생긴다. 거울에 비치는 상의 크기가 다르게 나타나는 규칙성을 살펴보고 크기의 변화에 대한 규칙을 적고 발표해 보자.

관련학과

수학과, 지구환경과학과

4 토끼와 거북이가 달리기 시합을 할 때 거북이는 걸음이 늦어 목표지점과 50m 지점에서 출발하고 토끼는 걸음이 빨라 목표지점과 100m 떨어진 지점에서 출발하였다. 일정한 시간이 경과 했을 때 거북이가 움직인 거리의 반을 토끼가 따라간다면 토끼는 거북이를 따라잡을 수 있을까? 여러 가지 경우를 살펴보고 결과를 탐구해 보자.

관련학과

수학과, 환경생명화학과, 지구환경과학과

5 프랙탈(fractal) 도형 그리기

프랙탈은 폴란드 수학자 만델 브로트에 의해 1975년에 세상에 나왔다. 같은 모양이 더 작아지거나 커지는 모양으로, 크기가 반복적으로 나타나는 도형이다. 프랙탈은 눈송이와 나무껍질 같은 물체에서 쉽게 볼 수 있다. 프랙탈 도형의 모습은 현대에 와서 건물이나 박물관 등 다양한 공간에서 찾아볼 수 있다. 인터넷에 있는 프랙탈을 찾아 디자인 해 보자. 삼각형, 사각형과 같은 모양에서 일정하게 축소되거나 확대된 그래프를 만들어 프랙탈 도형을 만들어 보자.

관련학과

물리학과, 생명과학과, 수학과, 지구환경과학과, 화학과

6 나무, 해안선, 몸과 같이 자연 현상 속에는 같은 모양이 축소되거나 확대되는 규칙을 가진 프랙탈의 존재가 숨어있다. 프랙탈을 이루고 있는 규칙을 찾아 수로 표현해 보자. 규칙을 가진 수들 중 합을 구할 수 있는 경우와 구할 수 없는 경우가 있다. 이러한 경우를 구분해보고 구할 수 있는 수들의 합을 탐구해 보자.

관련학과

농생물학과, 생명과학과, 수학과, 환경생명화학과, 지구환경과학과

7 농구공을 던져서 땅에 떨어트리면 일정 크기만큼 튀어 오른다고 하자. 농구공이 일정한 높이로 계속 튀어 오르는 규칙을 찾아 수로 표현해보고 이러한 수들의 합을 구할 수 있는지 탐구해 보자.

관련학과

수학과, 물리학과

8 -1과 1을 계속해서 더하면 어떤 결과가 나올까? 조건을 달리하면 여러 가지 결론이 나올 수 있다. 결론으로 나타날 수 있는 여러 가지 경우를 탐구해보고, 다양한 경우가 나타나는 결론을 어떻게 해야 하는지 결론 산출에 대해 다른 친구들과 토론하며 논의해 보자.

관련학과

수학과

탐구주제

9 어느 장학회가 장학금을 계속해서 주려고 한다. 장학금을 계속 주려면 정해진 금액이 남아 있어야 한다. 장학금을 주고 남는 금액은 다시 장학기금으로 입금해야 한다. 장학금 지급을 위해서는 일정량의 금액이 정기적으로 더 요구되고 이자 수입과 기타 수입이 필요하다. 10억의 장학회를 운영하기 위한 전략과 방법을 탐구해 보자.

관련학과

수학과

영역 미분법

성취기준

1 여러 가지 함수의 미분

[12미적02-01]	지수함수와 로그함수의 극한을 구할 수 있다.
[12미적02-02]	지수함수와 로그함수를 미분할 수 있다.
[12미적02-03]	삼각함수의 덧셈정리를 이해한다.
[12미적02-04]	삼각함수의 극한을 구할 수 있다.
[12미적02-05]	사인함수와 코사인함수를 미분할 수 있다.

2 여러 가지 미분법

[12미적02-06]	함수의 몫을 미분할 수 있다.
[12미적02-07]	합성함수를 미분할 수 있다.
[12미적02-08]	매개변수로 나타낸 함수를 미분할 수 있다.
[12미적02-09]	음함수와 역함수를 미분할 수 있다.
[12미적02-10]	이계도함수를 구할 수 있다.

3 도함수의 활용

[12미적02-11]	접선의 방정식을 구할 수 있다.
[12미적02-12]	함수의 그래프의 개형을 그릴 수 있다.
[12미적02-13]	방정식과 부등식에 대한 문제를 해결할 수 있다.
[12미적02-14]	속도와 가속도에 대한 문제를 해결할 수 있다.

탐구주제

1 자동차가 가속페달을 밟고 속도를 낼 때 일정한 규칙이 있다. 한편 자동차가 브레이크를 밟으면 제동거리도 일정한 규칙을 나타낸다. 자동차 속도를 시간과 연계해서 나타내면 지수·로그함수 그래프가 된다. 이렇게 작성된 지수·로그함수의 그래프에서 시간이 계속 진행된다면 나타나는 값을 예측해 볼 수 있다. 극한의 개념을 도입하면 어떤 관계가 있는지 탐구해 보자.

관련학과

수학과

---

2 방사성 물질의 감소와 시간, 지진의 규모와 거리, 미생물 수의 증가와 감소, 소리 세기의 변화, 힘의 작동 원리, 개체 수 변화는 우리 생활 주변에 늘 함께하고 있다. 이와 같이 자연 현상에서 나타나는 다양한 지수함수와 로그함수의 극한을 탐구해 보자.

관련학과

농생물학과, 생명과학과, 수학과, 환경생명화학과, 지구환경과학과

---

3 기타 줄을 터치하면 소리가 나다가 점점 작게 들리면서 사라진다. 인터넷에는 기타의 진동이 이루는 소리를 함수로 나타내는 삼각함수 식이 있다. 기타 소리의 변화를 미분을 사용해 나타낼 수 있다. 기타 소리를 미분으로 나타내는 방법을 탐구해 보자.

관련학과

생명과학과, 수학과

---

4 통계청 사이트에서 몇 년 동안 낮의 길이에 대한 데이터를 알아볼 수 있다. 좌표평면의 가로축에 날짜를 기록하고, 세로축에 낮의 길이를 기록하면 어떤 모양이 나타날까? 통계청 자료의 기록을 중심으로 나타낸 그래프를 바탕으로 함수식을 세우고 극한값을 탐구해 보자. 또 이것과 유사한 자연 현상이 있는지 탐구해 보자.

관련학과

농생물학과, 생명과학과, 수학과, 환경생명화학과, 지구환경과학과

---

5 직접측정을 통해 실재 사물의 길이를 측정하기 어려운 물체의 길이를 구하는 방법은 다양하다. 자신의 위치에서 땅의 길이를 측정하고 삼각함수를 사용해 꼭대기를 바라보는 눈의 각도를 측정하거나, 거울을 땅에 놓고 거울에서 떨어져 거울을 보면서 거울에 비친 물체의 끝이 보이면 거대칭을 통해 거울까지의 길이와 자신의 키를 측정함으로써 구할 수 있다. 어느 물체의 길이를 측정할 때 지켜보는 사람이 자신이 위치한 자리의 눈높이에서 사물을 보고 눈 위치보다 위의 각도와 아래로 측정한 각도를 활용하여 물체의 높이를 측정하는 방법을 토론하고 삼각함수의 덧셈정리와 비교 탐구해 보자.

관련학과

수학과

---

6 Algeomath에서 도형 만들기를 클릭하면 함수식을 쓸 수 있다. 화면의 좌측 함수 창에 $y= 2^{x}$, $y= \log x$, $y= \sin x$, $y= x\sin_{x}$ 과 같은 식을 기록하면 오른쪽 대수 창에 그래프가 자동으로 그려진다. 그려진 그래프에서 어느 특정한 한 점에서의 y 값이 변하는 부분을 이야기해 본 후 이를 극한값으로 표현하고 결과를 탐구해 보자.

관련학과

수학과

---

7 한 사람의 소득 변화와 지출 변화는 어떻게 나타낼 수 있을까? 국내 총생산량을 구성원의 수로 나누면 한 사람의 총생산량이 나온다. 한 사람의 총생산량을 미분하면 소득과 지출 변화량을 알 수 있다. 이러한 경우를 통계청 자료를 바탕으로 탐구해 보자.

관련학과
수학과

8 조류독감에 걸리는 동물의 수, 코로나19에 감염되는 사람들의 수와 같이 치료되지 않고 방치되었을 때 나타나는 개체수는 기하급수적으로 변한다. 독감과 코로나19 감염 사실을 지수함수와 로그함수로 어떻게 표현할 수 있고 나타낼 수 있는지 알아보고, 감염자 수를 미분하면 감염자 수의 변화율을 구할 수 있다. 이를 통해 감염자 수의 전파 양상을 탐구해 보자.

관련학과
생명과학과, 수학과, 환경생명화학과

9 통계청 자료에 의하면 세계인구의 변화나 우리나라 인구의 변화를 수치로 알 수 있다. 수치 변화는 함수식을 활용하여 도함수로 나타낼 수 있고, 이를 통해 미래 인구 변화를 예측할 수 있다. 시간에 따라 인구수의 변화를 나타낸 로지스틱 모델을 찾아 탐구해보고, 세계인구와 우리나라 인구를 예측해 보자.

관련학과
농생물학과, 생명과학과, 수학과, 환경생명화학과, 지구환경과학과

10 도로를 달리는 자동차가 움직이는 변화를 시간의 관점에서 살펴보면 위치를 미분하면 속도가 되고 속도를 미분하면 가속도가 된다. 거리, 위치, 높이를 이계도함수를 사용하면 가속도가 되는 원리를 탐구해 보자.

관련학과
수학과

11 공에 한점을 찍고 공을 굴린다. 공 위에 찍은 점의 위치 관계를 평면에 나타내면 그 곡선이 사이클로이드 곡선이 된다. 사이클로이드 곡선은 처음 어느 위치에서 굴리는지에 따라서 사인과 코사인 함수로 나타낼 수 있다. 매개변수 함수를 사용하여 나타내고, 전통 한옥 지붕에 나타난 사이클로이드 곡선과 직선 미끄럼틀을 만들어 공을 굴려보면 어느 것이 더 빨리 내려갈까? 실재 사이클로이드 곡선과 직선을 만들어 굴려보고 탐구해 보자.

관련학과
수학과

12 현수선은 양 끝을 지탱하는 지지대에 선을 연결하면 가운데가 처져서 만들어지는 곡선이다. 현수교도 양 끝에 기둥을 세우고 연결하는 케이블이 처져서 생기는 다리 모양이다. 이런 현수교에서 지수함수를 찾고 그 원리를 탐구해 보자.

관련학과
수학과

13 무리수 $\sqrt{2}$, $\sqrt{3}$ 의 어림계산에 미분을 사용한다. 어떤 함수 $f(x)$ 에서 접선의 방정식을 잡고 미분으로 근삿값을 추론할 수 있다. 무리수의 근삿값을 함수의 미분을 이용해 구해 보고 이를 계산기 무리수의 근삿값과 비교해보고 그 원리를 서로 탐구해 보자.

관련학과
수학과

영역

적분법

성취기준

1 여러 가지 적분법

[12미적03-01] 치환적분법을 이해하고, 이를 활용할 수 있다.

[12미적03-02] 부분적분법을 이해하고, 이를 활용할 수 있다.

[12미적03-03] 여러 가지 함수의 부정적분과 정적분을 구할 수 있다.

2 정적분의 활용

[12미적03-04] 정직분과 급수의 합 사이의 관계를 이해한다.

[12미적03-05] 곡선으로 둘러싸인 도형의 넓이를 구할 수 있다.

[12미적03-06] 입체도형의 부피를 구할 수 있다.

[12미적03-07] 속도와 거리에 대한 문제를 해결할 수 있다.

탐구주제

4.미적분 — 적분법

1 CT 촬영은 1초 간 단층 촬영한 사진들의 양을 일정하게 모으는 과정이다. 단층을 세밀하게 많이 촬영하면 그 값을 통해 정확성을 증가시킨다. 적분과 CT 촬영의 공통점을 파악하고, 원리를 탐구해 보자.

관련학과

수학과, 지구환경과학과

2 뉴턴의 냉각 법칙은 온도가 다른 두 물체의 경우 많은 물체 쪽으로 급속하게 온도가 변한다는 법칙이다. 찬물과 더운물을 냉장고에 넣었을 때 어떤 것의 온도가 더 빠르게 변할까? 처음 물의 온도를 측정하고, 일정한 시간마다 물의 온도를 다시 측정하는 실험 결과를 바탕으로 물의 온도에 대한 시간의 그래프를 작성해 보자. 온도의 변화를 나타낸 식의 변화율은 지수함수를 시간에 대하여 적분하면 된다. 찬물과 더운물 중 더 빠르게 냉각되는 것을 실험과 적분에서 찾고 원리를 탐구해 보자.

관련학과

수학과, 환경생명화학과, 지구환경과학과

3 연대 측정법은 번호가 14인 방사성 동위원소를 측정하여 물체의 연대를 알아내는 것이다. 시간이 지나면서 탄소의 함유량이 감소하는데, 물체가 포함하고 있는 탄소의 양으로부터 물체의 제작 연대를 추정할 수 있다. 탄소의 감소 함수식을 인터넷에서 찾아 탄소 함유량 감소를 추정하는 원리를 탐구해 보자.

관련학과

생명과학과, 수학과, 환경생명화학과, 지구환경과학과

탐구주제

4 드론은 택배, 택시, 전투 등에서 활용되고 있다. 운동하는 물체의 위치를 파악하고, 미분을 통해 속도를 계산하여 다른 위치로 보낼 수 있기 때문이다. 드론이 이륙해서 안정적으로 비행한 후 착륙하기까지 모든 과정에 미적분이 사용된다. 드론에 사용되는 미적분을 찾아보고 어떤 용도로 사용되는지 토론해 보자. 이때 사용되는 수학은 어떤 것이 있는지 탐구해 보자.

관련학과

농생물학과, 생명과학과, 수학과, 지구환경과학과, 환경생명화학과

5 산학계몽 중편에 보면 전무형단문 16문제가 제시되어 있는데 16번 문제는 밭의 넓이를 구하는 문제이다. 우리 선조들은 곡선으로 된 논과 밭의 넓이를 구한 후 구한 넓이로 세금을 부과하기도 했다. A4 용지에 곡선으로 된 넓이를 그려서 제시하고, 제시된 넓이를 학생들이 자와 연필만을 사용하여 구하는 방법을 찾은 후 서로 설명할 수 있게 한다. 이처럼, 곡선의 넓이를 구하는 개념을 인테그랄을 이용하는 수식으로 표현하고 발표해 보자.

관련학과

농생물학과, 수학과, 지구환경과학과

6 포도주 통의 부피는 어떻게 구할까? 평면 위에 곡선과 곡선을 지나지 않는 직선을 그리고 곡선과 직선으로 둘러싸인 부분의 넓이를 계산해 볼 수 있다. 곡선과 직선이 주어지고 곡선을 직선 둘레로 회전시키면 포도주 통의 부피를 구할 수 있다. 식을 나타내고 원리를 서로 설명한 후 이를 적분식으로 표현하는 방법을 탐구해 보자.

관련학과

농생물학과, 생명과학과, 수학과, 환경생명화학과

7 정적분 $\int_1^2 (x^2 - 2x)dx$ 는 함수 $y=x^2 - 2x$ 의 그래프에서 1부터 2까지의 곡선의 넓이를 의미한다. 이차함수 그래프와 x축으로 이루어진 부분을 작은 사각형으로 세분화하여 쪼개면 사각형과 그래프 사이에는 넓이가 남는 값과 모자란 값으로 그림을 그릴 수 있다. 구하고자 하는 넓이를 남거나 모자라게 그리면서 발생한 차이를 해결하기 위한 방법이 어떤 것인지 서로 설명하고 그 해결책을 탐구해 보자.

관련학과

수학과

8 고속도로에는 앞차와의 거리를 몇m 이상 유지하라는 안전운전 규칙이 있다. 통계청 교통 관련 자료를 찾아 고속도로를 달리는 자동차의 속도와 제동거리를 알아보자. 속도에 따라 자동차가 급제동할 때 차가 멈추게 되는 거리들을 구하고 그 원리를 탐구해 보자.

관련학과

생명과학과, 수학과, 환경생명화학과

활용 자료의 유의점

- (!) 급수를 활용하여 극한의 유용성과 가치를 인식
- (!) 도함수의 다양한 활용을 통해 미분의 유용성과 가치를 인식
- (!) 정적분의 다양한 활용을 통해 적분의 유용성과 가치를 인식

수학과

5

확률과 통계

핵심키워드

☐ 아미노산 단백질 ☐ 바코드 ☐ 홍정하의「구일집」 ☐ 인간 게놈 프로젝트 ☐ 윷놀이 ☐ 연속적 사건
☐ 독립과 종속 ☐ 큰 수의 법칙 ☐ 모집단과 표본집단 ☐ 신뢰도

영역

경우의 수

성취기준

1 순열과 조합

[12확통01-01] 원순열, 중복순열, 같은 것이 있는 순열을 이해하고, 그 순열의 수를 구할 수 있다.

[12확통01-02] 중복조합을 이해하고, 중복조합의 수를 구할 수 있다.

2 이항정리

[12확통01-03] 이항정리를 이해하고 이를 이용하여 문제를 해결할 수 있다.

탐구주제

5.확률과 통계 — 경우의 수

1 정다면체는 4면체, 6면체, 8면체, 12면체, 20면체 총5가지가 가능하다. 정다면체를 만들고 번호를 적어 원순열의 원리를 탐구해 보자. '회전 놀이 기구, 의자, 원형 음식 판, 다각형 모양에 앉기'에서 사물을 나열할 때 원형으로 나열하는 경우를 찾고 경우의 수가 (n-1)! 이 되는 원리를 탐구해 보자.

관련학과

수학과, 환경생명화학과

2 아미노산 단백질은 첫 부분의 순서를 바꾸면 다른 단백질로 변한다. 사포신, 스와포신은 순서의 변화로 만들어진 다른 단백질이다. 이렇게 순환하면 같아지는 다양한 단백질을 탐구해보고 원순열과 비교해 보자.

관련학과

농생물학과, 생명과학과, 수학과

3 서로 다른 종류의 사물 중에서 몇 개를 선택하여 일렬로 나열할 때 중복을 허락하는 방법의 개수와 중복을 허락하지 않는 방법의 개수를 구하고 차이를 알아보자. OTP, 번호키, 우체통, 수 배열과 같이 실생활에서 찾아볼 수 있는 결과를 구해 보고, 서로 다른 종류 개수만큼 곱하면 결과가 나오는지 그 이유를 탐구해본 후 상호 발표해 보자.

관련학과

수학과, 지구환경과학과

4 사물을 일렬로 나열해보고 나열하는 방법의 가짓수를 세어보고자 한다. 같은 것으로 이루어진 사물을 나열하는 방법의 가짓수는 전체를 가짓수만큼 나누어주면 된다. 그 이유를 설명하고 영문자 나열, 길 가짓수, 신호, 체육경기와 같이 실생활에서 예를 찾아 탐구해 보자.

관련학과

수학과, 지구환경과학과학

5 세 명이 가위, 바위, 보 게임을 할 때 이기는 경우를 써보자. 순서를 고려하는 경우와 순서를 고려하지 않는 경우를 나누어 보자. 실생활에서 서로 다른 것들 중 몇 개를 선택할 때 중복을 허락하는 경우가 있는지 찾아 보고, 그 규칙을 탐구해 보자.

관련학과

수학과

6 바코드는 막대 모양의 선을 그리고 선의 굵기와 위치에 따라 상품의 생산지에서 소비자까지의 정보를 제공한다. 바코드를 그려 보고 그려진 바코드의 굵기의 관계, 상품의 가격, 상품의 생산, 상품의 유통과 같은 정보를 알 수 있는 원리를 찾아 탐구해 보자.

관련학과

농생물학과, 생명과학과, 수학과, 지구환경과학과, 환경생명화학과

7 조선 시대 홍정화(1684~미상)가 저술한 「구일집」의 내용에는 파스칼의 삼각형과 같은 내용을 내포하고 있다. 홍정하의 「구일집」에 나타난 규칙을 찾아 탐구해보고 파스칼의 삼각형과의 차이점을 비교해 보자. 파스칼의 삼각형은 계수가 1인 다항식 인수분해의 전개식에서 계수와 연관이 있다. 홍정하의 삼각형을 써보고 그 속에 숨겨진 하키 스틱, 프랙탈, 이항계수와 같은 규칙을 찾아 탐구해 보자.

관련학과

수학과

영역

확률

성취기준

1 확률의 뜻과 활용

[12확통02-01]	통계적 확률과 수학적 확률의 의미를 이해한다.
[12확통02-02]	확률의 기본 성질을 이해한다.
[12확통02-03]	확률의 덧셈정리를 이해하고, 이를 활용할 수 있다.
[12확통02-04]	여사건의 확률의 뜻을 알고, 이를 활용할 수 있다.

2 조건부확률

[12확통02-05]	조건부확률의 의미를 이해하고, 이를 구할 수 있다.
[12확통02-06]	사건의 독립과 종속의 의미를 이해하고, 이를 설명할 수 있다.
[12확통02-07]	확률의 곱셈정리를 이해하고, 이를 활용할 수 있다.

탐구주제

5.확률과 통계 — 확률

1 반 학생을 3~4명씩 나눠 조를 편성한 후, 모두에게 주사위를 하나씩 나누어 준다. 각 조는 개인별로 10회씩 던진 자료를 통합하여 눈이 나온 경우를 기록한 다음, 두개의 조를 합하여 나온 눈을 기록한다. 이러한 시행을 반복할 때 한 반의 학생들이 주사위를 던져서 나온 결과를 경험의 입장과 수학의 입장에서 비교, 탐구해 보자.

관련학과

수학과

2 인간 게놈 프로젝트(Human Genome Project)는 1900년에 시작되어 2003년에 완성되었다. 셀레라 게노믹스라는 민간 법인의 후원으로 시작된 인간 게놈 프로젝트는 아데닌(A), 타이닌(T), 구아닌(G), 사이토신(S)과 같이 4가지 염기를 갖는 이중구조로 AGG, AGT, TCA 등 순서를 가진 배열로 나타낸다. 사람의 인간 게놈 프로젝트는 질병을 치료하고 유전병을 발견하는 사전활동에 큰 효과를 보이고 있다. 게놈 프로젝트의 정의와 구조 디자인 활동에 대해 탐구해 보자.

관련학과

생명과학과, 생물학과, 의생명과학과

③

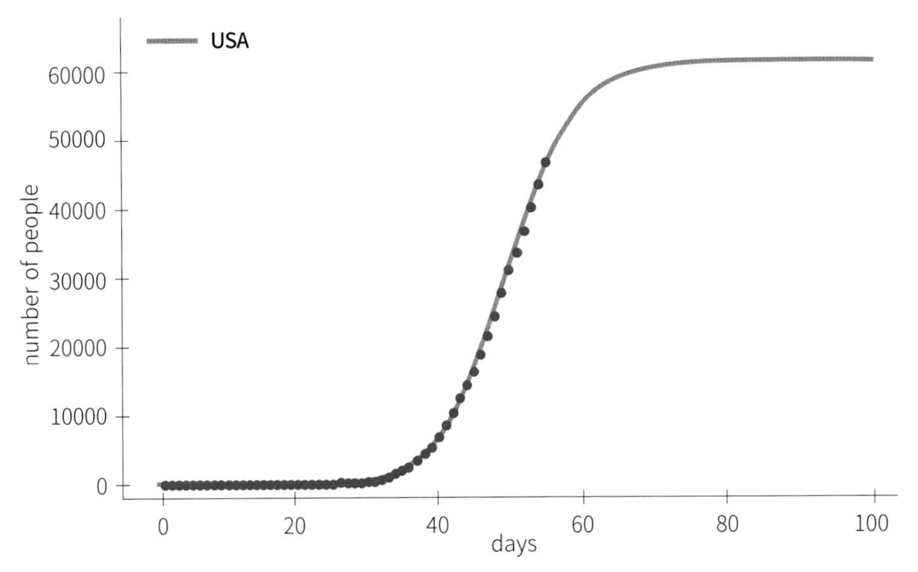

이 데이터는 2020년 3월 미국과 이탈리아의 코로나19 확산을 예측하는 수학적 통계 자료이다. 수학적 예측과 실제 발병한 사례를 통계청 자료를 통해 비교해보고 수학적 확률과 통계적 확률의 차이점을 탐구해 보자.

관련학과

수학과, 통계학과

④ 윷놀이는 삼국시대 이전부터 농경사회에서 실시되었던 전통놀이다. 도는 돼지, 개는 개, 걸은 양, 윷은 소, 모는 말을 의미한다. 4개의 나무로 이루어진 윷은 정확히 반으로 자른 것이 아니다. 즉 잘린 단면과 둥근 단면의 넓이가 같지 않으므로 나타날 확률에 차이가 난다. 윷을 직접 던져서 나타난 결과가 모두 1/5로 같은 결과가 나타나지 않는 이유를 분석하고 수학적 확률과 통계적 확률의 차이점을 탐구해 보자.

관련학과

통계학과, 수학과

⑤ 앞의 행동이나 사건이 뒤에 실시되는 시행에 영향을 미치는 경우가 많이 있다. 비행기 출발과 도착, 영화관 입장객, 음식 등과 같은 예를 통해 전에 시행된 조건에 따라 뒤에 나오는 사건에 영향을 미치는 사례를 찾아보고, 이때의 확률을 구하는 조건부 확률의 식과 방법에 관하여 탐구해 보자.

관련학과

농생물학과, 수학과, 환경생명화학과

⑥ 사건이 하나가 아니고 연속적으로 여러 건 발생할 때 독립과 종속의 개념을 사용하여 확률을 구한다. 독립은 앞의 사건이 일어난 결과에 영향을 받지 않고, 종속은 앞의 사건에 따라 뒤의 사건이 영향을 받는다. 독립과 종속을 수학적 표현 식을 통해 나타내보고, 이런 조건에서 확률을 유도해보고 실질적으로 발생할 수 있는 경우를 탐구해 보자.

관련학과

수학과, 통계학과

영역

통계

성취기준

1 확률분포

[12확통03-01]	확률변수와 확률분포의 뜻을 안다.
[12확통03-02]	이산확률변수의 기댓값(평균)과 표준편차를 구할 수 있다.
[12확통03-03]	이항분포의 뜻을 알고, 평균과 표준편차를 구할 수 있다.
[12확통03-04]	정규분포의 뜻을 알고, 그 성질을 이해한다.

2 통계적 추정

[12확통03-05]	모집단과 표본의 뜻을 알고 표본추출의 원리를 이해한다.
[12확통03-06]	표본평균과 모평균의 관계를 이해하고 설명할 수 있다.
[12확통03-07]	모평균을 추정하고, 그 결과를 해석할 수 있다.

탐구주제

5.확률과 통계 — 통계

1. 우리 학급 학생들의 성적은 일정하지 않다. 자동차 역시 생산에서 폐차까지 연료 소비가 항상 일정하지 않으며, 처음엔 연비가 좋아지다가 노후가 되면 연비가 감소하는 경향이 있다. 인터넷 자료를 바탕으로 다양한 자동차 회사의 자동차 종류별 생산에서 폐차까지의 연비에 대해 조사해 보자. 연비의 평균과 연비가 이루는 곡선, 우리 학급 성적 분포가 정규분포 곡선을 이루는 것을 데이터를 통해 작성해 보고 탐구해 보자.

관련학과

수학과, 지구환경과학과, 환경생명화학과

2. 제품을 생산하면서 발생하는 이산확률분포와 강수량, 무게, 측정오차 등과 같은 연속확률분포의 차이점은 무엇일까? 두 가지의 분포에 적용되는 합의 기호를 시그마와 인테그랄로 다르게 연산한다. 생활 중에서 사용되는 예를 중심으로 이산확률분포와 연속확률분포를 탐구해 보자.

관련학과

농생물학과, 생명과학과, 수학과, 환경생명화학과

3. 이항분포와 정규분포가 큰 수의 법칙을 적용하면 같아지는 이유를 설명하고 예가 되는 다양한 사례를 찾아 탐구해 보자.

관련학과

농생물학과, 생명과학과, 수학과, 지구환경과학과, 환경생명화학과

탐구주제

4 자료를 분석할 때 모집단과 표본집단을 대상으로 분석을 하고 있다. 모집단과 표본집단을 대상으로 했을 때 장단점을 알아보고, 표본집단이 현대에 많이 사용되는 사례를 찾아 탐구해 보자.

관련학과

농생물학과, 생명과학과, 수학과, 지구환경과학과, 환경생명화학과

5 대학수학능력 시험에서 수험생들은 자신이 선택한 탐구영역 과목에 응시한다. 그러나 탐구영역에서 같은 점수를 받았다고 모두 같은 점수를 인정받지 못한다. 사회나 과학탐구 영역에서 과목별 각자가 받은 점수는 평균 점수와 상관이 있고 표준화 과정을 거쳐 점수가 확정된다. 표준화에 의한 점수를 추정하는 과정을 실제 사례를 중심으로 탐구해 보자.

관련학과

수학과

6 신뢰도는 측정하고자 하는 것을 얼마나 오차 없이 정확하게 측정하느냐의 문제이다. 즉 조사 도구를 여러 번 반복하여도 같은 자료를 얻을 수 있는, 문항의 일관성이 있는 정도를 의미한다. 신뢰구간은 이 구간에 실제 모수가 존재할 것을 예측하는 구간이며 95%, 99% 구간이 많이 사용된다. 모평균의 95%, 99% 신뢰도를 정의하고 실생활 예를 통해 탐구해 보자.

관련학과

수학과, 통계학과

활용 자료의 유의점

- (!) 중복순열, 중복조합을 실생활 문제 해결에 활용해 봄으로써 그 유용성을 인식
- (!) 수학적 확률에서 근원사건의 발생 가능성이 동등하다는 것을 가정한다는 점에 유의
- (!) 실제적인 예를 통하여 표본조사의 필요성을 알고 올바른 표본추출이 모집단의 성질을 예측하는 기본조건임을 이해
- (!) 통계와 관련된 실생활 문제를 해결함으로써 통계의 유용성과 가치를 인식

MEMO

기하

핵심키워드

☐ 원뿔 모양 ☐ 쌍곡선 그래프 ☐ 타원그래프 ☐ 펄스식 항법 ☐ 쌍곡선
☐ 일기도 ☐ 전통 농기구 ☐ 가레와 두레 ☐ 위치 활용 기술

영역 이차곡선

성취기준

1 이차곡선

[12기하01-01]	포물선의 뜻을 알고, 포물선의 방정식을 구할 수 있다.
[12기하01-02]	타원의 뜻을 알고, 타원의 방정식을 구할 수 있다.
[12기하01-03]	쌍곡선의 뜻을 알고, 쌍곡선의 방정식을 구할 수 있다.
[12기하01-04]	이차곡선과 직선의 위치 관계를 이해하고, 접선의 방정식을 구할 수 있다.

탐구주제

6.기하 — 이차곡선

1 원뿔 모양을 만들 수 있는 여러 가지 재료를 준비해 보자. 재료를 이용해 원뿔 모양 2개를 만들되 뿔의 뾰족한 부분이 만나도록 위아래로 만들어 놓고 여러 방향에서 잘라보자. 나타나는 단면이 어떤 모양을 이룰 수 있을지 토론해보고 잘려서 만들어지는 모습을 수학적 식을 사용하여 나타내는 방법을 탐구해 보자.

관련학과

수학과

탐구주제

쌍곡선 그래프 그리기

1. 평면 위에 직선 하나 그리기
2. 직선 위에 있지 않은 평면 위의 한 점 그리기
3. 직선에 직각이고 점과 직선에서 같은 거리에 있는 점을 무수히 찍어보기
4. 무수히 많이 찍은 점들을 연결하면 나타나는 곡선에 대하여 점, 직선 등에 대한 이름 정하기
5. 그래프를 수학식으로 표현해보고 상호 설명해보기
6. 이 그래프의 원리를 활용한 거울, 망원경, 집음기, 전파수신기, 파라볼라 안테나, 해안선 터미널 결정 등 실생활 속에서 활용할 수 있는 도구와 원리를 탐구해 보자.

관련학과

수학과, 물리학과, 지구물리학과, 지구환경과학과

3

타원 그래프 그리기

1. 좌표평면 위에 두 점을 찍는다.
2. 두 점보다 긴 실의 끝을 두 점에 고정시킨다.
3. 실을 팽팽하게 당겨 고정되지 않은 실의 끝부분에 점을 계속 찍어 준다.
4. 찍은 점을 바탕으로 점들을 연결하면 나타나는 곡선에 대하여 점, 직선 등에 대한 이름을 정해 본다.
5. 그래프를 수학식으로 표현해보고 상호 설명해 본다.
6. 이 그래프의 원리를 활용한 영국 속삭이는 회랑, 미국 국회의사당, 터키 블루 모스크, 중국 천단 공원 등 실생활 속에서 찾을 수 있는 장소를 찾아 원리를 탐구해 보자.

관련학과

수학과, 지구환경과학과

주국(主局)과 종국(從局)에서 발사하는 펄스가 도달하는 시간차를 측정하여 위치를 구하는 시스템, 장거리용 배를 운행할 때나 파형을 부호화하여 정보를 전달하는 펄스식 항법이 쌍곡선과 어떤 공통적 원리가 있는지 탐구해 보자.

관련학과

수학과, 물리학과, 지구환경과학과

영역

평면벡터

성취기준

1 벡터의 연산

[12기하02-01]	벡터의 뜻을 안다.
[12기하02-02]	벡터의 덧셈, 뺄셈, 실수배를 할 수 있다.

2 평면벡터의 성분과 내적

[12기하02-03]	위치벡터의 뜻을 알고, 평면벡터와 좌표의 대응을 이해한다.
[12기하02-04]	두 평면벡터의 내적의 뜻을 알고, 이를 구할 수 있다.
[12기하02-05]	좌표평면에서 벡터를 이용하여 직선과 원의 방정식을 구할 수 있다.

탐구주제

1 둥글고 긴 자루 형태로 바람이 불면 반대 방향으로 길게 바람을 담는 '바람 자루'와 같이 바람의 방향과 세기를 알 수 있는 장치가 있다. 크기와 방향을 나타내는 비행장에서 일기예보, 배로 강 건너기, 컬링의 방향과 속도와 같은 생활 속 예를 들고 이를 수학적으로 표현해 보자.

관련학과

물리학과, 수학과, 지구환경과학과, 환경생명화학과

2 이순신 장군을 주제로 만든 영화 '명량'과 제갈량과 조조 군대를 주제로 한 '적벽대전'에서 공집합은 바람이다. 바람을 크기와 방향으로 나타내고, 나타낸 바람을 수학식으로 쓸 수 있는 원리를 탐구해 보자.

관련학과

수학과

3 일기도는 여러 가지 기호로 날씨를 알려 주는 지도이다. 기온, 구름의 양, 습도, 바람, 기압 등 날씨 자료를 모아 일기도를 작성한다. 일기를 원과 직선으로 표현할 수 있는 다양한 표현을 알아보고, 당일의 일기예보를 만들어 보자. 만든 일기예보를 통해 수학적 표현과 명칭에 대한 정의를 탐구해 보자.

관련학과

대기과학과, 수학과, 지구환경과학과

4 물체를 혼자서 옮길 때 무게가 많은 영향을 미치며, 혼자 물체를 옮기는 것보다 여러 명이 옮기는 것이 효과적이다. 물체를 두 사람이 동시에 같이 들어서 이동하려면 어떤 상태에서 들고 날라야 가장 효율적일까? 벡터의 합을 이용해 설명하고 이를 수학적인 식으로 표현해 보자.

관련학과

물리학과, 수학과

5 전통 농기구인 가레와 두레가 있다. 가레는 삽을 여러 명이 공동으로 사용하여 일의 효율을 높였고, 두레는 여러 명이 물을 퍼옮기는 농기구로써 일의 효율을 높였다. 가레와 두레를 찾아 정리해 보고, 이러한 농기구와 신기전과 같은 전통 사물에서 힘을 효율적으로 사용할 수 있었던 이유를 벡터를 이용해 설명해 보고 이를 탐구해 보자.

관련학과

농생물학과, 생명과학과, 수학과, 환경생명화학과

영역

공간도형과 공간좌표

성취기준

1 공간도형

[12기하03-01]	직선과 직선, 직선과 평면, 평면과 평면의 위치 관계에 대한 간단한 증명을 할 수 있다.
[12기하03-02]	삼수선의 정리를 이해하고, 이를 활용할 수 있다.
[12기하03-03]	정사영의 뜻을 알고, 이를 구할 수 있다.

2 공간좌표

[12기하03-04]	좌표공간에서 점의 좌표를 구할 수 있다.
[12기하03-05]	좌표공간에서 두 점 사이의 거리를 구할 수 있다.
[12기하03-06]	좌표공간에서 선분의 내분점과 외분점의 좌표를 구할 수 있다.
[12기하03-07]	구의 방정식을 구할 수 있다.

탐구주제

6.기하 — 공간도형과 공간좌표

1 평면에 두 개의 직선이 있고 공간에 두 개의 평면이 있다. 평면과 공간에서 두 개의 직선과 두 개의 평면을 나타낼 수 있는 경우를 그림으로 나누어 표현해 보고 이러한 경우를 설명해 보자.

관련학과
수학과

2 공간에서 자석 막대나 막대 모양의 사물을 여러 개 준비한다. 같은 공간에서 한꺼번에 수직이 3개가 존재하는 모양인 삼수선을 만들어 탐구해 보고 삼수선의 정리를 평면에 그려서 설명해 보자.

관련학과
수학과, 물리학과, 지구환경과학과

3 운동장 한가운데 햇빛이 잘 드는 곳에 막대를 지면과 수직으로 꼽아놓고, 하루 동안 막대의 그림자가 나타내는 길이와 방향을 조사해 보자. 막대의 그림자가 하루 동안 움직인 변화를 기록해 보자. 그림자 변화에 나타난 결과를 바탕으로 그래프와 수학적으로 표현하고 해시계의 원리와 어떤 관계가 있는지 탐구해 보자.

관련학과
수학과, 물리학과, 지구환경과학과

4 우리가 살고 있는 곳은 3차원 공간이며 공간에 속한 교실 안에는 다양한 사물들이 존재한다. 교실 천장은 여러 개의 사각형 판들이 모여 연결되어 있고, 교실은 탁자와 학생 책상과 의자가 놓여있다. 교실에서 □번 학생의 책상 위치를 표현해 보자. □번 학생과 □번 학생의 책상 사이 거리, 내분점, 외분점, 구를 탐구해 보자.

관련학과

수학과, 물리학과

5 우리가 살고 있는 공간상에서 위치를 표현하여 찾고자 하는 목적지를 찾아갈 수 있게 한 것이 내비게이션이다. 옷가게에서 옷을 직접 입어보지 않고도 자신의 신체구조를 입력하여 옷을 입어보는 효과를 내는 3차원 가상 기술을 체험할 수 있는 것이 피팅 서비스다. 컴퓨터 단층 촬영(CT)과 공명 영상기(MRI)는 위치를 활용해 기술을 발전시킨 예이다. 이러한 공간에서 위치를 활용한 기술을 사용하고 있는 기기의 원리를 탐구하고 토론해 보자.

관련학과

수학과

6 2차원은 축이 2개인 평면으로 표현되고 3차원은 축이 3개인 공간으로 표현된다. 2차원과 3차원에서 표현하는 원과 구의 차이점을 정의하고 수학적인 식으로 표현하여 그 원리를 설명해 보자.

관련학과

수학과, 물리학과, 지구환경과학과

활용 자료의 유의점

- ⓘ 이차곡선과 그 접선이 실생활에 활용되는 다양한 예를 제시함으로써 그 유용성과 가치를 인식
- ⓘ 벡터를 활용하여 다양한 문제를 해결함으로써 그 유용성과 가치를 인식
- ⓘ 자연이나 건축물, 예술작품 등에 나타난 공간도형의 성질을 이해하고, 수학의 심미적 가치를 인식

MEMO

수학과

7

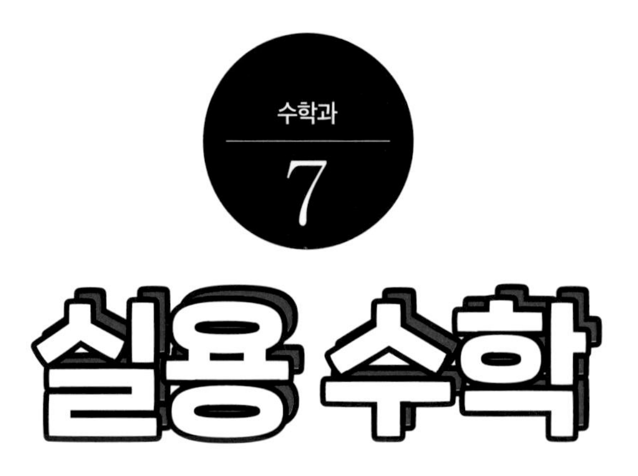

실용 수학

핵심키워드

☐ 최단 경로 ☐ 축적 ☐ 동서양 유명 문양 작품 ☐ 착시 현상 ☐ 겨냥도 ☐ 모집단과 표본집단 ☐ 나이팅게일

영역 **규칙**

성취기준

1 식과 규칙

[12실수01-01]	다양한 현상에서 규칙을 찾고, 이를 식으로 나타낼 수 있다.
[12실수01-02]	실생활에서 활용되는 수식의 의미를 이해한다.

2 도형과 규칙

[12실수01-03]	실생활에서 도형의 닮음이 이용되는 예를 찾고, 그 원리를 이해한다.
[12실수01-04]	실생활에서 도형의 합동이 이용되는 예를 찾고, 그 원리를 이해한다.
[12실수01-05]	도형의 닮음과 합동을 이용하여 산출물을 만들 수 있다.

탐구주제

7.실용 수학 — 규칙

1 최단 경로 찾기

1. 일렬로 세 칸을 만들고 양쪽 끝 칸에 붉은색과 파란색 막대 한 개씩 놓는다.
  - 한 번에 한 칸을 이동할 수 있고 막대가 가로막히면 한 칸 점프해서 이동한다.
  - 최단기간에 막대의 색이 서로 반대편으로 이동할 수 있는 경로를 구해 보자.
2. 일렬로 다섯 칸을 만들고 양쪽 끝 칸에 붉은색과 파란색 막대 2개씩 놓는다.
  - 한 번에 한 칸을 이동할 수 있고 막대가 가로막히면 한 칸 점프해서 이동한다.
  - 최단기간에 막대의 색이 서로 반대편으로 이동할 수 있는 경로를 구해 보자.

관련학과

수학과

2 실생활 관련 모둠 게임

1단계: 3~4명 모둠 편성하기
2단계: 실생활 관련 모둠별 문제 A4 용지에 만들기
3단계: 조별로 이동하며 다른 모둠 문제 풀며 돌기
4단계: 정해진 시간이 끝나면 모둠별 풀이 및 정답 확인하기
5단계: 우수한 모둠 보상하기
6단계: 개인별 문제 풀이 하기(차시에 교사가 모둠별 문제에 대한 해설과 수정된 문제 제시)

관련학과

농생물학과, 대기과학과, 물리학과, 생명과학과, 생물학과, 수학과, 우주과학과, 의생명과학과, 지구물리학과, 지구환경과학과, 천문우주학과, 통계학과, 화학과, 환경생명화학과

3 축적을 사용해 우리 지역, 우리 학교, 내가 사는 지역 지도 그리기를 해 보자. 축적을 사용하여 1:10,000, 1:50,000, 1:100,000 과 같은 거리를 지도위에 나타내고 실제 거리와 비교 탐구해 보자.

관련학과

수학과

4 같은 모양을 되풀이해서 나타내는 시어핀스키, 프랙탈, 코흐 눈송이 같은 모양을 평행이동, 대칭이동, 회전이동을 통해 나타내 보자. 이동하는 규칙을 가진 디자인을 직접 작성해 보자. 현재 사용되고 있는 동서양 유명 문양 작품을 찾아보고 문양과 관계된 직업을 탐구해 보자.

관련학과

수학과

영역 공간

성취기준

1 도형의 관찰

[12실수02-01] 평면도형과 입체도형의 모양은 관찰하는 시각에 따라 다르게 보일 수 있음을 이해한다.

[12실수02-02] 미술작품에서 평면 및 입체와 관련된 수학적 원리를 이해한다.

2 도형의 표현

[12실수02-03] 입체도형의 겨냥도와 전개도를 다양하게 그릴 수 있다.

[12실수02-04] 겨냥도와 전개도를 이용하여 입체도형을 만들 수 있다.

[12실수02-05] 평면도형과 입체도형을 이용하여 산출물을 만들 수 있다.

탐구주제

1 코끼리를 앞, 뒤, 옆, 위, 아래에서 바라본 모양을 관찰한 후 그림으로 그려서 자신이 바라본 방향에서 코끼리의 모습을 설명해 보자. 모든 방면에서 바라본 모습을 종합한 코끼리의 모습을 그려 바라본 시각과의 차이점을 탐구해 보자.

관련학과
수학과

2 소크라테스의 동굴 비유, 미술작품 속 원근법인 초점이나 소실점과 같이 사물을 보는 시각에 따라 다르게 인식된다. 바라본 방향에 따라 사물의 모습을 파악하는 예를 생활이나 예술작품에서 찾아 서로 발표하고 토론해 보자.

관련학과
수학과

3 주변 사물의 영향을 받아 원래 사물과 다르게 보는 착각 현상을 착시라 한다. 착시현상을 보이는 다양한 그림, 사물, 기하학적인 착시 등을 찾아 착시를 일으키는 원인을 찾고 서로 토론해 보자.

관련학과
수학과

4 한 방향에서 바라보고 그린 그림을 겨냥도라 한다. 한 평면 위에 펼쳐서 입체도형을 나타낸 것은 전개도다. 정다면체의 겨냥도, 전개도를 나타내 보자. 주변에서 볼 수 있는 다양한 모양을 가진 물체의 겨냥도, 전개도를 탐구해 보자.

관련학과
수학과

영역 자료

성취기준

1 자료의 정리

[12실수03-01]	자료를 수집하고 정리하는 절차와 방법을 이해한다.
[12실수03-02]	실생활 자료를 수집하고 그림, 표, 그래프 등을 이용하여 정리할 수 있다.

2 자료의 해석

[12실수03-03]	다양한 자료를 분석하여 결과를 해석할 수 있다.
[12실수03-04]	목적에 맞게 자료를 수집, 정리, 분석, 해석하여 산출물을 만들 수 있다.

탐구주제

1 생활하다 보면 문득 자연 현상이나 사회 현상에 의문이 생길 때가 있다. 생긴 의문이 꼬리를 물고 '왜?'라는 새로운 생각을 가지기도 한다. 의문과 질문에 대한 생각을 정리하여 연구로 발전시키려면 문제 파악, 문헌 조사, 가설 설정, 자료 수집, 정리 및 해석이 필요하다. 이런 과정은 어떤 절차를 거치는지 조별로 실생활과 관련 있는 주제를 선정하고 과정을 탐구해 보자.

관련학과

생물학과, 수학과, 의생명과학과, 통계학과

2 조사나 연구를 하기 위해서는 모두를 대상을 연구하는 모집단과 전체집단 중에서 일부 대상만 추출한 인원으로 조사하는 표본집단이 있다. 조사나 연구는 둘 중에서 하나를 선택하여 연구를 실행하는데 주제를 정하고 모집단과 표본집단으로 연구를 한 후 어떤 차이가 있는지 탐구해 보자.

관련학과

수학과, 통계학과

3 실생활과 관련된 주제를 설정하고 주제와 연관된 데이터를 모아 줄기와 잎, 도수분포표, 히스토그램, 도수분포다각형, 상대도수를 사용해 나타내 보자. 주제의 결과를 대푯값과 산포도를 사용하여 데이터 분석을 하는 것을 탐구해 보자.

관련학과

수학과, 통계학과

4 나이팅게일(1820~1910)은 크림전쟁 당시 간호사였다. 그녀는 크림전쟁 부상병 간호를 담당하는 자원봉사대원으로 영국군에 근무했다. 사망자 수를 조사하던 중 전투보다 병으로 죽는 비율이 더 많음을 알게 되었고, 이를 통계 그래프로 나타내었다. 나이팅게일이 통계 그래프를 어떻게 표현했는지 탐구해 보자.

관련학과

수학과, 통계학과

활용 자료의 유의점

- (!) 실생활에서 활용되는 수식으로 불쾌지수, 체질량지수, 지니계수, 물가지수, 반발계수 등을 활용
- (!) 미술작품 속에 활용된 수학적 원리와 관련하여 원근법, 소실점, 왜상, 착시 등을 활용
- (!) 평면도형과 입체도형을 이용하여 산출물을 만드는 과정에서 수학적 원리의 활용 이해
- (!) 자료를 이용하여 산출물을 만드는 과정에서 통계적 원리 활용

MEMO

핵심키워드

☐ 정부 예산 ☐ 국가 경제지표 ☐ 화폐 ☐ 환율 ☐ 전기 요금 제도 ☐ 누진세 ☐ 주식 시세
☐ 퍼센트와 퍼센트포인트 ☐ 연금 ☐ 기말급 ☐ 기시급 ☐ 한계효용 체감의 법칙
☐ 한계 비용 ☐ 평균 생산량 ☐ 한계 생산량

수학과

영역 **수와 생활경제**

성취기준

1 경제지표

[12경수01-01]	통계 자료를 활용하여 실업률, 물가지수 등과 같은 경제지표의 의미를 이해한다.
[12경수01-02]	경제지표의 증감을 퍼센트와 퍼센트포인트로 설명할 수 있다.

2 환율

[12경수01-03]	환율의 뜻을 알고, 환거래로부터 비례식을 활용하여 환율을 계산할 수 있다.
[12경수01-04]	환율의 변동에 따른 손익을 계산할 수 있다.

3 세금

[12경수01-05]	세금의 종류에 따라 세금을 계산할 수 있다.

탐구주제

8.경제 수학 — 수와 생활경제

1 정부 예산은 국가 정책의 경제지표를 알 수 있는 핵심이다. 전년도와 올해 정부 예산을 보건·복지·고용, 교육, 문화·체육·관광, 환경, R&D, 산업·중소기업·에너지, SOC, 농업·수산·식품, 국방, 외교·통일, 공공질서·안전, 일반·지방 행정 등 12개 분야별로 나누어 배분된 예산을 조사하고, 전년도 예산과 올해 예산의 증감된 비율을 나타내어 그 의미를 탐구해 보자.

관련학과

수학과, 통계학과

② 같은 나라에 사는 사람들이 물건을 사거나 교환할 때 화폐를 사용한다. 환율은 다른 나라와 물건 교환에 사용되며, 자국 화폐와 외국 화폐의 교환비율을 의미한다. 환율은 외환의 수요가 증가하면 상승하고 이에 따라 원화 가치는 하락한다. 각 나라의 화폐 단위를 찾아서 기록해 보고 한국 돈 '원'을 다른 나라 화폐로 환전할 때 각 나라 돈은 얼마로 환전이 가능한지 탐구해 보자.

관련학과

수학과, 통계학과

③ 전기 요금은 개인이 필요해서 사용한 만큼 사용료를 낸다. 적게 사용한 사람은 적게 내고 많이 사용한 사람은 많이 낸다는 원리이다. 우리나라의 전기 요금 제도는 기본적으로 누진세를 적용한다. 우리나라 누진세에 대해 통계청 자료를 기반으로 조사해보고 누진세 사용을 외국의 사례와 비교해 보자.

관련학과

수학과

④ 신문의 경제란에는 주식 시세에 관련된 오르내림에 관한 기사가 실린다. 인터넷 신문의 경제란 속 내용에서 퍼센트와 퍼센트포인트의 정확한 정의를 찾아보고 탐구하여 실제 사례를 중심으로 토론해 보자.

관련학과

수학과

영역 수열과 금융

성취기준

1 이자와 원리합계

[12경수02-01] 단리와 복리를 이용하여 이자와 원리합계를 구할 수 있다.

[12경수02-02] 이자율과 할인율의 뜻을 안다.

[12경수02-03] 미래에 받을 금액의 현재가치를 계산할 수 있다.

2 연속복리

[12경수02-04] 연속복리의 의미를 이해한다.

[12경수02-05] 연속복리를 이용하여 이자와 원리합계를 구하고, 미래에 받을 금액의 현재가치를 계산할 수 있다.

3 연금

[12경수02-06] 연금의 뜻을 안다.

[12경수02-07] 연금의 현재가치를 계산할 수 있다.

탐구주제

1 이율은 이자율로 원금에 대한 이자의 비율이다. 연이율을 10%로 가정하고, 매달 10만원을 단리법으로 저축하는 경우와 복리법으로 저축하는 경우 10년 후의 원금을 계산해 보자. 이를 바탕으로 단리법과 복리법을 사용하는 사례와 10년 후 금액의 현재 가치를 탐구해 보자.

관련학과
수학과

2 연금은 일정한 시간에 지급되는 일정한 금액을 의미한다. 연금 지급이 말이면 기말급 연금이라 하고, 연금의 지급이 시작할 때 주어지면 기시급 연금이라 한다. 시중 은행이나 보험 상품 안내지를 비교해 기말급과 기시급의 예와 현재가격과 미래가격을 알아 보고, 연금상품의 다양한 형태를 탐구해 보자.

관련학과
수학과

3 60살에 정년퇴직을 하는 A씨는 새해가 시작되는 다음 달부터 매달 100만원의 연금을 받는다. 90살까지 생존한다고 가정할 때 한 번에 일시불 또는 연금으로 받는다면 각각 얼마를 받을 수 있고 어떤 장단점이 있는지 탐구해 보자. (단 연이율 10%, 복리를 적용한다.)

관련학과
수학과

영역 함수와 경제

성취기준

1 함수와 경제현상

[12경수03-01]	생산, 비용과 같은 경제 현상을 함수로 나타낼 수 있다.
[12경수03-02]	함수와 그래프를 통하여 수요곡선과 공급곡선의 의미를 이해한다.
[12경수03-03]	효용의 의미를 이해하고, 함수와 그래프를 통하여 효용을 나타낼 수 있다.

2 함수의 활용

[12경수03-04]	수요와 공급의 상호 작용에 의해 균형가격이 결정되는 경제현상을 이해한다.
[12경수03-05]	세금과 소득의 변화가 균형 가격에 미치는 영향을 분석할 수 있다.
[12경수03-06]	효용함수를 이용한 의사 결정 문제를 해결할 수 있다.
[12경수03-07]	부등식의 영역의 의미를 이해하고, 이를 활용하여 경제 관련 함수의 최대, 최소문제를 해결할 수 있다.

탐구주제

1 생산함수 Q=f(L, K)는 노동의 양과 자본의 양에 의해 생산량이 결정되는 함수이다. Q는 생산된 산출물의 양, L은 노동의 양, K는 자본의 양을 나타낸다. 생산을 위해서 사용된 비용은 고정비용과 가변비용을 포함한다. 생활 중에서 발생할 수 있는 예를 통해 생산에 필요한 비용을 계산하여 이윤이 나기 위한 총수입에서 총비용을 뺀 값을 탐구해 보자.

관련학과

수학과

2 갈증으로 물을 한 병 사서 마시면 시원하고 만족감이 높지만 두 병 이상을 마시면 만족감이 감소한다. 어떤 상품의 소비량이 늘어나면 늘어날수록 효용성이 낮아지는 현상을 한계효용 체감의 법칙이라고 한다. 생활하면서 한계효용 체감의 법칙을 적용하는 사례를 들고 소비와 한계효용 체감과의 적정한 수치를 탐구해 보자.

관련학과

수학과, 경영학과, 경제학과

3 수요곡선 D(p)와 공급곡선 S(p) 사이의 가격이 일치할 때 거래가 형성된다. 시장의 균형은 공급곡선과 수요곡선이 교차하는 점에서 설정되고 이때 얻어지는 가격 P와 수급 Q가 평균 가격과 균형수급량이 된다. 주변에서 일어나는 생산과 소비를 함수로 나타내고 일치하는 점을 찾아 가격을 형성하는 실례를 탐구해 보자.

관련학과

수학과, 경영학과, 경영학과

영역 미분과 경제

성취기준

1 미분

[12경수04-01] 미분의 의미를 이해한다.

[12경수04-02] 미분을 이용하여 그래프의 개형을 그릴 수 있다.

2 미분과 경제문제

[12경수04-03] 한계생산량의 의미를 이해하고, 미분을 이용하여 최적생산량을 구할 수 있다.

[12경수04-04] 탄력성의 의미를 이해한다.

탐구주제

1 어느 도시의 도로에서 자동차가 달리는 거리는 시간에 따라 일정하지 않다. 시간에 따라 변하는 거리가 주어졌을 때 순간변화율과 평균변화율이 의미하는 것이 무엇인지 조별로 실생활과 관계된 예를 통해 식을 세우고 미분을 한 결과가 의미하는 바를 탐구해 보자.

관련학과

수학과

2 한계 비용(MC, Marginal cost)은 제품 한 단위를 더 생산하는데 늘어나는 비용의 증가량이다. 한계 비용은 제품생산의 평균변화율을 미분한 것이다. 이와같이 한계효용과 평균비용, 효용함수, 평균효용, 총수입함수, 평균수입, 총이윤함수, 평균이윤과 미분의 관계를 탐구해 보자.

관련학과

수학과

3 소득이 늘어나면 소비량이 늘어난다. 과일 가격이 올라가면 과일 구매량이 줄어든다. 버스요금이 상승하면 기차 승객이 늘어난다. 스타벅스 커피는 비쌀수록 많이 팔린다. 이와 같은 실생활 문제를 미분을 사용하여 관계를 탐구해 보자.

관련학과

수학과

4 평균 생산량은 총생산량을 투입된 생산요소인 노동량으로 나눈 값으로 정의한다. 한계 생산량은 투입된 생산량을 한 단위 늘였을 때 생산되는 재화의 증가량이라 정의한다. 생산 함수, 평균 생산량, 한계 생산량을 식으로 표현하고 예를 들어 탐구해 보자.

관련학과

수학과

활용 자료의 유의점

- (!) 환율 변동에 따른 손익 문제는 통화 가치의 변화와 관련된 내용을 활용
- (!) 세금에서 동일한 세율을 적용하는 세금인 부가가치세와 소득이나 수익에 따라 차별화된 세율을 적용하는 누진세의 사례를 활용
- (!) 미래의 각 시점마다 받게 되는 동일한 금액의 현재가치가 등비수열로 표현되고 이들의 총합인 연금의 현재가치가 등비급수의 합으로 계산될 수 있음을 활용
- (!) 의사 결정 문제는 효용함수를 통한 소비자의 의사 결정, 생산함수를 통한 생산자의 의사 결정을 활용

MEMO

핵심키워드

☐ 확률 ☐ 훈맹정음 ☐ 한글점자 ☐ 컨테이너 국제 규격 ☐ 3D프린터
☐ 조립제법 ☐ 달력 ☐ 피타고라스 정리 ☐ 도형 이동

영역

경우의 수

성취기준

1 경우의 수

[12기수01-01]	합의 법칙과 곱의 법칙을 이용하여 경우의 수를 구할 수 있다.

2 순열과 조합

[12기수01-02]	순열의 의미를 이해하고, 순열의 수를 구할 수 있다.
[12기수01-03]	조합의 의미를 이해하고, 조합의 수를 구할 수 있다.

탐구주제

9.기본 수학 — 경우의 수

1. 확률은 분모에 나타날 수 있는 모든 경우의 수, 분자에 나타난 경우의 수로 정의한다. 경우의 수를 확률을 구하기 전 단계로 분모, 분자에 들어갈 가짓수 또는 개수를 구하는 과정이다. 경우의 수를 구하는 방법 중에 순열과 조합의 정의 및 ${}_nP_r$, ${}_nC_r$ 에 대한 개념을 확립해 보자. 조별로 합의 법칙과 곱의 법칙이 순열과 조합에 적용되는 사례를 찾아 발표하고 탐구해 보자.

관련학과

농생물학과, 대기과학과, 물리학과, 생명과학과, 생물학과, 수학과, 우주과학과, 의생명과학과, 지구물리학과, 지구환경과학과, 천문우주학과, 통계학과, 화학과, 환경생명화학과

2 훈맹정음(勳盟正音)은 송암 박두성이 1923년에 만든 최초의 시각 장애인을 위한 한글점자다. 점자는 지면이 볼록하게 앞으로 나오게 점을 찍어 손가락의 촉각으로 읽는 것이다. 가로 3개, 세로 2개, 모두 6칸에 점을 찍어 표현하는 64개에서 모두 빈 것은 띄어쓰기로 사용하여 총 63개의 점자로 초성, 중성, 종성을 조합해 한글을 나타낸다. 훈맹정음의 원리를 학습하여 눈을 가리고 점자 글을 읽어보고 점자와 글자 수 원리를 탐구해 보자.

관련학과

농생물학과, 대기과학과, 물리학과, 생명과학과, 생물학과, 수학과, 우주과학과, 의생명과학과, 지구물리학과, 지구환경과학과, 천문우주학과, 통계학과, 화학과, 환경생명화학과

3 ${}_nP_r$, ${}_nC_r$, ! 공식인 직순열, 조합, 팩토리얼을 정의하고 공식이 성립하는 경우의 예를 3가지씩 들어 직관적으로 사용할 수 있도록 탐구해 보자.

관련학과

농생물학과, 대기과학과, 물리학과, 생명과학과, 생물학과, 수학과, 우주과학과, 의생명과학과, 지구물리학과, 지구환경과학과, 천문우주학과, 통계학과, 화학과, 환경생명화학과

4 실생활 관련 모둠 게임

1단계: 3~4명 모둠 편성하기
2단계: 실생활 순열, 조합 관련 모둠별 문제 A4 용지에 만들기
3단계: 조별로 이동하며 다른 모둠 문제 풀며 돌기
4단계: 정해진 시간이 끝나면 모둠별 풀이 및 정답 확인하기
5단계: 우수한 모둠 보상하기
6단계: 개인별 문제 풀이하기(차시에 교사가 모둠별 문제에 대한 해설과 수정된 문제 제시)

관련학과

농생물학과, 대기과학과, 물리학과, 생명과학과, 생물학과, 수학과, 우주과학과, 의생명과학과, 지구물리학과, 지구환경과학과, 천문우주학과, 통계학과, 화학과, 환경생명화학과

영역 문자와 식

성취기준

1 다항식의 연산

[12기수02-01] 다항식의 덧셈과 뺄셈을 할 수 있다.

[12기수02-02] 다항식의 곱셈과 나눗셈을 할 수 있다.

2 인수분해

[12기수02-03] 인수분해 공식을 이용하여 다항식의 인수분해를 할 수 있다.

③ 이차방정식과 이차함수

[12기수02-07] 이차함수의 최댓값과 최솟값을 구할 수 있다.

④ 부등식

[12기수02-11] 이차부등식과 이차함수의 관계를 이해하고, 간단한 이차부등식을 풀 수 있다.

탐구주제

9.기본 수학 — 문자와 식

1 전기, 전자, 의류 등 제품 수출 시 컨테이너를 이용하는데, 컨테이너는 모두 국제 규격으로 통일되어 있다. 컨테이너 수송은 대형 선박, 운반 트럭, 철도 수송 등으로 연계되어 있다. 컨테이너 등장은 대량 화물 운송이 가능해지고 저렴한 비용으로 운송할 수 있게 하였다. 1956년 4월 26일, 말콤 매클레인이 통일된 컨테이너를 생각하던 시기 대부분 회사가 독자 규격 컨테이너를 사용해 운송비용이 비싸고 운송에 어려움이 있었다. 표준화를 실시한 1961년에 10, 20, 30, 40피트 단위의 컨테이너를 사용하였다. 몇 년 뒤에 국제표준화기구인 ISO가 컨테이너 설계를 표준화해 해당 크레인을 도입하면서 어떤 항구라도 같은 화물을 옮길 수 있게 되었다. 다항식의 연산을 사용하여 컨테이너의 이동을 탐구해 보자.

관련학과

물리학과, 수학과, 통계학과

2 3D 프린터나 애니메이션은 방정식을 활용하여 해결한다. 영상의 배경을 디자인할 때 배경을 매번 그려서 사용하기보다 함수식을 사용하면 간단히 반복적으로 사용할 수 있다. 그림을 확대하거나 장면 하나를 다시 그릴 때 수학식을 사용하면 쉽게 표현할 수 있다. 3D 애니메이션에서 활용하는 함수를 탐구해 보자.

관련학과

수학과

3 조립제법은 묶인 다항식을 내림차순으로 정리하고 일차식으로 나누어 몫과 나머지를 구하는 방법이다. 직접 나누는 과정을 거치지 않고 일차식을 0으로 만드는 수로 각 계수의 수들만을 전개한 후 수들을 계산하는 간단한 방식이다. 조립제법의 원리를 탐구해보고 상대방에게 그 원리를 설명해 보자.

관련학과

수학과

4 방정식의 해를 구하는 것은 차수와 관계있다. 방정식의 해와 소수의 활용은 컴퓨터 암호를 풀이하는 일도 한다. 방정식의 해를 찾는 것과 암호를 정하고 풀이하는 방법 사이에 어떤 관계가 있는지 탐구해 보자.

관련학과

수학과

영역

집합과 함수

성취기준

1 집합

[12기수03-01] 집합의 개념을 이해하고, 집합을 표현할 수 있다.

2 함수

[12기수03-04] 함수의 개념을 이해하고, 그 그래프를 이해한다.

탐구주제

9.기본 수학 — 집합과 함수

1 집합은 일정한 기준을 정하고 그 대상들이 속한 영역을 적절하게 분류하는 것이다. 집합의 개념은 추론 및 수학적 사고를 통해 논리적으로 작업하는 일에 적용된다. 인터넷상에서 빅데이터를 통해 같은 부류로 상품을 분류하는 방식과 좋아하는 상품을 검색하면 지속적으로 한 사람의 성향에 따른 제품을 추천하는 원리를 찾고 서로 토론해 보자.

관련학과

수학과

2 집합은 주어진 기준에 의해 그 대상을 분명하게 정할 때 그 대상들의 모임이라 정의한다. 컴퓨터는 사물에 대한 정보를 집합으로 주어지기 전까지 사물을 인식하지 못한다. 코끼리, 토끼, 사과를 컴퓨터가 인식하게 하기 위해서는 각 사물을 설명하는 다른 단어와 그림 제공이 필요하다. 코끼리, 토끼, 사과를 컴퓨터가 인지하고 판단할 수 있는 설명이나 그림에 대하여 서로 토론해 보자.

관련학과

수학과

3 불쾌지수, 체질량지수, 물가지수, 식생지수, 빅맥지수, 가뭄지수, 스트레스 지수, 주가지수, 감성지수, 감염재생산지수 등과 같이 생활 중에는 다양한 지수가 있다. 다양한 지수들은 지수에 대한 함수식과 수치로 구간을 나누어 지수의 의미를 표현하고 있다. 수치들이 함수로 표현되는 식을 분석하고 만들어진 수가 의미하는 수치를 탐구해 보자.

관련학과

물리학과, 수학과, 지구환경과학과 등

4 한 달을 표현하는 달력 속에는 다양한 규칙을 가진 함수가 있다. 매주 월요일은 7을 더하는 함수를 사용할 수 있고, 대각선으로 수를 선택하면 6을 더하는 규칙을 찾을 수 있다. 달력 속에 숨겨진 다양한 규칙을 알아보고, 함수식으로 표현해 보자.

관련학과

수학과

영역

도형의 방정식

성취기준

1 평면좌표

[12기수04-01]	피타고라스 정리를 활용하여 두 점 사이의 거리를 구할 수 있다.

4 도형의 이동

[12경수04-06]	평행이동의 의미를 이해하고, 평행이동한 도형을 좌표평면에 나타낼 수 있다.
[12경수04-07]	원점, x 축, y 축, 직선 y=x 에 대한 대칭이동의 의미를 이해한다.

탐구주제

9.기본 수학 — 도형의 방정식

1. 피타고라스 정리는 직각삼각형에서 빗변 길이 제곱은 다른 두 변의 길이 제곱의 합과 같다는 것이다. 피타고라스를 증명하는 방법은 현재 200가지가 넘게 있다고 알려져 있다. 다양한 피타고라스의 증명을 찾아 서로 나누고 발표해 보자. 또한 피타고라스 증명이 실생활에서 어떻게 사용되는지 탐구해 보자.

관련학과

수학과

2. 도형 이동은 대칭이동, 평행이동, 회전이동이 있다. 같은 모양과 크기를 가진 도형의 이동을 통해 다양하게 반복해서 나타내면 옷의 디자인, 건축물의 디자인 모양, 한옥의 문양 등과 같은 예술품이 된다. 같은 모양을 가진 문양을 이동해 디자인해 보고 규칙성을 토론해 보자.

관련학과

수학과

활용 자료의 유의점

- (!) 실생활 문제를 해결해 봄으로써 다양한 상황에서 순열과 조합의 필요성과 유용성을 인식
- (!) 실생활의 예를 통해 방정식과 부등식을 도입함으로써 수학의 필요성과 유용성을 인식
- (!) 대응으로 정의된 함수의 예를 찾아보는 활동을 통해 집합과 함수의 유용성을 인식
- (!) 도형의 이동을 다양한 상황에 적용해 보는 활동을 통해 그 유용성과 가치를 인식
- (!) 도형의 방정식을 통해 기하와 대수의 연결성을 이해하고 활용

핵심키워드

□ 인공지능 □ 순서도 □ 알고리즘 □ 유동인구 조사 □ 픽셀
□ 사물 인터넷 □ 울음소리 분석 □ 소리데이터와 시각데이터 □ 로지스틱함수

영역 **인공지능과 수학**

성취기준

1 인공지능과 관련된 수학

[12인수01-01] 인공지능의 발전에 기여한 역사적 사례에서 수학이 어떻게 활용되었는지를 이해한다.

[12인수01-02] 인공지능에 수학이 활용되는 다양한 예를 찾을 수 있다.

탐구주제

1 인공지능은 컴퓨터가 인간의 지능적인 행동을 모방할 수 있도록 컴퓨터 프로그램으로 실현한 기술이다. 2016년 3월 13일, 이세돌 9단과 인공지능이 겨룬 바둑 시합이 있었다. 체스에 인공지능이 도입된 지 얼마 되지 않아 바둑에도 인공지능이 들어왔고 경기 대부분은 컴퓨터가 승리했다. 이세돌 9단과 알파고의 바둑 시합 기사를 통해 1승의 의미를 살펴 보자. 그리고 인공지능 스피커, 가상 개인 쇼핑에 도움을 주는 숍봇, 숙박 가능 여부 확인과 체크인 및 기타 서비스를 검색할 수 있는 챗봇, 국어 자동 번역기, 자율주행자동차, 인공지능 로봇 등 인공지능이 우리 주변에서 사용되고 있는 다양한 사례를 탐구해 보자.

관련학과

수학과

영역

자료의 표현

성취기준

1 텍스트 자료의 표현

[12인수02-01]	수와 수학 기호를 이용하여 실생활의 텍스트 자료를 목적에 알맞게 표현할 수 있다.
[12기수02-02]	수와 수학 기호로 표현된 텍스트 자료를 처리하는 수학 원리를 이해하고 자료를 시각화할 수 있다.

2 이미지 자료의 표현

[12기수02-03]	수와 수학 기호를 이용하여 실생활의 이미지 자료를 목적에 알맞게 표현할 수 있다.
[12기수02-04]	수와 수학 기호로 표현된 이미지 자료를 처리하는 수학 원리를 이해한다.

탐구주제

10.인공지능 수학 — 자료의 표현

1 순서도는 알고리즘의 처리 순서를 알기 쉽게 기호로 표현한 그림이다. 알고리즘은 어떤 문제 해결에 있어서 계속 반복을 통해 계산과 처리 순서를 나타낸 것이다. 순서도를 그릴 때 사용되는 기호를 찾아보고 어떤 역할을 하는지 써보자. 순서도를 사용해 생활에서 사용하는 문제를 해결하는 결과를 탐구해 보자.

관련학과

수학과

2 유동인구 조사는 다양한 실생활 문제를 해결하는 좋은 자료가 된다. 커피점, 식당, 가게를 개점하기 위한 사전 조사로 유용하게 사용된다. 일주일 동안의 유동인구 관찰 데이터를 기반으로 $\sum_{k=1}^{n} a_k$ 를 사용하여 유입량의 평균과 합을 구해 보자. 파이썬을 이용할 수 있다면 데이터를 분석해 주중 유동인구의 합과 평균을 구하고 꺾은선 그래프로 나타내 보자.

관련학과

수학과

MEMO

영역

분류와 예측

성취기준

1 자료의 분류

[12인수03-01]	인공지능을 이용하여 텍스트를 분류하는 수학적 방법을 이해한다.
[12인수03-02]	인공지능을 이용하여 이미지를 분류하는 수학적 방법을 이해한다.

2 경향성과 예측

[12인수03-03]	자료를 분석하여 사건이 일어날 확률을 구하고 예측에 이용할 수 있다.
[12인수03-04]	자료의 경향성을 추세선으로 나타내고, 예측에 이용할 수 있다.

수학과

탐구주제

10.인공지능 수학 — 분류와 예측

1 픽셀(pixel)은 picture element의 줄임말로 이미지의 최소 해상도 단위이며 화소라 한다. 큰 사각형 안에 가로와 세로 줄을 많이 그려주면 사각형이 많이 생긴다. 그 사각형 중 하나가 픽셀이 되고 픽셀 안에 0과 1을 사용하여 색을 표현한다. 이러한 비트맵 이미지는 파일 확장자로 gif, bmp, jpeg를 사용한다. 하지만 픽셀을 세분화하면 할수록 용량이 증가하는 단점이 있다. 작은 칸에 0과 1을 사용하여 1로 표현한 부분이 색으로 표현되고 0은 색이 없으므로 색을 달리하면 그림이 된다. 두 개의 그림을 겹쳐서 하나의 그림을 만드는 과정을 행렬을 사용하여 나타내는 원리를 탐구해 보자.

관련학과

수학과

2 사물 인터넷이 4차 산업사회의 가장 큰 이슈 중 하나이다. 사물 인터넷은 사물들끼리 서로 신호를 주고받으며 의사소통을 하는 것이다. 집안에 전등이 켜져 있으면 오랜 시간 동안 전등이 켜져 있는 상황을 가족 일원의 핸드폰으로 알려준다. 냉장고 속에 식재료가 감소하면 사물들이 예측하여 자동으로 식재료 구입을 통지해 주는 역할을 한다. 데이터를 구성하고 선형회귀 모델을 통해 예측함수를 정의한다. 선형회귀 모델을 통해 경향성을 추세선으로 나타내는 프로그램을 탐구해 보자.

관련학과

수학과

MEMO

영역

최적화

성취기준

1 최적화와 의사 결정

[12인수04-01]	주어진 자료로부터 분류와 예측을 할 때, 오차를 표현할 수 있는 함수를 구성하는 원리와 방법을 이해한다.
[12인수04-02]	함수의 최솟값 또는 최댓값을 찾아 최적화된 의사 결정 방법을 이해한다.
[12인수04-03]	합리적 의사 결정과 관련된 인공지능 수학 탐구 주제를 선정하여 탐구를 수행한다.

탐구주제

10.인공지능 수학 — 최적화

1 동물들의 울음소리나 아기의 울음소리를 컴퓨터로 분석하면 그들의 마음을 읽을 수 있다. 울음소리를 저장하여 같은 소리 파장을 모아 분석하면 동물이나 아이의 상태를 알 수 있고, 울음소리가 무엇을 요구하는 소리인지 알아보는 것은 의미가 있다. 동물들과 아이의 울음소리 데이터를 저장 수집하고 소리 데이터를 시각데이터로 시각화한다. 서로 다른 소리를 다른 색으로 나타내면 시각화된 데이터가 무엇을 요구하는지 알 수 있게 된다. 로지스틱함수를 사용하면 0.5이상은 1로 0.5이하면 0으로 예측하여 상태 파악에 도움을 줄 수 있다. 무리수 e를 사용하는 로지스틱함수를 찾아 탐구해 보자.

관련학과

수학과

활용 자료의 유의점

- (!) 실생활에서 활용되는 인공지능에서 수학이 활용되는 다양한 사례를 찾아보는 활동
- (!) 실생활의 텍스트 자료를 수와 수학 기호를 이용하여 다양한 방식으로 표현해 보고 토론
- (!) 텍스트 자료는 벡터, 이미지 자료는 행렬로 표현하는 활동 추천
- (!) 예측에서 자동 동작 인식 시스템, 자연어 인식 및 생성 시스템, 자동번역 시스템, 자율주행자동차, 인공지능 비서, 구매 추천 시스템 등을 활용
- (!) 인공지능에서 학습 목표 중 하나가 손실함수를 최소화하는 것임을 인지
- (!) 경사하강법의 이동 단위인 학습률이 너무 크거나 작으면 학습이 제대로 이루어지지 않을 수 있으니 주의
- (!) 합리적 의사 결정에서는 자율주행자동차, 인공지능 가전, 재난 로봇, 스마트 팩토리 등 사물과 접목된 인공지능 기술 사례와 자동번역시스템, AI 비서, 바둑 프로그램, 추천시스템, 매칭 시스템, AI 보안 시스템, 챗봇 등 인공지능 기술의 사례 등을 활용
- (!) 인공지능 기술을 직접 시연해 보거나 아이디어를 구현

핵심키워드

☐ 수학과제 탐구 ☐ STEAM 기법 ☐ 연구 윤리 ☐ 페르미 추정 ☐ 주제 설정
☐ 선행 연구 관련 논문 ☐ 주제탐구 발표

영역 과제 탐구의 이해

성취기준

[12수과01-01]	수학과제 탐구의 의미와 필요성을 이해한다.
[12수과01-02]	수학과제 탐구의 방법과 절차를 이해한다.
[12수과01-03]	올바른 연구 윤리를 이해한다.

* 「소논문을 부탁해」 「고등학생 소논문 쓰기」 워크북 참조

탐구주제

11.수학과제 탐구 — 과제 탐구의 이해

① 수학과제 탐구는 수학적 사실을 알아내거나, 주변에서 일어나는 일들을 더 심층적으로 탐구하여 STEAM 적용으로 분석하는 것이다. 수학과제 탐구는 양적 연구와 질적 연구가 있다. 수학적으로 계산 가능한 방법을 사용하여 자료를 분석하는 양적 연구와 인터뷰나 관찰 결과를 통해 다양한 정보를 얻어 심층적 조사와 경험을 바탕으로 의미를 도출하는 질적 연구가 있다. 문헌연구법, 질문지법, 면접법, 참여 관찰법, 실험법에 대하여 탐구해 보자.

관련학과

농생물학과, 대기과학과, 물리학과, 생명과학과, 생물학과, 수학과, 우주과학과, 의생명과학과, 지구물리학과, 지구환경과학과, 천문우주학과, 통계학과, 화학과, 환경생명화학과

2 연구 윤리란 연구자와 연구참여자가 연구설계, 집행, 보고 전 과정에서 지켜야 하는 규범이다. 자신이나 타인의 창작물을 정당한 승인 없이 사용하는 표절, 실험과정에서 데이터를 취득하거나 보관하는 과정에서 규범을 위반하는 데이터 조작, 보고서 작성 시 거짓으로 기술하거나 과장하는 거짓 및 과장 진술, 자신의 발표된 동일 논문이나 내용을 재발표하는 중복게재, 공헌이 없는 저자를 포함하거나 공헌이 있는 저자를 동의 없이 제외시키는 저자 기록위반, 동일 주제로 연구비를 이중으로 신청하여 사용하는 이중선정, 연구 진행 과정에서 생명과 관련된 생명 윤리에 대한 구체적 사례를 탐구해 보자.

관련학과

농생물학과, 대기과학과, 물리학과, 생명과학과, 생물학과, 수학과, 우주과학과, 의생명과학과, 지구물리학과, 지구환경과학과, 천문우주학과, 통계학과, 화학과, 환경생명화

3 페르미 추정은 정확한 답이 존재하는 것이 아니라 문제가 발생하였을 때 문제를 창의적으로 해결하는 방법과 과정을 중시하여 추측하는 과정이다. '청소년기 머리카락의 개수는 몇 개일까?, 교실에 땅콩은 몇 개 들어갈까?, 우리 몸의 겉넓이는 얼마나 될까?, 곡선으로 된 논의 넓이는 어떻게 구할까?' 등과 같이 다양한 주제를 설정해 보고, 주제를 해결하기 위한 다양한 방법을 조별로 토론해 보자. 해결한 결과 발표와 문제 제기를 탐구해 보자.

관련학과

농생물학과, 대기과학과, 물리학과, 생명과학과, 생물학과, 수학과, 우주과학과, 의생명과학과, 지구물리학과, 지구환경과학과, 천문우주학과, 통계학과, 화학과, 환경생명학과

영역 과제 탐구 실행 및 평가

성취기준

[12수과02-01]	수학과 관련된 여러 가지 현상에서 탐구 주제를 선정하고 탐구 문제를 구체화할 수 있다.
[12수과02-02]	선행 연구를 검토하고 적절한 탐구 방법을 찾아 탐구 계획을 수립할 수 있다.
[12수과02-03]	탐구 계획에 따라 탐구를 수행할 수 있다.
[12수과02-04]	탐구 결과를 정리하여 산출물을 만들고 발표할 수 있다.
[12수과02-05]	탐구 과정과 결과를 반성 및 평가할 수 있다.

MEMO

탐구주제

1 주제를 설정하는 것은 과제탐구의 가장 중요한 부분이다. 주제 설정은 일상과 관심사에서 출발한다. 주제 설정은 '진로와 연결되는 주제', '다른 사람의 논문을 바탕으로 하는 같은 주제 다른 연구방법', '구체적이고 명료한 주제 범위', '수업이나 교내 활동에서 주제 선정'을 기준으로 한다. 조를 정하고 주제를 탐구해 보자.

관련학과

농생물학과, 대기과학과, 물리학과, 생명과학과, 생물학과, 수학과, 우주과학과, 의생명과학과, 지구물리학과, 지구환경과학과, 천문우주학과, 통계학과, 화학과, 환경생명화학과

2 주제가 설정되면 자료를 검색하고 선행 연구 관련 논문을 보아야 한다. 에듀넷(www.edunet.net), 한국교육과정평가원(www.classroom.re.kr), 한국과학창의재단(www.sciencell.com), 국립중앙과학관(www.science.go.kr), 국회도서관, 디비피아, 구글 학습 검색, 네이버 전문정보, RISS, 카인즈, 국가통계포털, JSTOR, 키프리스를 참고하여 주제와 관련된 자료를 탐색해 보자.

관련학과

농생물학과, 대기과학과, 물리학과, 생명과학과, 생물학과, 수학과, 우주과학과, 의생명과학과, 지구물리학과, 지구환경과학과, 천문우주학과, 통계학과, 화학과, 환경생명화학과

3 탐구 주제와 선행 주제에 대한 자료를 찾아본 후 주제탐구와 관련된 전체 내용에 대한 계획을 세우고 개요를 작성해야 한다. 주제, 목차, 서론, 본론, 결론, 참고문헌, 부록의 구체적 내용을 작성하고 이를 탐구해 보자.

관련학과

농생물학과, 대기과학과, 물리학과, 생명과학과, 생물학과, 수학과, 우주과학과, 의생명과학과, 지구물리학과, 지구환경과학과, 천문우주학과, 통계학과, 화학과, 환경생명화학과

4 주제탐구 발표는 연구 결과에 대한 마무리다. 선정한 탐구 주제를 바탕으로 하여 발표 도구 준비하기, 팀원 역할 분담하기, 발표 흐름도 구성하기, 발표 내용 시나리오 작성하기, PPT 만들기 순으로 주제탐구 발표를 준비해 보자.

관련학과

농생물학과, 대기과학과, 물리학과, 생명과학과, 생물학과, 수학과, 우주과학과, 의생명과학과, 지구물리학과, 지구환경과학과, 천문우주학과, 통계학과, 화학과, 환경생명화학과

활용 자료의 유의점

- 다양한 탐구 유형과 사례를 통해 수학과제 탐구의 의미, 방법, 절차 등을 이해
- 토의·토론을 통해 올바른 연구 윤리가 무엇인지에 대해 깊이 생각해 보는 활동
- 인터넷 자료나 참고 문헌 등을 인용할 경우에는 정확한 출처를 표시

MEMO

자연계열편

과학과 교과과정

핵심키워드

□ 우주 초기의 원소 □ 금속과 비금속 □ 지각과 생명체 구성 □ 물질의 규칙성 □ 생명체 주요 구성 물질
□ 신소재의 활용 □ 전자기적 성질 □ 중력 □ 자유 낙하 □ 세포막의 기능 □ 물질대사 □ 효소
□ 중화 반응 □ 진화와 생물다양성 □ 생태계 평형 □ 엘니뇨 □ 에너지 전환과 보존 □ 신재생 에너지

영역 물질의 규칙성과 결합

성취기준

[10통과01-01] 지구와 생명체를 비롯한 우주의 구성 원소들이 우주 초기부터의 진화 과정을 거쳐서 형성됨을 물질에서 방출되는 빛을 활용하여 추론할 수 있다.

▶ 분광기를 활용하여 수소의 선스펙트럼을 관찰하고 이를 우주 전역의 선스펙트럼을 관찰한 결과 자료와 비교함으로써 우주 진화 초기에 만들어진 수소와 헬륨이 현재 우주의 주요 구성 원소임을 파악하게 한다.

[10통과01-02] 우주 초기의 원소들로부터 태양계의 재료이면서 생명체를 구성하는 원소들이 형성되는 과정을 통해 지구와 생명의 역사가 우주 역사의 일부분임을 해석할 수 있다.

▶ 별의 진화 과정에서 별 내부의 핵융합을 통해 탄소, 질소, 산소가 생성되는 것을 정성적으로 다루고, 초신성 폭발의 결과로 철보다 무거운 원소가 만들어짐을 다룬다.

[10통과01-03] 세상을 이루는 물질은 원소들로 이루어져 있으며, 원소들의 성질이 주기성을 나타내는 현상을 통해 자연의 규칙성을 찾아낼 수 있다.

▶ 주기율표의 1족과 17족 원소를 통해 동족 원소는 유사한 화학적 성질을 갖는다는 것을 다룬다. 원소의 성질에 따라 주기성이 나타남을 확인하는 수준에서 다룬다.

[10통과01-05] 인류의 생존에 필수적인 산소, 물, 소금 등이 만들어지는 결합의 차이를 알고, 각 화합물의 성질을 비교할 수 있다.

▶ 화학 결합은 금속 원소와 비금속 원소 간의 이온 결합, 비금속 원소간의 공유 결합을 다룬다.

탐구주제

1 원소는 원소마다 흡수하거나 방출하는 에너지의 파장이 다르기 때문에 선 스펙트럼에서 나타나는 흡수선이나 방출선의 위치를 통해 파악한다. 분광기를 통한 선 스펙트럼과 우주 전역에서의 선 스펙트럼을 바탕으로 우주의 주요 구성 원소들을 파악해보고, 우주 전역에서만 수소의 선 스펙트럼이 관찰되는 이유가 무엇인지 우주의 구성 원소인 수소와 헬륨을 중심으로 토론해 보자.

관련학과

물리학과, 우주과학과, 천문우주학과, 화학과

2 물질을 이루는 기본 성분인 원소는 여러 성질을 가지고 있다. 이러한 원소의 다양한 성질을 쉽게 파악하고 예측 가능할 수 있게 체계적으로 분류해 만든 것이 현대의 주기율표이다. 주기율표를 통해 동족의 원소들이 유사한 화학적 성질을 보이는 것을 통해 1족인 알칼리금속과 17족인 할로젠이 갖는 특징을 각각 찾아보고 산업 현장에서 어떻게 활용되고 있는지 사례들을 찾아 발표해 보자.

관련학과

생명과학과, 생물학과, 식품공학과, 식품영양학과, 화학과, 환경생명화학과

3 눈이 내릴 때 도로에 뿌리는 제설제로 염화 칼슘을 주로 사용한다. 염화 칼슘은 수분을 잘 흡수하고 녹을 때 열을 발생하여 눈을 빠르게 녹인다. 뿐만 아니라 녹인 눈이 다시 얼지 않도록 하고 가격도 저렴하여 제설제로 많이 쓰이고 있다. 하지만 염화 칼슘은 생태계를 파괴하고 도로와 자동차에 나쁜 영향을 미쳐 문제가 되고 있다. 염화 칼슘을 대체할 수 있는 제설제로는 무엇이 있는지 찾아보고 더 나아가 친환경적 제설제를 활용하는 제설 방법에 대해서도 조사해 보자.

관련학과

농생물학과, 대기과학과, 생명과학과, 지구환경과학과, 화학과, 환경생명화학과

4 우주를 구성하는 대부분의 주요 원소는 수소와 헬륨이고, 수소와 헬륨은 우주 전체에 고르게 분포하지 않고 오랜 시간이 지나면서 여러 과정을 거쳐 우주 초기 원시별과 은하를 탄생시키는 출발점이 되었다. 수소와 헬륨으로부터 원시별의 탄생 과정을 밀도와 중력, 원시 가스구름과 관련지어 그 과정을 설명해 보자.

관련학과

물리학과, 생명과학과, 천문우주과학과

5 모든 별의 진화는 별의 중심부에서 핵융합반응으로 진행되는데 그 시작은 수소의 핵융합반응이다. 별의 진화 과정에서 별의 수명을 결정하는 것은 별의 질량으로, 질량이 큰 별일수록 핵융합반응이 왕성하여 수명이 짧아진다. 별의 진화 과정 중 중심부에서의 핵융합반응 과정과 생성되는 원소에 대해 각각 설명하고, 가장 무거운 원소인 철이 어떻게 만들어지는지에 대해서도 탐구해 보자.

관련학과

물리학과, 천문우주과학과

영역

자연의 구성 물질

성취기준

[10통과02-01] 지각과 생명체를 구성하는 다양한 광물과 탄소 화합물은 특정한 규칙에 따라 결합되어 만들어진다는 것을 논증할 수 있다.

▶ 지각을 구성하는 규산염 광물은 Si-O 사면체를 기본 골격으로 하여 다양한 광물들이 만들어짐을 다루되, 구체적인 구조식이나 화학식은 다루지 않는다. 생명체를 구성하는 탄소 화합물은 탄소(C)를 기본 골격으로 수소, 산소 등이 결합하여 만들어짐을 다룬다.

[10통과02-03] 물질의 다양한 물리적 성질을 변화시켜 신소재를 개발한 사례를 찾아 그 장단점을 평가할 수 있다.

▶ 자연의 구성 물질들이 가진 물리적 성질 중 전기적 성질 또는 자기적 성질을 활용하여 새로운 소재를 개발한 사례만 다룬다.

탐구주제

1.통합과학 — 자연의 구성 물질

1 지각은 주로 규산염 광물로 이루어져 있고, 지구에 있는 생명체는 대부분 탄소 화합물로 이루어져 있다. 지구와 생명체의 구성 성분을 통하여 우주의 탄생으로부터 태양계의 형성과 생명체의 출현에 이르는 과정에서 구성 성분이 어떻게 변화했는지 조사하고, 수많은 원소 중 왜 산소가 지각과 생명체에서 가장 높은 비율을 차지하고 있는지 그 까닭을 탐구해 보자.

관련학과

농생물학과, 생명과학과, 생물학과, 식품영양학과, 우주과학과, 지구환경과학과, 천문우주학과, 화학과, 환경생명화학과

2 자연에서 얻은 소재들은 전기적 성질과 자기적 성질로 분류하여 다양한 신소재의 개발에 활용되고 있다. 전기적 성질을 이용한 신소재 LCD와 반도체, 자기적 성질을 이용한 신소재 초전도체와 네오디뮴 자석 등이 있는데 이들 신소재는 산업 현장에서 아주 유용하게 활용하는 신소재이다. 또한 자연을 모방한 신소재로 산양의 발바닥을 모방한 등산화의 밑창, 연잎의 물방울을 활용한 방수용품처럼 다양한 신소재를 만들어 활용하고 있다. 우리 주변에서 유용하게 활용되고 있는 신소재 개발 사례들을 조사하고, 그 신소재의 특성과 활용 범위를 조사해 보자.

관련학과

물리학과, 생명과학과, 생물학과, 지구물리학과, 화학과, 환경생명화학과

영역

역학적 시스템

성취기준

[10통과03-01] 자유 낙하와 수평으로 던진 물체의 운동을 이용하여 중력의 작용에 의한 역학적 시스템을 설명할 수 있다.

▶ 물체를 자유 낙하시켰을 때와 수평으로 던졌을 때의 운동을 비교하는 활동을 통해 중력에 의한 물체의 운동을 다룬다.

[10통과03-02] 일상생활에서 충돌과 관련된 안전사고를 탐색하고 안전장치의 효과성을 충격량과 운동량을 이용하여 평가할 수 있다.

▶ 일상생활의 역학 시스템에서 물체의 관성 및 충돌에 의한 안전사고 예방을 위한 대비책 및 장치를 고안하는 데 관성 법칙과 충격량을 활용하게 한다.

탐구주제

1.통합과학 — 역학적 시스템

1 지구에서 거미는 한 점을 중심으로 사방으로 대칭적 모양을 형성하며 거미줄을 만든다. 거미는 쉴 때 머리를 땅 쪽으로 향하는데 이것은 먹이를 잡으러 갈 때 중력을 이용하면 더 빠르게 움직일 수 있기 때문이다. 그렇다면 무중력의 우주 공간에서 거미는 과연 어떻게 거미줄을 치며, 방향을 설정할 때 중력 대신 어떤 것을 이용할까 궁금했다. 우주 공간과 지상에서 동시에 거미를 이용한 실험을 실시한다고 가정하고 예상되는 거미줄의 형태와 거미의 이동에 영향을 주는 요인에 대해 생각해 보고 왜 그렇게 생각하는지 이유에 대해 토론해 보자.

관련학과

대기과학과, 물리학과, 생명과학과, 생물학과, 의생명과학과, 지구물리학과, 지구환경과학과, 천문우주학과

2 최근 들어 바쁜 일상과 심각한 미세먼지 및 코로나19로 인한 사회적 거리두기 실천 등으로 인해 가정에서 지내는 시간이 많아짐에 따라 가정 내에서 운동기구를 이용하여 간편하게 운동할 수 있는 홈트레이닝이 인기를 끌고 있다. 그러나 가정에서의 사소한 방심과 전문가의 지도 없이 운동을 하다 보니 올바른 운동법에 따른 효과를 거두기보다는 오히려 안전 의식의 부족으로 부상의 위험성을 많이 갖고 있는 것을 알 수 있다. 가정뿐만 아니라 일상생활과 야외에서 보다 안전하게 운동하기 위해서 갖추어야 할 안전사고 예방 대책에 대해서 사례를 들어 조사하고, 발표해 보자.

관련학과

물리학과

3 야구에서 투수가 던진 공을 타자가 야구 배트로 휘둘러 맞추는 순간 야구공은 찌그러지는 과정을 거치게 된다. 이 과정에서 야구공이 배트에 닿기 시작하는 순간부터 배트를 떠날 때까지 야구공에 작용하는 힘의 크기는 어떻게 변하는지 운동량과 충격량의 변화량 관계를 제시하여 설명해 보자.

관련학과

물리학과

영역

지구 시스템

성취기준

[10통과04-01] 지구 시스템은 태양계라는 시스템의 구성요소이면서 그 자체로 수많은 생명체를 포함하는 시스템임을 추론하고, 지구 시스템을 구성하는 하위 요소를 분석할 수 있다.

▶ 지구 시스템의 구성 요소를 알고, 이 요소들의 성층 구조를 파악하게 한다. 지구 시스템의 각 권이 상호 작용함으로써 균형을 이루고 있음을 여러 자연 현상의 사례를 활용하여 살펴본다.

[10통과04-02] 다양한 자연 현상이 지구 시스템 내부의 물질의 순환과 에너지의 흐름의 결과임을 기권과 수권의 상호 작용을 사례로 논증할 수 있다.

▶ 지구 시스템에서는 각 권이 상호 작용하는 동안 에너지의 흐름과 물질의 순환으로 인해 지표의 변화, 날씨의 변화 등과 같은 여러 가지 지구과학적 현상이 일어남을 다룬다.

탐구주제

1.통합과학 — 지구 시스템

1 지구시스템은 기권, 수권, 암권, 생물권, 외권으로 구성되어 있고, 이들이 태양 에너지에 의해 상호 작용 함에 따라 수많은 물질과 에너지가 이동하면서 지구 환경은 유지되고 있다. 그렇다면 우리 주변에서 볼 수 있는 다양한 환경을 중심으로 지구 시스템의 구성 요소 중 지권, 수권, 기권, 생물권이 상호 작용을 하고 있는 환경을 그림으로 그려보고 물질과 에너지의 이동 과정을 토론해 보자.

관련학과

대기과학과, 지구환경과학과

2 활화산인 백두산이 대규모 폭발을 일으켰을 경우 화산폭발지수 8단계 중 7단계로 폭발하여 한국은 최대 11조 1900억 원의 직·간접적인 재산 피해를 입을 것이라는 예측이 나왔다. 이처럼 지구 내부 물질과 에너지의 방출로 인한 화산 폭발은 직·간접적으로 사회적, 경제적, 환경적 피해뿐만 아니라 수많은 인명 피해를 발생할 수 있음을 알 수 있다. 그렇다면 최근에 우리 주변에서 발생한 화산 분출로 인한 환경적, 사회적, 경제적 피해의 종류를 조사해 보고 지구와 생명 시스템 측면에서 화산 폭발의 피해를 줄이기 위한 대책에는 어떤 것이 있는지 토론해 보자.

관련학과

대기과학과, 지구물리학과, 지구환경과학과, 환경생명화학과

영역

생명 시스템

성취기준

[10통과05-01] 지구 시스템의 생물권에는 인간과 다양한 생물들이 포함되는데 모든 생물은 생명 시스템의 기본 단위인 세포로 구성되어 있으며, 이러한 세포에서는 생명 현상 유지를 위해 세포막을 경계로 한 물질 출입이 일어남을 설명할 수 있다.

▶ 세포막을 통한 물질 출입은 확산과 선택적 투과성을 다룬다.

[10통과05-02] 생명 시스템 유지에 필요한 화학 반응에서 생체 촉매의 역할을 이해하고, 일상생활에서 생체 촉매를 이용하는 사례를 조사하여 발표할 수 있다.

▶ 효소가 다양한 생명 활동에 필요한 반응들을 가능하게 해준다는 수준에서 다루고, 효소의 상세 구조나 결합 방식은 언급하지 않는다.

[10통과05-03] 생명 시스템 유지에 필요한 세포 내 정보의 흐름을 유전자와 단백질의 관계로 설명할 수 있다.

▶ 생명 시스템 유지에 필요한 세포 내 정보의 흐름을 다룰 때, 전사와 번역은 용어 수준에서만 언급한다.

탐구주제

1.통합과학 — 생명 시스템

1 막 중에는 물 분자는 자유로이 투과시키지만 그 속에 녹아 있는 용질 분자는 투과시키지 못하는 막이 있는데 이러한 막을 반투과성 막이라고 한다. 세포막도 이러한 반투과성 막에 해당한다. 세포막을 통한 생명 현상 유지에 필요한 물질의 확산과 선택적 투과성을 알아보기 위해 U자관에 농도가 다른 물과 설탕물을 넣고 삼투압 실험 과정을 실시해 보자. 실험과정을 통해 확산과 선택적 투과성에 의한 물질의 이동 과정을 설명하고 세포막이 생명 활동에 어떤 역할을 하는지 탐구해 보자.

관련학과

생명과학과, 생물학과, 화학과, 분자생물학과, 농생물학과, 생물환경화학과

2 생체 촉매라 하면 생체 중의 여러 가지 화학 반응에 관여하고 있는 촉매를 총칭하는 것으로 효소, 비타민류, 호르몬류 등이 있다. 생체 촉매 중 하나인 카탈레이스는 최적 pH 7.0정도로 야채에서는 감자, 당근, 무, 우리 몸속에서는 간, 적혈구 등에 포함되어 있다. 일반적으로 촉매는 활성화에너지(Ea)를 높이거나 낮추어 반응 속도를 조절해주는 역할을 담당한다. 생간과 감자와 과산화수소의 물질대사 실험을 통해 생체 촉매 카탈레이스 역할을 확인한 후 생체 촉매가 산업 현장에서 유용하게 쓰이고 있는 사례를 조사하고, 발표해 보자.

관련학과

농생물학과, 생명과학과, 생물학과, 화학과

탐구주제

1.통합과학 — 생명 시스템

3 유전자는 DNA의 특정 염기 서열로 특정 단백질을 구성하는 아미노산 서열을 지정한다. 또한 유전 정보는 DNA에서 RNA로 전사된 후 단백질로 번역되어 단백질이 갖는 고유의 기능을 수행함으로써 생명 시스템 유지에 필요한 정보의 흐름을 이루고 있다. 하지만 특정 유전자의 변이로 물질대사에 이상이 생기게 되면 유전병이 발생하게 된다. 주변에서 볼 수 있는 유전병 사례들을 찾아 유전병이 발생하는 원인과 발생 과정에 대해 조사하여 발표하고 이를 해결할 방법은 무엇인지 DNA 유전자 모형을 만들어 토론해 보자.

관련학과

생명과학과

영역

화학 변화

성취기준

[10통과06-01] 지구와 생명의 역사에 큰 변화를 가져온 광합성, 화석 연료 사용, 철기 시대를 가져온 철의 제련 등 공통점을 찾을 수 있다.

▶ 지구와 생명의 역사에 큰 영향을 미친 연소, 철광석의 제련, 호흡, 광합성 등이 산화·환원 반응의 사례임을 다룬다.

[10통과06-04] 산과 염기를 섞었을 때 일어나는 변화를 해석하고, 일상생활에서 중화 반응을 이용하는 사례를 조사하여 토의할 수 있다.

▶ 중화 반응 과정에서의 변화는 용액의 온도 변화와 지시약의 색 변화만을 다룬다.

탐구주제

1.통합과학 — 화학 변화

1 산화-환원 화학 반응은 지구와 생명의 역사에 큰 변화를 주었다. 철광석 속에 들어 있는 철은 대부분 산소와 결합된 산화철(III)의 형태로 존재한다. 철광석으로부터 순수한 철을 얻어내는 과정을 제련이라 하고, 이 과정에서 온도가 매우 높은 용광로에서 산화-환원 반응이 진행된다. 이 반응을 통해 얻어진 철은 현대 사회에서 생활용품, 컴퓨터, 전자제품, 자동차 등 다양하게 활용되고 있다. 우리 주변에서 볼 수 있는 산화-환원 반응의 다양한 사례들을 찾고 그 반응의 결과 얻어진 물질들이 어떻게 사용되고 있는지 조사하여 발표해 보자.

관련학과

농생물학과, 생명과학과, 생물학과, 화학과

2 토양 속에는 여러 화학적, 물리적, 생물학적 작용이 발생하는데 어떠한 원인에 의해 토양의 pH가 산성으로 변하는 것을 산성화라 한다. 그 원인으로는 산성 강하물, 화학 비료 등 인위적 발생과 강설과 강우에 의한 자연 발생적 원인으로 보는 경향이 많다. 이에 따라 식물과 토양뿐만 아니라 생태계에도 많은 피해를 주고 있어 토양의 산성화에 대한 대책으로 석회질 비료를 많이 사용하고 있다. 토양 산성화로 인한 피해 사례를 조사하고, 중화물질을 효율적으로 뿌리는 방법과 지속 가능한 발전 측면에서 석회질 비료 말고 토양의 산성화를 막을 다른 방법은 없는지 토론해 보자.

관련학과

농생물학과, 생명과학과, 화학과

탐구주제

③ 중화 반응이라 하면 산의 수소 이온(H^+)과 염기의 수산화 이온(OH^-)이 반응하여 물(H_2O)을 생성하는 반응이다. 일상 생활에서 중화 반응이 이용되는 사례를 5가지 이상 조사하여 그 원리를 설명하고, 중화 반응이 실생활이나 환경 문제를 해결하는데 얼마나 도움을 주고 있는지 토론해 보자.

관련학과

지구환경과학과, 화학과

영역 생물다양성과 유지

성취기준

[10통과07-01] 지질 시대를 통해 지구 환경이 끊임없이 변화해 왔으며 이러한 환경 변화에 적응하며 오늘날의 생물다양성이 형성되었음을 추론할 수 있다.

▶시대의 환경과 생물은 대(代) 수준에서만 다룬다. 지질 기록에 나타난 대멸종을 진화와 생물다양성의 관점에서 다룬다.

[10통과07-03] 생물다양성을 유전적 다양성, 종 다양성, 생태계 다양성으로 이해하고, 생물다양성 보전 방안을 토의할 수 있다.

▶ 이루는 세 가지 요소를 설명하고, 생물다양성이 생태계 평형 유지에 기여하는 사례를 다룬다. 생물다양성의 이해를 돕기 위해 진화적 관점을 도입하여 설명하되 생물의 분류 개념은 다루지 않는다.

탐구주제

① 한국지질 연구원은 약 5만 년 전 직경 200m의 운석이 경남 합천군에 떨어져 직경 약 7km의 적중-초계 분지를 만들었다고 밝혔다. 분지의 호수퇴적층 속에서 발견된 숯을 이용한 탄소연대측정 결과는 이 운석의 충돌이 약 5만 년 전에 발생했을 지도 모른다는 가능성을 보여준다. 백악기 후반에 집중적으로 발생한 운석 충돌은 공룡의 대멸종과 포유류가 등장하게 된 생물학적 대사건으로 알려져 있다. 현재 전 세계에 공식적으로 인정된 운석 충돌구는 200여 개다. 운석 충돌로 공룡이 멸종했다고 생각하는 지질학적, 생물학적 증거를 찾아 제시하고 토론해 보자.

관련학과

대기과학과, 생명과학과, 지구환경과학과, 해양학과, 천문우주과학과

② 생물학에서의 가장 큰 화두 중 하나는 특정 동식물이 다른 곳이 아닌 왜 여기에 존재할까하는 물음이다. 생물의 다양성은 유전적 다양성, 종 다양성, 생태계 다양성 등으로 유지되고 있으며 이런 모든 생물은 생태계 내에서 서로 먹고 먹히는 관계로 얽혀 있다. 따라서 특정 종이 사라지면 생태계 평형이 깨지기 쉽고, 생태계 평형이 깨지면 모든 생물종이 위협받게 되는 것을 알 수 있다. 생물의 진화에 영향을 주는 요소들을 2가지 이상 제시하고 보고서를 작성하여 토론해 보자.

관련학과

농생물학과, 생명과학과, 생물학과, 식물자원학과, 지구해양학과, 지구환경과학과, 해양학과

탐구주제

3 일정한 생태계에 존재하는 생물의 다양한 정도를 생물의 다양성이라고 한다. 생물의 다양성은 단순히 생물종의 수만을 의미하는 것이 아니라 생물 자원을 제공하고 생태계 평형을 유지하여 각각의 생물종이 살아갈 수 있도록 해 준다. 생물종 사이의 먹이 사슬 관계를 하나 제시하고, 생물다양성을 보전하기 위해서 개인과 사회, 국가와 전 세계가 노력해야 할 방안을 제시한 후 토론해 보자.

관련학과

생명과학과, 생물학과, 식물자원학과, 지구환경과학과, 환경생명화학과

영역 생태계와 환경

성취기준

[10통과08-01] 인간을 포함한 생태계의 구성 요소와 더불어 생물과 환경의 상호 관계를 이해하고, 인류의 생존을 위해 생태계를 보전할 필요성이 있음을 추론할 수 있다.

▶ 생태계 구성 요소를 설명할 때 개체군과 군집은 개념 수준에서만 언급하고 개체군 내 또는 군집 내 생물의 상호 작용에 대해서는 생명과학 I 에서 다루도록 한다.

[10통과08-02] 먹이 관계와 생태 피라미드를 중심으로 생태계 평형이 유지되는 과정을 이해하고, 환경 변화가 생태계에 영향을 미치는 다양한 사례를 조사하고, 토의할 수 있다.

[10통과08-03] 엘니뇨, 사막화 등과 같은 현상이 지구 환경과 인간생활에 미치는 영향을 분석하고, 이와 관련된 문제를 해결하기 위한 다양한 노력을 찾아 토론할 수 있다.

▶ 엘니뇨, 사막화 등은 대기 대순환과 해류의 분포와 관련지어 설명한다. 대기 대순환은 3개의 순환 세포가 생긴다는 수준에서만 다룬다.

[10통과08-04] 에너지가 사용되는 과정에서 열이 발생하며, 특히 화석 연료의 사용 과정에서 버려지는 열에너지로 인해 열에너지 이용의 효율이 낮아진다는 것을 알고, 이 효율을 높이는 것이 사회적으로 어떤 의미가 있는지를 설명할 수 있다.

▶ 에너지가 다양한 형태로 존재하고, 에너지가 다른 형태로 전환되는 과정에서 에너지가 보존됨을 일상생활의 사례 중심으로 설명한다.

탐구주제

1

일반적으로 '생태계 평형'은 먹이연쇄가 기초가 되며, 생물 종이 다양하고 먹이연쇄가 복잡할수록 평형이 잘 유지된다. 생태계는 어떤 요인에 의해 일시적으로 파괴되더라도 다시 평형을 회복하는 능력이 있다. 1906년부터 30년 동안 미국 그랜드캐니언 북쪽에 있는 카이바브 고원의 사슴을 보호할 목적으로 늑대, 코요태, 퓨마 등 사냥을 허가하여 사슴의 포식자를 급격하게 감소시킨 결과 1925년부터 사슴은 먹이 부족으로 인해 대량으로 죽어가며 생태계의 평형이 깨졌다. 생태계의 평형이 깨진 이유는 무엇이고, 생태계의 평형을 유지하는데 영향을 미치는 요인들에는 어떤 것이 있을지 조사하고, 발표해 보자.

관련학과

산림환경시스템학과, 생물환경화학과, 지구환경과학과, 동물자원학과, 생물학과, 생명과학과, 농생물학과, 식물자원학과

2

2019년 미국 조지아공대에 따르면 산호에 남은 수온 변화 기록을 측정해 엘니뇨 남방 진동(ENSO)이 산업화 이전보다 25% 더 강해졌다는 연구 결과를 발표했다. ENSO는 태평양 적도 해역의 수온이 주기적으로 오르거나 내리는 변동을 나타내는 수치로 수온이 오를 때는 엘니뇨, 내릴 때는 라니냐를 유발한다. 산호는 수온에 따라 산소 동위원소 18O 흡수량이 달라지는데 산호가 자라면서 이에 따른 층을 만들어 이를 분석하면 과거의 수온 변화를 분석했다. 엘니뇨는 2~7년마다 봄에 수온이 오르기 시작해 초겨울에 절정을 맞으며 세계 곳곳에 이상한파나 더위, 홍수 등 기상 이변을 일으킨다. 그렇다면 엘니뇨와 라니냐같은 기상 이변은 왜 발생하는지 해류와 대기 대순환과의 연관성을 통해 원인을 설명하고 이에 대한 해결책을 조사하여 발표해 보자.

관련학과

지구시스템과학과, 지구환경과학과, 해양학과, 해양환경과학과, 환경학과, 대기과학과, 대기환경과학과

3

기후 변화에 관한 정부 간 협의체(IPCC)의 보고서에 의하면 20세기 지구의 평균 기온이 약 0.74℃ 상승하였고, 상승 경향은 점차 증가하고 있으며 이는 단순히 지구의 기온이 상승하는 것이 아니라 기후 시스템이 전반적으로 변화하고 있음을 알 수 있다. 우리나라도 예외는 아니어서 1911년부터 2010년까지 100년간 평균 기온이 1.8℃가 올라갔다고 보고하였다. 우리나라와 지구 전체의 평균 기온이 계속 상승한다면 기온 상승에 영향을 주는 요인에는 무엇이 있다고 생각하는지 구체적으로 제시하고, 이를 어떻게 해결할 수 있는지 해결 방안을 설명하며, 앞으로 지구의 미래는 어떻게 변할 것이라고 생각하는지 토론해 보자.

관련학과

지구시스템과학과, 지구환경과학과, 해양학과, 해양환경과학과, 환경학과, 대기과학과, 대기환경과학과

4

한국표준과학연구원은 버려지는 에너지를 모아 전기 에너지로 전환하는 기술을 발표했다. '메타음향 물질'은 소리·진동·초음파처럼 어디서든 흔히 발생하는 기계적 에너지를 모아 전기 에너지로 전환시키는 기술이다. 에너지는 한 형태에서 다른 형태로 전환될 수 있어 활용이 가능한 것이다. 휴대 전화 각 부분에서의 에너지 전환 형태를 예를 들어 설명하고, 휴대 전화를 충전하는 과정과 사용할 때의 에너지 전환 과정을 구체적으로 설명해 보자. 또한 전환된 에너지의 효율을 높이기 위한 창의적인 방안에 대해 발표해 보자.

관련학과

물리학과, 응용물리학과, 화학과, 응용화학과

영역

발전과 신재생 에너지

성취기준

[10통과09-01] 화석 연료, 핵에너지 등을 가정이나 산업에서 사용하는 전기 에너지로 전환하는 과정을 분석할 수 있다.

▶ 자기장을 변화시키면서 유도되는 전류를 관찰하여 전자기 유도 현상을 정성적으로 이해하고, 이를 이용한 간이 발전기를 만들어 발전소에서 전기 에너지를 만드는 방법을 설명한다.

[10통과09-03] 태양에서 수소 핵융합 반응을 통해 질량 일부가 에너지로 바뀌고, 그중 일부가 지구에서 에너지 순환을 일으키고 다양한 에너지로 전환되는 과정을 추론할 수 있다.

▶ 태양에서 수소가 헬륨으로 핵융합되는 과정에서 질량이 줄어들어 태양 에너지가 생성됨을 정성적으로만 다룬다.

[10통과09-05] 인류 문명의 지속 가능한 발전을 위한 신재생 에너지 기술 개발의 필요성과 파력 발전, 조력 발전, 연료 전지 등을 정성적으로 이해하고, 에너지 문제를 해결하기 위한 현대 과학의 노력과 산물을 예시할 수 있다.

▶ 연료 전지는 화학 에너지를 전기 에너지로 전환하는 장치임을 알고 이로 인해 에너지 효율이 높음을 이해하게 한다. 화석 연료를 대체할 수 있는 미래 에너지로 파력, 조력 등과 같은 신재생 에너지 개발 현황을 파악하게 한다.

탐구주제

1 태양광 발전은 태양 전지를 이용하여 태양 에너지를 전기 에너지로 변환하는 시스템으로 소규모 및 대규모 발전이 가능한 신재생 에너지이다. 태양광 발전은 가정뿐 아니라 산업 현장에서도 다양한 용도로 활용하고 있으며 2018년 6월 현재 우리나라 태양광 발전 설비용량은 15,451만kW라고 중국 국가에너지국에서 발표했다. 태양광을 모으는 상용화된 제품의 태양 전지의 에너지 효율은 약 15%라고 한다. 태양 전지의 에너지 효율을 현재보다 더 높일 수 있는 방법과 태양광 발전의 장단점에 대해 설명하고 앞으로 태양광 발전의 미래에 대해 토론해 보자.

관련학과

물리학과, 응용물리학과

2 대표적인 화석 연료는 석탄, 석유, 천연가스 등이 있는데 이들 화석 연료는 생물이 땅속에 오랜 시간 묻힌 후 열과 압력으로 변형되어 생성되는 것으로 지구촌 사람들은 에너지의 80% 이상을 화석 연료에서 얻는다고 한다. 하지만 화석 연료의 소비량은 1900년부터 20년마다 2배씩 증가해 앞으로 50년에서 200년 안에 화석 연료가 없어질 것이라고 주장하기도 한다. 뿐만 아니라 화석 연료는 산성비, 호흡기질환, 지구온난화 등 수많은 환경 문제들을 발생시키고 있어 이를 대체할만한 신재생 에너지가 필요할 것으로 생각한다. 그렇다면 환경 문제를 고려하면서 화석 연료의 고갈 문제에 대비할 방법은 무엇인지, 또한 화석 연료를 대처할 신재생 에너지의 종류 그리고 미래 에너지의 장단점에 대해 탐구해 보자.

관련학과

에너지공학과, 해양학과, 해양환경과학과, 대기과학과, 대기환경과학과, 지구시스템과학과, 지구환경과학과, 천문우주과학과, 지질환경과학과

3 비영리 사회적 기업인 킥스타트(KickStart)는 별도의 연료나 전기 없이 사람이 발로 밟아서 물을 필요한 곳까지 보낼 수 있는 관개용 펌프 '슈퍼 머니메이커 펌프'를 개발해 빈곤 해결과 농가의 소득 증진을 돕고 있다. 이 펌프를 이용하면 지하 7m에 있는 물을 지상 14m까지 올릴 수 있고 8시간 동안 2에이커의 토지에 물을 댈 수 있다. 이처럼 적정기술은 그 기술이 사용되는 사회공동체의 정치적, 문화적, 환경적 조건을 고려해 해당 지역에서 삶의 질을 높이며 지속적인 생산과 소비가 가능하도록 만들어진 기술이다. 적정기술의 사례를 조사해보고 적정기술을 적용한 장치의 원리를 설명하면서 사회적, 경제적, 문화적, 과학적 측면에서 적정기술이 미치는 영향에 대해 토론해 보자.

관련학과

신소재공학과, 환경과학과, 생명과학과, 해양학과, 해양환경과학과, 지질환경과학과

4 수소 핵융합반응을 통해 생성된 태양 에너지는 지구로 입사되어 생물의 생명 활동 에너지의 근원이 되면서 지구 내의 많은 순환을 일으키고 있다. 지구로 입사된 태양 에너지가 일으키는 에너지 순환에는 크게 대기와 해수의 순환 그리고 탄소의 순환이 있다. 우리 인류는 이들 순환 과정을 통해 얻어진 전기 에너지를 사용하고 있다. 대기와 해수의 순환, 탄소의 순환 과정을 통해 얻어지는 전기 에너지의 획득 과정을 구체적으로 설명해 보자.

관련학과

지구시스템과학과, 지구환경과학과, 천문우주과학과, 물리학과, 해양학과, 해양환경과학과, 생명과학과, 화학과, 응용화학과, 대기과학과, 대기환경과학과

활용 자료의 유의점

- 관찰 평가, 프로젝트 평가, 보고서 평가, 수행평가 등을 활용하여 과학적 소양을 함양
- 물리적 성질을 변화시켜 개발한 신소재에 대해 조사 보고서 작성
- 지구 시스템을 이루고 있는 하부 권역들 간의 상호 작용이 지구 생명체의 존속에 기여하고 있으며, 후대를 위해 지구 시스템을 최적의 상태로 보전해야 할 인류의 책임이 있음을 인식
- 실생활에서 발생할 수 있는 문제점을 개선하기 위해 중화 반응을 이용하는 예를 탐색

MEMO

과학탐구실험

핵심키워드

□ 감광법 □ 최초의 사진술 □ 천동설과 지동설 □ 메탄가스와 조석 현상 □ 달의 인력 □ 귀납적 탐구
□ 연역적 탐구 □ 페니실린의 발견 □ 스타팅 블록 □ 롤러코스터 □ 물총새 부리 모양
□ 토양의 산성화 □ 코맷의 폭발 □ 리튬이온전지 □ 콜드체인 □ 식품 산패
□ 라이프스트로우 □ 친환경 도시 □ 플라즈마 □ 신소재

영역 역사 속의 과학 탐구

성취기준

[10과탐01-01] 과학사에서 패러다임의 전환을 가져온 결정적 실험을 따라해 보고, 과학의 발전 과정에 대해 설명할 수 있다.

▶ 과학사에서 패러다임의 전환을 가져온 대표적 사례는 과학 혁명 시기에 과학자들이 수행했던 탐구 활동들이다. 특히 갈릴레이와 뉴턴이 수행했던 다양한 중력 관련 사고실험 및 수학적 검증을 활용하여 '통합과학'에서 다룬 탐구 활동 및 주제와 관련지어 실험을 진행할 수 있다. 이 밖에 과학사적으로 중요한 실험을 추가로 진행할 수 있다.

[10과탐01-02] 과학사에서 우연한 발견으로 이루어진 탐구 실험을 수행하고, 그 과정에서 발견되는 과학의 본성을 설명할 수 있다.

▶ 여러 대에 걸친 과학자들의 꾸준한 노력 속에서 뛰어난 과학자의 우연한 발견에 의해 완성된 과학 지식의 대표 사례 중 하나는 주기율표이다. '통합과학'에서 다룬 탐구 주제 및 활동과 관련지어 실험을 진행할 수 있다.

[10과탐01-03] 직접적인 관찰을 통한 탐구를 수행하고, 귀납적 탐구 방법을 설명할 수 있다.

▶ 관찰을 통한 데이터 수집을 비롯한 귀납적 탐구는 수집한 다양한 사실들을 토대로 일반화된 이론을 완성하는 과정이다. 대표적 사례로 지질 시대에 걸친 생물 대멸종에 대한 가설 도출 등이 있다.

[10과탐01-04] 가설 설정을 포함한 과학사의 대표적인 탐구 실험을 수행하고, 연역적 탐구 방법의 특징을 설명할 수 있다.

▶ 연역적 탐구 실험은 주로 기존에 알려진 과학 지식이 완전하지 않기 때문에 이를 극복하기 위해 새로운 가설을 설정하면서 시작된다. 대표적 사례 중 하나는 자연발생설의 오류를 밝힌 파스퇴르의 실험으로, '통합과학'에서 다룬 탐구 주제와 관련지어 실험을 진행할 수 있다.

탐구주제

1 1830년대 어느 날 루이 자끄 망테 다게르는 우연한 계기를 통해 요오드화 은판에 수은 증기를 쐬면 이미지가 드러나는 감광법을 발견하면서 오늘날 '사진의 아버지'로 불리우게 되었다. 사진 한 장을 찍기 위해서는 무려 8시간 동안 꼼짝 않고 빛에 노출시켜 상을 고정시켜야 했는데 노출 시간을 20분 가량으로 줄인 획기적인 발견이었던 것이다. 이후 1839년 8월 19일에 프랑스 과학아카데미에서 공식적인 최초의 사진술로 인정을 받게 되었다. 과학은 이처럼 우연한 계기를 통해 발견되기도 한다. 주기율표 역시 우연한 계기로 발견되었다고 하는데 주기율표가 발견되기까지의 과정에 대해 조사하고, 발표해 보자.

관련학과

화학과, 응용화학과

2 15세기까지 사람들은 지구가 우주의 중심이라고 하는 패러다임으로 세상을 바라보았다. 또한 많은 과학자들도 별과 행성의 운동을 이 관점에서 바라보고 설명하였다. 하지만 지동설이 발표되면서 천동설로서는 설명하지 못하는 상황들이 설명되어지고 사람들의 인식이 바뀌기 시작하면서 패러다임의 전환이 일어난 것이다. 천동설의 패러다임이 지동설로 바뀌게 되는 과정에 대해 증거를 찾아 제시하고 발표해 보자.

관련학과

지구환경과학과, 천문우주학과, 지구시스템과학과

3 안드레아 플라사-파베롤라 노르웨이 북극대 북극 가스하이드레이트 및 환경기상연구소 연구원팀은 최근에 북극해 바다 및 천연가스 퇴적층에서 배출하는 메탄가스의 양이 조석 현상에 의해 달라진다는 사실을 알아냈다. 해저에 묻혀 있는 메탄가스는 달의 인력으로 발생하는 썰물 때 더 쉽게 방출된다는 연구 결과를 통해 고체 상태의 메탄하이드레이트가 기체 형태로 바뀌면서 대기 중으로 방출되고 있다고 말했다. 밀물과 썰물 현상 때 해저 퇴적물에 영향을 미치는 물리적 요인은 무엇인지 생각해 보고, 대기 중으로 메탄가스가 방출되는 과정을 설명해 보자. 또한 메탄가스가 지속적으로 대기 중으로 방출된다고 하면 앞으로의 기후 변화는 어떻게 변할 것인지 예측하여 토론해 보자.

관련학과

지구환경시스템과학과, 지구환경과학과, 해양학과, 해양환경과학과, 지질환경과학과

4 개별화 사실에서 일반적 원리를 도출하는 탐구 방법을 귀납적 탐구 방법이라 하고 일반적 원리에서 개별화 사실을 이끌어내는 탐구 방법을 연역적 탐구 방법이라 한다. 왓슨과 크릭은 1953년 DNA의 화학적 성분, 염기의 비율, X선 회절 사진 등 여러 과학자들의 연구 성과를 바탕으로 DNA 이중나선구조를 발견하였다. DNA 이중나선구조의 발견을 각각의 자료를 제시하여 귀납적 탐구 방법으로 발표해 보자.

관련학과

생명과학과, 화학과, 물리학과, 생물학과

5 1928년 런던에서 플레밍은 당시 어린이들 부스럼의 원인인 포도상구균을 연구하던 중 세균 배양접시에 곰팡이가 펴서 버리는 것을 발견하고 '왜 곰팡이가 핀 곳에는 세균이 없는 것일까?'를 생각하며 연구를 시작한 끝에 페니실린을 발견하였다. 페니실린의 발견을 연역적 탐구 방법으로 설명해 보자.

관련학과

생명과학과, 화학과, 물리학과, 생물학과, 미생물학과, 분자미생물학과

영역

생활 속의 과학 탐구

성취기준

[10과탐02-01] 생활 제품 속에 담긴 과학 원리를 파악할 수 있는 실험을 통해 실생활에 적용되는 과학 원리를 설명할 수 있다.

[10과탐02-02] 영화, 건축, 요리, 스포츠, 미디어 등 생활과 관련된 다양한 분야에 적용된 과학 원리를 알아보는 실험을 통해 과학의 유용성을 설명할 수 있다.

[10과탐02-03] 과학 원리를 활용한 놀이 체험을 통해 과학의 즐거움을 느낄 수 있다.

▶ [10과탐02-01, 02, 03] 과학이 적용된 생활 제품, 영화, 건축, 요리, 스포츠, 미디어, 놀이 체험 등 다양한 분야에서 몇 가지 사례를 중심으로 과학적 원리, 유용성, 즐거움 등을 깨달을 수 있는 실험 활동을 진행할 수 있다. 생활 주변에서 탐구 가능한 주제를 중심으로 한 실험과 탐구 활동을 추가로 진행할 수 있다.

[10과탐02-05] 탐구 활동 과정에서 지켜야 할 생명 존중, 연구 진실성, 지식 재산권 존중 등과 같은 연구 윤리와 함께 안전 사항을 준수할 수 있다.

▶ 생명 존중, 연구 진실성, 지식 재산권 존중 등과 같은 연구 윤리 준수 및 안전 사항 준수를 포괄적으로 경험할 수 있는 실험 활동을 진행할 수 있다. 특히 '천연 항생 물질 찾기' 탐구 활동을 통해 관련된 연구 윤리와 안전 사항을 파악할 수 있다.

[10과탐02-08] 탐구 수행으로 얻은 정성적 혹은 정량적 데이터를 분석하고 그 결과를 다양하게 표상하고 소통할 수 있다.

▶ 정성적 및 정량적 데이터를 발견, 수집, 조사하는 과정을 거친 후, 이들 데이터가 의미와 가치를 가지도록 조직화하여 정보로 표현하고 의사소통할 수 있다. 특히 '관측 자료를 활용하여 한반도의 기후 변화 경향성 파악하기'를 통해 표, 그래프, 모형, ICT 등 다양한 표상으로 소통하는 경험을 가질 수 있다.

[10과탐02-07] 생활 속에서 발견한 문제 상황 해결을 위한 과학 탐구 활동 계획을 수립하고 탐구 활동을 수행할 수 있다.

[10과탐02-09] 과학의 핵심 개념을 적용하여 실생활 문제를 해결하거나, 탐구에 필요한 도구를 창의적으로 설계하고 제작할 수 있다.

▶ [10과탐02-07, 09] 협업을 통해 과학 문제 발견부터 해결책 제시까지의 과학 탐구의 전 과정을 경험할 수 있는 실험 활동을 진행할 수 있다. 특히 '운동 관련 안전사고 예방 장치 고안하기' 탐구 활동을 통해 협업의 가치를 알게 하고, 과학 탐구 전체 과정을 경험하며 공학적 설계 과정을 거쳐 창의적인 산출물을 고안하게 할 수 있다.

1 수영 선수는 방향을 바꿀 때 벽을 힘껏 치면서 앞으로 뻗어 나갈 수 있고 단거리 육상 선수는 출발지점에서 스타팅 블록을 사용해서 힘차게 출발을 한다. 수영 선수가 벽을 힘차게 밀듯 육상 선수가 스타팅 블록을 사용하는 것이 기록 향상에 도움이 될까? 도움이 된다면 그 이유는 무엇일지 에너지의 변환 과정을 통해 설명하고, 스타팅 블록을 사용하여 출발할 때 적용된 과학적 원리가 무엇인지 조사해 보자.

관련학과

스포츠건강관리학과, 스포츠과학과, 스포츠산업학과, 스포츠의학과, 사회체육학과

2 놀이공원에 가면 높은 곳에서 갑자기 아래로 떨어지는 기구인 롤러코스터라는 놀이기구가 있다. 모터에 의해 가장 높은 곳까지 끌어 올려진 열차는 아래로 떨어지기 시작하여 점점 빨라지며, 궤도를 따라 운동 방향이나 빠르기가 다양하게 변하면서 수백 m를 운동한 후 멈추게 된다. 이 롤러코스터라는 놀이기구가 상승하고 하강하는 과정을 힘과 운동, 에너지와 관련지어 숨어 있는 과학적 원리를 찾아 설명해 보자.

관련학과

물리학과, 지구시스템과학과

3 일본의 고속 열차는 1시간에 200마일 이상을 달려 세계 최고 속도를 자랑한다. 하지만 터널을 통과할 때 기압의 변화로 심한 소음이 발생하는 단점을 보면서 보완할 방법을 찾던 중 물총새의 부리에서 힌트를 얻어 열차의 앞부분을 물총새의 부리 모양으로 수정하였다. 그 결과 소음은 이전보다 크게 줄어들었고 열차의 속도도 증가하여 에너지 사용이 줄어들었다고 한다. 이와 같이 자연의 생물 및 생체 물질의 기본 구조와 기능을 모방하여 공학적으로 활용하는 기술을 생체 모방 기술이라 한다. 주변에서 활용되고 있는 생체 모방 기술의 다양한 사례를 찾아 그 특징과 구조와 활용 범위를 조사하여 발표해 보자.

관련학과

물리학과, 생명과학과, 생물학과

4 우리나라는 2015년부터 매년 3월 11일을 흙의 날로 지정하여 법정 기념일로 지키면서 토양의 중요성을 강조하고 있다. 하지만 토양의 산성화로 인해 식물의 생장이 저해되고 산성비로 인한 호수의 산성화도 확대되고 있는 상황이다. 산성화된 토양이나 호수의 중화를 위해 다양한 방법으로 염기성 물질을 뿌리고 있다. 현재 활용하고 있는 다양한 중화 방법들을 제시하고 그 방법들의 장단점을 비교 조사하여 발표해 보자.

관련학과

화학과, 환경학과, 농생물학과, 대기환경과학과, 대기과학과, 산림환경시스템학과, 수산생명의학과, 생물환경화학과, 지구환경과학과, 지질환경과학과, 해양환경과학과

5 1954년 최초의 상업용 제트 여객기 코맷이 비행 중 폭발하면서 전원이 목숨을 잃었다. 폭발의 원인은 폭탄 테러도, 정비 불량도, 조종 미숙도 아닌 피로 파괴로 밝혀졌다. 피로 파괴란 고체 재료가 작은 힘을 반복적으로 받아 균열이 발생하고 전파되어 파괴되는 현상을 말한다. 코맷은 성층권 비행 중 기압차를 견디지 못하였고 객실의 네모난 창문에 피로 파괴가 발생한 것으로 밝혀졌다. 참고로 코맷의 설계 시 압력에 의한 피로 파괴를 고려하여 지상에서의 실험을 통해 18,000회의 비행까지는 안전할 것으로 예상했지만, 1,200회 비행에서 사고가 발생하였다. 이 사고를 통해서 생각해 볼 수 있는 항공기 안전사고 예방에는 어떤 것들이 있는지 다양한 측면으로 생각하여 발표해 보자.

관련학과

대기과학과, 물리학과

6 핸드폰에 사용되는 배터리는 리튬이온전지로 기온이 낮아지면 화학 반응이 덜 일어나 성능이 급격히 떨어질 수 있다. 그럼에도 불구하고 리튬이온전지는 휴대용 전자기기, 전기 자동차, 전동 킥보드 등 주변에서 많이 사용되고 있으며 세계 각국의 연구진들이 앞다투어 연구에 매진하고 있다. 리튬이온전지의 원리와 특징 그리고 장단점을 조사하고, 앞으로 리튬이온전지의 활용이 미래의 우리 삶에 어떤 변화를 가져다줄 것인지에 대해 예측하고 토론해 보자.

관련학과

화학과, 물리학과

7 코로나19에 대항해서 개발된 백신이 접종을 시작하면서 백신을 전 세계로 실어 나르는 '콜드 체인'이 각광을 받고 있다. 콜드 체인이란 냉동·냉장에 의한 신선한 식료품의 유통방식으로 저온유통체계를 말한다. 백신의 항원은 단백질 성분으로, 초저온 상태가 유지되지 않으면 변질돼 백신의 효과를 기대하기가 어렵고 부작용이 발생할 수 있다는 점에서 그 보관과 수송이 매우 중요하다. 신종 코로나19 백신은 기존 콜드 체인(영하20도~영상10도)으로는 수송과 보관, 안전을 보장하기 어려운 상황이라 슈퍼 콜드 체인(영하 180도~영하70도)상태에서만 운송, 보관을 해야 한다. 슈퍼 콜드 체인이 초저온상태를 유지할 수 있는 과학적 원리가 무엇인지 탐구하여 발표해 보자.

관련학과

물리학과, 화학과, 응용화학과

영역

첨단 과학 탐구

성취기준

[10과탐03-01] 첨단 과학기술 속의 과학 원리를 찾아내는 탐구 활동을 통해 과학 지식이 활용된 사례를 추론할 수 있다.

▶ 첨단 과학기술에 포함된 기초 과학 원리를 파악하거나 첨단 과학기술을 이용한 산출물을 생성하는 탐구 활동을 진행할 수 있다. 특히 '태양광 발전을 이용한 장치 고안하기'와 '적정 기술을 적용한 장치 고안하기' 등 활동을 통해 첨단 과학기술에 대한 이해를 바탕으로 과학 지식의 활용 방안을 파악한다.

[10과탐03-02] 첨단 과학기술 및 과학 원리가 적용된 과학 탐구 활동의 산출물을 공유하고 확산하기 위해 발표 및 홍보할 수 있다.

▶ '신소재 개발 사례 조사하기'와 '지속 가능한 친환경 에너지 도시 설계하기' 등 활동을 통해 첨단 과학기술을 활용하는 과학 탐구를 실행한다.

탐구주제

1 우리가 흔히 접하는 라면 봉지는 외부 산소나 수분 침투에 의한 식품 산패를 방지하기 위해 합성 플라스틱 필름에 알루미늄 금속박막을 덧씌워서 사용하고 있다. 이로 인해 재활용이 불가능하고 소각 과정에서 미세먼지와 유독가스 등 유해 물질이 발생하게 되어 환경에 심각한 피해를 가져다주고 있다. 심각한 환경 피해로 인해 몸살을 앓고 있는 지구 환경을 살리기 위해 합성 플라스틱을 대체할 수 있는 신소재로 나노셀룰로오스 투명 필름을 개발하였다고 한다. 나노셀룰로오스란 무엇인지 기존 합성 플라스틱과 비교하여 구조와 장단점을 비교하고 활용 범위에 대해 조사하여 발표해 보자.

관련학과

화학과, 응용화학과, 환경학과, 환경과학과

---

2 캄보디아 등 지역에서는 급수 및 정수 시설을 설치할 형편이 안되어 동물들이 먹고 배설하는 웅덩이 물과 강물을 그대로 마신 뒤, 오염된 물로 인해 질병에 시달리거나 사망에 이르는 경우가 많다. 라이프스트로우는 한 개로 700리터의 물을 정수할 수 있어 맑고 깨끗한 물을 제공할 수 있는 적정기술의 사례라고 할 수 있다. 라이프스트로우의 구조와 장단점을 설명하고 물을 정수하는 과정에서 적용된 과학적 원리를 자세하게 설명해 보자. 또한 적정기술의 혜택으로 인한 삶의 변화와 적정기술의 필요성에 대해 토론해 보자.

관련학과

생명과학과, 생물학과, 화학과, 해양학과, 해양환경과학과

---

3 친환경 도시란 에너지자원을 효율적으로 사용하여 기후 변화와 환경파괴를 줄이고 신재생 에너지와 친환경 기술의 연구 개발을 통하여 지속 가능한 발전을 이루는 도시를 말한다. 스위스 취리히, 독일의 프라이부르크, 브라질의 꾸리찌바, 일본의 북큐슈가 유엔이 선정한 세계적 친환경 도시들이다. 친환경 도시로 선정되기 위해 필요한 조건들을 찾아보고, 내가 살고 있는 지역을 친환경 도시로 바꾸려고 할 때 고려되어야 할 방안을 조사하여 발표해 보자.

관련학과

대기환경과학과, 도시행정학과, 지구환경과학과, 환경학과

---

4 플라즈마란 고온 상태의 기체와 비슷한 물질로 근본적으로 전도성을 가진 전기장, 자기장에 반응하는 상태의 이온화된 기체를 일컫는 말로 17세기 벤저민 프랭크린이 번개를 병 속에 가둬 전기를 모으고, 이후 패러데이와 크룩스를 거쳐 20세기에 랭뮤어가 붙인 이름이다. 우주에는 99%나 존재하는 플라즈마 상태이지만 지구상에서는 1%만 이온화되더라도 다양한 특성을 이용하여 첨단 과학기술과 일상생활 속에서 빠지지 않는 신기술로 각광을 받고 있다. 플라즈마의 상태를 결정짓는 요인들에는 어떤 것들이 있는지 구체적으로 조사하여 보고 플라즈마 기술이 이용되고 있는 사례들을 생명, 환경, 미용, 의료 등으로 나누어 조사하고, 발표해 보자.

관련학과

물리학과, 물리천문학과, 지구시스템과학과, 지구환경과학과, 천문우주과학과

---

5 신소재는 당대의 첨단 과학기술이 적용된 과학 탐구 활동의 산출물이다. 철을 제련하는 기술을 개발하면서 인류는 철을 사용할 수 있게 되었고, 현재는 다양한 합금으로 만들어 이용하고 있다. 현재 우리가 개발해서 사용하고 있는 다양한 분야의 신소재 개발 사례 중 그래핀, 탄소나노튜브, 유기발광다이오드(OLED)의 개발과정과 특징, 그리고 활용에 대해 조사한 후 표를 작성하여 발표해 보자.

관련학과

물리학과, 화학과, 응용화학과

활용 자료의 유의점

- ① '통합과학'에 제시된 첨단 과학과 관련된 탐구 주제를 중심으로 첨단 과학기술이 적용된 기기나 제품의 기초 과학 원리를 파악하기 위한 탐구 활동, 특히 공학적 설계를 바탕으로 창의적 산출물을 만들어내기 위한 탐구 활동이 포함되도록 노력
- ① 친구들과 산출물을 공유하고 확산할 수 있도록 작품 발표회와 같은 것을 해보고, 이를 통해 협업을 통한 탐구 경험을 쌓도록 노력
- ① 이 단원은 '통합과학'의 '자연의 구성 물질' 및 '발전과 신재생 에너지' 단원과 연계해서 탐구

MEMO

핵심키워드

☐ 시간기록계 ☐ 자유낙하운동 ☐ 뉴턴의 법칙 ☐ 친환경 자동차 ☐ 개기일식 ☐ 분광기 ☐ 바이오센서
☐ 다이오드 ☐ 인덕션 ☐ 신기루 ☐ 가시광선 ☐ 빛의 파장 ☐ 반딧불이 ☐ 파도 ☐ 간섭

영역 역학과 에너지

성취기준

[12물리 I 01-01] 여러 가지 물체의 운동 사례를 찾아 속력의 변화와 운동 방향의 변화에 따라 분류할 수 있다.

[12물리 I 01-02] 뉴턴 운동 법칙을 이용하여 직선상에서 물체의 운동을 정량적으로 예측할 수 있다.

▶ 힘이 작용할 때 물체의 운동이 변하는 경우와 힘의 합이 0인 경우를 다루고, 직선상에서 알짜힘을 구하는 학습 활동을 통해 크기와 방향을 지닌 물리량은 더해질 수 있음을 알게 한다.

[12물리 I 01-03] 뉴턴의 제3법칙의 적용 사례를 찾아 힘이 상호 작용임을 설명할 수 있다.

[12물리 I 01-07] 열기관이 외부와 열과 일을 주고받아 열기관의 내부 에너지가 변화됨을 사례를 들어 설명할 수 있다.

[12물리 I 01-10] 질량이 에너지로 변환됨을 사례를 들어 설명할 수 있다.

▶특수 상대성이론의 $E=mc^2$ 을 이용한 계산보다는 그 증거에 해당하는 사례를 통한 의미 파악에 중점을 둔다.

탐구주제

3.물리학 I — 역학과 에너지

1 시간기록계, 종이테이프, 추 등을 이용하여 자유낙하운동 실험 장치를 설계해 보자. 자유낙하운동 실험을 실시한 후 종이테이프에 기록된 타점을 이용하여 속도와 가속도를 계산해 보자. 여러 번의 실험을 반복하고 공기저항이 없을 때는 어떤 결과가 나올지 예상해 보자.

관련학과

물리학과, 수학과, 통계학과

탐구주제

2 뉴턴의 운동의 법칙 세 가지를 탐구해 보자. 뉴턴의 제1법칙, 2법칙, 3법칙을 분석하고, 각각의 예를 들거나 적용 사례를 조사해서 보고서를 작성해 보자. 작성한 보고서를 기초로 뉴턴의 운동의 법칙에 대해서 발표해 보자.

관련학과

물리학과, 수학과

3 내연기관차는 열기관의 내부 에너지를 활용한 기관이다. 2020년 7월, 서울시는 오는 2035년부터 휘발유와 경유차 등 내연기관차의 등록을 불허하고 배출가스가 '0'인 전기차나 수소전기차만 등록을 허용하기로 했다. 내연기관차와 친환경 자동차의 작동 원리를 조사하고, 장점과 단점을 분석해 보자.

관련학과

대기과학과, 물리학과, 지구환경과학과, 화학과, 환경생명화학과

4 아서 에딩턴은 1919년 5월 29일 아프리카에서 개기일식을 통해 태양 주변의 빛이 휘어지는 것을 확인했다. 빛이 태양 주변에서 휘어지는 현상은 상대성이론과 어떤 관계가 있는지 조사해 보자.

관련학과

물리학과, 우주과학과, 천문우주학과

영역 물질과 전자기장

성취기준

[12물리 I 02-02] 원자 내의 전자는 불연속적 에너지 준위를 가지고 있음을 스펙트럼 관찰을 통하여 설명할 수 있다.

[12물리 I 02-03] 고체의 에너지띠 이론으로 도체, 반도체, 절연체 등 차이를 구분하고, 여러 가지 고체의 전기 전도성을 비교하는 탐구를 수행할 수 있다.

[12물리 I 02-04] 종류가 다른 원소를 이용하여 반도체 소자를 만들 수 있음을 다이오드를 이용하여 설명할 수 있다.

[12물리 I 02-07] 일상생활에서 전자기 유도 현상이 적용되는 다양한 예를 찾아 그 원리를 설명할 수 있다.

탐구주제

1 제작되어 판매되는 간이분광기를 찾아보고, 사용한 재료와 분광기의 특징을 조사해 보자. 조사한 간이분광기의 장점과 단점을 비교한 후 단점을 개선한 분광기 설계도를 작성해 보자.

관련학과

물리학과, 화학과

2 바이오센서 기술을 활용한 반도체를 사용하면 체외진단, 분자진단 및 환경진단 등이 가능하다. 바이오센서를 활용한 반도체 기술의 발전 상황에 대해서 조사해보고, 미래에 사용 가능한 분야에 대해서 토론해 보자.

관련학과

물리학과, 생명과학과, 생물학과, 화학과, 환경생명화학과

3 다이오드는 p형 반도체와 n형 반도체를 사용하여 제작했다. 최근에는 발광 다이오드, 포토 다이오드, 감압 다이오드 등 다양한 방식의 다이오드가 개발되었다. 다이오드의 종류를 찾아보고, 각각의 작동 원리와 사용 분야를 분석해서 보고서를 작성해 보자.

관련학과

물리학과

4 인덕션, 가스레인지, 전자레인지 등 요리 기구에 사용되는 제품의 작동 원리를 조사해 보자.학급 활동에서 만들고 싶은 요리에 대해서 토론한 후 결정한 요리를 하는데 적합한 요리 기구를 선정하고 이유를 제시해 보자.

관련학과

물리학과, 식품공학과, 식품생명공학과, 식품영양학과, 화학과

영역 파동과 정보통신

성취기준

[12물리 Ⅰ 03-01] 파동의 진동수, 파장, 속력 사이의 관계를 알고 매질에 따라 파동의 속력이 다른 것을 활용한 예를 설명할 수 있다.

▶ 파동의 속력 변화로 파동의 굴절을 다루고, 렌즈, 신기루 등 다양한 현상을 설명하게 한다.

[12물리 Ⅰ 03-03] 다양한 전자기파를 스펙트럼의 종류에 따라 구분하고, 그 사용 예를 찾아 설명할 수 있다.

[12물리 Ⅰ 03-04] 파동의 간섭이 활용되는 예를 찾아 설명할 수 있다.

▶ 파동의 간섭을 활용한 예로 빛이나 소리와 관련된 다양한 현상을 정성적으로 다룬다.

탐구주제

3.물리학 Ⅰ — 파동과 정보통신

1 사막과 같이 바닥면과 대기의 온도차가 큰 곳에서, 물체가 실제 위치가 아닌 다른 위치에서 보이는 현상을 신기루라고 한다. 신기루 현상을 파동의 속력 및 굴절과 연관 지어 탐구해 보자.

관련학과

물리학과, 대기과학과, 지구물리학과, 지구환경과학과

탐구주제

2 전자기파는 파장에 따라서 다양한 종류가 있고, 가시광선은 색깔의 종류에 따라서 파장이 달라진다. 가시광선은 빨강, 파랑, 초록 빛으로 갈수록 파장이 점점 짧아진다. 가시광선의 파장과 식물의 성장은 어떤 상관관계가 있는지 탐구해 보자.

관련학과

농생물학과, 물리학과, 산림자원학과, 식물자원학과, 생명과학과, 생물학과, 원예학과, 임학과

3 반딧불이는 화학작용을 사용하여 빛을 방출하는 발광생물이다. 반딧불이가 빛을 방출하는 원리를 조사하고, 관련 주제를 파워포인트로 작성한 후 발표해 보자.

관련학과

물리학과, 생명과학과, 생물학과, 화학과, 환경생명화학과

4 파도는 보통 바다에서 바람이 불 때 생성되고, 물결이 위아래로 움직이면서 운동에너지를 만든다. 파도는 바다에서 육지쪽으로 이동하면서 에너지를 잃고 없어지게 된다. 파도가 사라지는 이유를 간섭을 활용하여 설명하고 보고서를 작성해 보자.

관련학과

물리학과, 대기과학과, 지구물리학과, 지구해양학과, 지구환경과학과, 해양학과

활용 자료의 유의점

- 실험 도구 사용법과 안전 수칙을 숙지하고, 실험 기구를 사용해서 물체의 물리량 측정
- 실생활에 사용되는 제품을 통해서 물리학, 화학, 생명과학, 지구과학의 응용분야 모색
- 자연환경과 정보통신 기술에 사용되는 파동의 원리 조사하고, 활용 분야 파악

MEMO

핵심키워드

☐ 무게중심 ☐ 케플러 법칙 ☐ 물질의 상태 ☐ 단진동 ☐ 발열 섬유 ☐ 아두이노
☐ 수분 센서 ☐ 다이오드 ☐ 충전기 ☐ 망원경 ☐ 현미경
☐ 렌즈 ☐ 원자모형 ☐ 오비탈 ☐ 확률분포함수

영역

역학적 상호 작용

성취기준

[12물리Ⅱ01-02] 무게중심에 대한 물체의 평형 조건을 정량적으로 계산하여 간단한 구조물의 안정성을 설명할 수 있다.

▶ 다양한 사례를 통해 알짜힘과 돌림힘의 관계를 정량적으로 파악하여 물체의 평형 조건을 이해하게 한다.

[12물리Ⅱ01-06] 행성의 운동에 대한 케플러 법칙이 뉴턴의 중력 법칙을 만족함을 설명할 수 있다.

[12물리Ⅱ01-10] 포물선 운동과 단진자 운동에서 역학적 에너지가 보존됨을 설명할 수 있다.

탐구주제

4.물리학Ⅱ — 역학적 상호 작용

1. 최근에 사용자의 편리를 위해서 유선청소기가 무선청소기로 바뀌고 있다. 무선청소기의 크기도 대형에서 소형으로 변화하고 기능이 다양해지며 사용하기 쉽게 제작되고 있다. 주변에 있는 무선청소기의 무게중심을 조사해보고, 무게중심의 위치를 어느 곳에 배치해야 사용하기 편리한지 토론해 보자.

관련학과

수학과, 물리학과, 통계학과

2. 케플러의 제1법칙, 2법칙, 3법칙을 조사하고, 각각의 법칙에 숨어있는 수학적 요소를 정리해 보자. 케플러의 법칙에 숨어있는 수학적 개념을 통해서 물리학과 수학의 관계를 고찰해 보자.

관련학과

수학과, 물리학과, 우주과학과, 지구물리학과, 천문우주학과

탐구주제

4.물리학 II — 역학적 상호 작용

3. 물질의 상태는 고체, 액체, 기체로 분류된다. 물(H_2O)은 온도에 따라서 고체, 액체, 기체의 상태로 변화한다. 물(H_2O)의 상태변화를 분자의 단진자 운동과 연결시켜 설명해 보자.

관련학과

물리학과, 화학과

영역 전자기장

성취기준

[12물리 II 02-03] 직류 회로에서 저항의 연결에 따른 전류와 전위차 및 저항에서 소모되는 전기 에너지를 구할 수 있다.

[12물리 II 02-04] 트랜지스터의 증폭 원리를 이해하고, 저항을 이용하여 필요한 바이어스 전압을 정할 수 있다.

▶ 트랜지스터는 '물리학 I '에서 다룬 다이오드의 p 또는 n 접합만 추가하고, 각 단자의 적절한 바이어스 전압을 통한 증폭 작용을 다루고, 저항의 연결을 이용한 전압 분할로 바이어스 전압을 결정할 수 있음을 이해하게 한다.

[12물리 II 02-08] 상호유도를 이해하고, 활용되는 예를 찾아 설명할 수 있다.

▶ 상호유도가 활용되는 예로 변압기를 다룬다.

탐구주제

4.물리학 II — 전자기장

1. 발열 섬유는 발열 내의, 발열 패딩 등 의류에 다양한 기능을 추가하여 활용할 수 있다. 발열 섬유의 작동 원리를 조사해보고, 응용 가능한 분야에 대해서 토론해 보자.

관련학과

물리학과, 의류학과, 의상학과, 화학과

2. 아두이노란 마이크로컨트롤러 보드에 각종 센서를 연결한 후 개발된 소프트웨어를 연결하여 작동시킬 수 있는 개발환경이다. 아두이노에 수분 센서를 연결하고 소프트웨어를 작동시키면 식물에게 물을 자동으로 공급할 수 있다. 아두이노에 토양 센서, 온도 센서, 빛 센서, 물 펌프 등을 사용하여 식물에게 자동으로 물을 공급하는 알고리즘을 작성해 보자.

관련학과

농생물학과, 물리학과, 산림자원학과, 식물자원학과, 생명과학과, 생물학과, 원예학과, 임학과, 통계학과

3. 휴대폰 충전기는 다이오드와 변압기 등 부품으로 구성된다. 최근에는 사용자의 편리를 위해서 유선충전기에서 무선충전기로 바뀌고 있다. 무선충전기의 원리를 조사해보고 장점과 단점을 분석해 보자.

관련학과

물리학과, 화학과

영역

파동과 물질의 성질

성취기준

[12물리 II 03-01] 전자기파의 간섭과 회절을 이해하고 이와 관련된 다양한 예를 조사하여 설명할 수 있다.

[12물리 II 03-04] 볼록 렌즈에서 상이 맺히는 과정을 도식을 이용하여 설명하고, 초점과 상의 관계를 정량적으로 구할 수 있다.

[12물리 II 03-07] 입자의 파동성을 물질파 이론과 전자 회절 실험을 근거로 설명할 수 있다.

탐구주제

4.물리학 II — 파동과 물질의 성질

1 광학망원경은 빛을 이용하여 멀리 있는 물체를 확대해 보는 장치이고, 전파망원경은 천체로부터 입사되는 전파를 수신하는 장치이다. 광학망원경과 전파망원경을 찾아보고 공통점과 차이점을 비교해 보자.

관련학과

물리학과, 우주과학과, 천문우주학과

2 광학현미경은 크기가 작은 생물의 상을 확대시켜서 볼 수 있게 만든 기기이다. 두 개의 볼록렌즈를 사용해서 대물렌즈와 접안렌즈로 구성되어 있다. 광학현미경에서 대물렌즈와 접안렌즈를 통해서 상이 맺히는 과정을 작도해 보자.

관련학과

물리학과, 식물자원학과, 생명과학과, 생물학과, 원예학과

3 원자 모형은 톰슨, 러더퍼드, 보어 등 과학자에 의해 연구되면서 현대의 원자 모형으로 발전했다. 확률분포 함수의 개념을 도입한 오비탈 원자 모형에 대해서 조사해 보자.

관련학과

물리학과, 화학과

활용 자료의 유의점

- 물리 법칙 속에 있는 수학적 요소를 통해서 자연 현상 분석
- 주변 제품 및 첨단 기술에 사용되는 과학 법칙을 찾아보고 토론
- 망원경과 현미경에 사용되는 렌즈의 작동 원리를 통해서 파동의 성질 이해

핵심키워드

☐ 하버·보슈법 ☐ 코로나19 ☐ 합성 섬유 ☐ 탄소 화합물 ☐ 방사성 동위원소 ☐ 오비탈 ☐ 주기율표
☐ 전기 분해 ☐ 화학 결합 ☐ 전자쌍 반발 이론 ☐ 물의 분자 구조 ☐ 석회 동굴
☐ 천연 지시약 ☐ 식초 함량 ☐ 철의 제련 ☐ 발열 식품

영역 화학의 첫걸음

성취기준

[12화학 I 01-01] 화학이 식량 문제, 의류 문제, 주거 문제 해결에 기여한 사례를 조사하여 발표할 수 있다.

▶ 화학이 문제 해결에 기여한 사례를 중심으로 다루며, 화학 반응식을 강조하지 않는다.

[12화학 I 01-02] 탄소 화합물이 일상생활에 유용하게 활용되는 사례를 조사하여 발표할 수 있다.

▶ 일상생활에서 사용하고 있는 메테인, 에탄올, 아세트산 등과 같은 대표적인 탄소 화합물의 구조와 특징을 다루되, 결합각은 다루지 않는다. 또한 탄소 화합물의 체계적 분류, 유도체의 특성, 관련 반응, 방향족 탄화수소, 단백질, DNA 등은 다루지 않는다.

탐구주제

5.화학 I — 화학의 첫걸음

1 '하버·보슈법'은 질소 기체와 수소 기체를 촉매로 사용하여 고온·고압 조건에서 암모니아를 합성하는 방법으로 인류의 굶주림 문제를 해결하는데 큰 공을 세웠다. 공기에서 빵을 만든 과학자라 불리는 '하버'처럼 화학이 식량 문제를 해결한 사례를 조사하여 발표해 보자.

관련학과

농생물학과, 화학과, 식품생명공학과, 식품영양학과, 식물자원학과

2 코로나19와 같은 바이러스 감염을 예방하는 방법으로 30초 이상 손씻기를 강조하고 있으나 시간을 몰라 너무 짧은 시간 동안 손 씻는 경우가 많다. 이러한 문제를 해결하기 위해 30초가 지나면 색깔이 달라지는 세정제, 30초 동안 노래가 흘러나오는 비누 거품기 등 제품이 출시되고 있다. 이러한 사례처럼 디자인 씽킹을 기반으로 하여 일상생활 속 문제를 해결하는 아이디어를 제안해 보자.

관련학과

의생명과학과 외 전 자연계열

3 1939년 '강철보다 강하고, 거미줄보다 얇다'라는 광고 문구로 출시된 나일론은 최초의 합성 섬유이다. 가격이 저렴하고 대량 생산하기 쉬워 의류 문제를 해결한 대표적인 사례이다. 최근에는 다양한 기능성과 환경친화적인 기능성 섬유 소재가 개발되어 의류패션용 이외에 산업용으로도 많이 이용되고 있다. 기능성 섬유 소재의 특성과 제조 방법을 조사해 보고 이러한 소재의 특성을 적용할 산업 분야를 제안해 보자.

관련학과

의류학과, 의상학과 외 전 자연계열

4 생명 활동의 근본이 되는 물질(DNA, RNA 등), 화석 연료, 식량, 플라스틱, 의약품 등 우리 주변의 거의 모든 물질은 탄소 화합물이라 할 수 있다. 이렇게 유용하게 사용되는 탄소 화합물이지만 플라스틱으로 인한 환경 오염, 화석 연료의 사용으로 인한 지구온난화 문제 등 탄소 화합물 사용으로 인해 발생하는 문제점도 많다. 자신의 진로 관심 분야에서 유용하게 이용되는 탄소 화합물 사례를 조사하고, 사용으로 인해 문제점을 분석하여 해결할 수 있는 방안을 제시해 보자.

관련학과

지구환경과학과, 환경생명과학과 외 전 자연계열

영역 원자의 세계

성취기준

[12화학 Ⅰ 02-01] 양성자, 중성자, 전자로 구성된 원자를 원소 기호와 원자 번호로 나타내고, 동위원소의 존재비를 이용하여 평균 원자량을 구할 수 있다.

[12화학 Ⅰ 02-02] 양자수와 오비탈을 이용하여 원자의 현대적 모형을 설명할 수 있다.

▶ 양자수 사이의 관계와 규칙을 s, p 오비탈 모양과 관련지어 설명하되, 각 양자수의 물리적 의미를 강조하지는 않는다. 현대적 원자 모형에서 파동 함수, 확률 밀도 함수, 확률 분포 함수는 다루지 않는다.

[12화학 Ⅰ 02-04] 현재 사용하고 있는 주기율표가 만들어지기까지의 과정을 조사하고, 발표할 수 있다.

탐구주제

① 동위원소는 원자 번호가 같으나 질량수가 다른 원소이다. 자연계에는 다양한 동위원소가 존재하며 그중 방사성 동위원소들은 '핵의학' 등 다양한 분야에서 이용된다. '핵의학'이란 방사성 동위원소를 이용하여 환자의 진단과 치료에 이용하는 분야이다. 공업, 산업, 의료 등 다양한 분야에서 동위원소가 이용되는 사례와 그 과학적 원리를 조사해 보자.

관련학과

의생명과학과, 화학과 외 전 자연계열

② '오비탈'은 원자핵 주위에 전자 발견 확률을 나타내는 함수이다. 전자 분포 모양에 따라 공 모양을 s오비탈, 아령 모양을 p오비탈이라고 한다. 현대적 원자 모형에서 오비탈이 도입된 배경과, 오비탈이 수학적으로 어떤 의미가 있는지 탐구해 보자.

관련학과

수학과, 통계학과, 화학과, 물리학과

③ 세 쌍 원소설, 옥타브설, 멘델레예프, 모즐리 등 현대에 주기율표가 만들어지기까지 공헌한 과학자들의 탐구 방법과 역사를 조사해 보자. 밀물과 썰물 시간, 달의 위상 변화 등 일상생활에서 주기율표처럼 주기성을 가진 사례를 찾아보고 발표해 보자.

관련학과

천문우주학과, 지구환경과학과 외 전 자연계열

④ 2019년은 UN이 멘델레예프 원소 주기율표 150년을 기념하기 위한 '국제 주기율표의 해'였다. 60여 개의 발견된 원소로 주기율표의 기반을 만든 멘델레예프 이후 인류는 꾸준히 새로운 원소를 발견하고 합성하여 새로운 원소를 만들 수 있게 되었다. 현재까지 발견된 원소는 118개에 달한다. 학급 구성원들과 출석 번호에 해당하는 원소 기호의 유래, 특성, 이용되는 사례 등을 조사하고, 시각적으로 인식하기 좋도록 인포그래픽이나 비주얼 씽킹으로 표현해 보자.

관련학과

화학과, 자원학과 외 전 자연계열

영역 화학 결합과 분자의 세계

성취기준

[12화학 Ⅰ 03-01] 실험을 통해 화학 결합의 전기적 성질을 설명할 수 있다.

▶ 물의 전기 분해 실험은 전기 분해의 원리에 초점을 두기보다는 물이 전기 에너지로 쉽게 분해될 수 있음을 강조하여 수소와 산소 사이의 화학 결합이 전기적 인력에 의한 것임을 다룬다.

[12화학 Ⅰ 03-02] 이온 결합의 특성과 이온 화합물의 성질을 설명하고 예를 찾을 수 있다.

▶ 이온 결합의 형성 과정을 이온의 거리 변화로 다루며, 이온 결정이 물에 녹아 이온이 생기는 것이 아니라 이온 결정 자체가 이온으로 구성되어 있음을 다룬다.

[12화학 I 03-03] 공유 결합, 금속 결합의 특성을 이해하고 몇 가지 물질의 성질을 결합의 종류와 관련지어 설명할 수 있다.

▶ 금속 결합의 특성은 자유 전자에 의한 전자 바다와 전도성, 연성, 전성으로 제한하며, 에너지 밴드 이론과는 연계하지 않는다. 이온 결합, 공유 결합, 금속 결합의 상대적 세기 비교는 이온 결정, 공유 결정, 금속 결정의 녹는점을 비교하는 수준으로 다룬다.

[12화학 I 03-06] 전자쌍 반발 이론에 근거하여 분자의 구조를 모형으로 나타낼 수 있다.

[12화학 I 03-07] 물리적, 화학적 성질이 분자 구조와 관계가 있음을 설명할 수 있다.

탐구주제

5.화학 I — 화학 결합과 분자의 세계

1 물을 전기 분해하면 수소와 산소가 분해되어 나온다. 수소는 화석 연료와 달리 이산화 탄소 등 환경 오염 물질을 발생하지 않아 차세대 신재생 에너지원으로 인정받으며 다양한 분야에서 이용하고 있다. 전기 분해의 과학적 원리와 적용 분야를 탐구하여 보고서를 작성해 보자.

관련학과

화학과, 물리학과 외 전 자연계열

2 화학 결합은 이온 결합, 공유 결합, 금속 결합이 있다. 화학 결합의 종류에 따라 물질의 특성이 결정된다. 금속 결합으로 이루어진 금속 결정은 연성과 전성이 좋아 금박, 철사 등으로 이용된다. 이렇듯 화학 결합에 따라 물질의 특성이 달라지는 이유와 우리 주변에서 이용되는 사례를 조사하여 발표해 보자.

관련학과

화학과, 지원학과 외 전 자연계열

3 중심 원자의 전자쌍들이 반발력을 최소로 하여 배치되는 것이 '전자쌍 반발 이론' 이다. 중심 원자 주위의 전자쌍이 2개이면 180°의 각도가 유지되어야 반발력이 최소화되기 때문에 선형의 분자 구조를 갖게 된다. 물, 이산화 탄소, 메테인 등 우리 주변에 있는 분자들의 구조를 알아보고, 이러한 구조를 갖는 이유를 전자쌍 반발 이론으로 설명해 보자.

관련학과

화학과, 물리학과, 수학과 외 전 자연계열

4 대부분의 물질은 고체가 되면 부피가 감소하고 밀도가 증가하여 가라앉는데 물은 얼음이 되면 부피가 증가하고 밀도가 감소한다. 페트병에 든 물을 얼리면 부피가 팽창하고, 겨울이 되면 강의 표면부터 얼어 물속의 물고기들이 생활할 수 있는 사례가 있다. 이러한 현상을 물의 분자 구조와 연관 지어 설명해 보자. 또한 만약 물의 구조가 이산화 탄소처럼 선형이라면 지구 환경이 어떻게 변화했을지 예측해 보자.

관련학과

지구환경과학과 외 전 자연계열

영역

역동적인 화학 반응

성취기준

[12화학 I 04-01] 가역 반응에서 동적 평형 상태를 설명할 수 있다.

▶ 용해 평형, 상평형 현상 등을 가역 반응의 예로 들어 동적 평형 상태를 정성적으로 다룬다.

[12화학 I 04-02] 물의 자동 이온화와 물의 이온화 상수를 이해하고, 수소 이온의 농도를 pH로 표현할 수 있다.

[12화학 I 04-03] 산·염기 중화 반응을 이해하고, 산·염기 중화 반응에서의 양적 관계를 설명할 수 있다.

▶ 중화 적정은 식초 속의 아세트산 함량을 확인하는 것으로 제한하며 적정 곡선과 완충 용액은 다루지 않는다.

[12화학 I 04-05] 산화·환원을 전자의 이동과 산화수의 변화로 설명하고, 산화수를 이용하여 산화·환원 반응식을 완성할 수 있다.

▶ 산화제와 환원제는 특정 산화·환원 반응에서 상대적 세기에 의해 결정되는 것임을 강조한다.

[12화학 I 04-06] 화학 반응에서 열의 출입을 측정하는 실험을 수행할 수 있다.

▶ 화학 반응의 열 출입에서 열화학 반응식, 엔탈피, 반응열을 다루지 않는다.

탐구주제

1 가역 반응의 대표적 사례로 석회 동굴의 형성을 들 수 있다. 탄산 칼슘($CaCO_3$)이 주성분인 석회암 지대가 빗물에 의해 녹아 동굴이 생기고, 오랜 세월 동안 그 역반응이 진행되며 종유석, 석순, 석주가 형성되어 아름다운 동굴의 모습을 갖추게 된다. 이렇듯 우리 생활 주변에서 가역 반응 사례를 찾아 그 과학적 원리를 탐구하여 보고서를 작성해 보자.

관련학과

지구환경과학과 외 전 자연계열

2 깨끗한 비의 pH는 5.6으로 약산성이다. pH 5.6 미만을 산성비라 한다. 깨끗한 비가 약산성을 띠는 이유와 산성비 생성 이유, 산성비로 인해 자연과 인간에 어떠한 피해가 발생하고 있는지 조사해 보자. 또한 이러한 피해를 막기 위한 방법을 과학적 근거를 가지고 제안해 보자.

관련학과

지구환경과학과 외 전 자연계열

3 지시약은 수용액의 pH에 따라 색이 달라지는 물질로 중화 적정에 쓰인다. 흔히 페놀프탈레인과 BTB 등이 사용되는데 적색 양배추, 비트, 포도 껍질 등 자연에서 얻을 수 있는 천연 지시약도 존재한다. 블루멜로우는 산성에서 붉은색, 중성에서 파란색, 염기성에서 녹색을 띠는 특성을 이용해 칵테일 등 음료 제조에 쓰이기도 한다. 이러한 천연 지시약의 종류와 그 과학적 원리를 알아보자. 또한 가정에 있는 다양한 재료로 실험을 설계하고 수행하여 보고서를 작성해 보자.

관련학과

화학과, 식물자원학과 외 전 자연계열

4 식초는 신맛이 나며 그 신맛이 나는 이유는 아세트산 때문이다. 일반 식초의 경우 3~5% 아세트산이 함유되어 있다. 시중에 시판되는 식초 중 2배 식초, 3배 식초 등이 판매되고 있는데 일반 식초, 2배 식초, 3배 식초의 아세트산 함량을 중화 적정 실험을 통해 함량을 알아보고, 2배, 3배의 수치적 의미를 정확히 분석하여 보고서를 작성해 보자.

관련학과

식품영양학과, 화학과, 수학과 외 전 자연계열

5 철은 강하고 제조가 쉬워 건축물, 자동차 차체 등 일상생활에서 많이 이용되고 있다. 하지만 철의 가장 큰 단점은 부식되어 녹이 생성된다는 점이다. 이를 방지하기 위해 기름을 칠하거나 페인트를 칠하고, 합금을 이용하거나 음극화 보호법을 사용하기도 한다. 녹이 생성되는 과학적 원리를 산화 환원으로 설명하고, 다양한 철의 부식 방지법을 탐구해 보자.

관련학과

화학과, 자원학과 외 전 자연계열

6 코로나19로 인해 우리나라 철 생산량이 15.4% 감소했지만 미국, 일본, 인도의 생산 감소량에 비하면 덜 줄은 수치로, 우리나라 철 생산량은 2019년과 동일하게 철 생산량 세계 6위로 전망하고 있다. 우리나라 주요 산업인 철의 제련은 대표적인 산화·환원 반응이다. 코크스를 환원제로 이용하여 철광석에 들어있는 산화철을 철로 환원시킨다. 이러한 사례처럼 산업이나 일상생활에 이용되는 산화·환원 반응 사례와 그 과학적 원리를 탐구하여 보고서를 작성해 보자.

관련학과

화학과, 자원학과, 통계학과 외 전 자연계열

7 최근 코로나19로 인해 가족끼리 야외에서 캠핑을 즐기는 사람이 급격하게 늘어나고 전투 식량에 이용되었던 발열 식품이 큰 인기를 끌고 있다. 간편하게 사용되는 발열 식품의 원리를 탐구하고, 발열 식품 이외의 열의 출입을 이용한 장치를 고안해 보자.

관련학과

화학과, 식품영양학과 외 전 자연계열

활용 자료의 유의점

- 기초 탐구 과정(관찰, 분류, 측정, 예상, 추리, 의사소통 등)과 통합 탐구 과정(문제 인식, 가설 설정, 변인 통제, 자료 해석, 결론 도출, 일반화 등), 수학적 사고와 컴퓨터 활용, 모형의 개발과 사용, 증거에 기초한 토론과 논증 등 기능을 학습 내용과 연결
- 화학 및 화학 관련 사회적 쟁점을 활용한 과학 글쓰기와 토론을 통하여 과학적 사고력 및 과학적 의사소통능력을 함양
- 화학 이론이 첨단 과학기술이나 일상생활에 적용된 사례와 화학자 이야기, 과학사, 시사성 있는 화학 내용 등을 활용
- 과학의 잠정성, 과학적 방법의 다양성, 과학 윤리, 과학·기술·사회의 상호 관련성, 과학적 모델의 특성 등 과학의 본성과 관련된 내용을 탐구

핵심키워드

☐ 원유의 분별 증류 ☐ 농도 ☐ 기체온도계 ☐ 수소 결합 ☐ 끓는점 ☐ 어는점 내림 ☐ 삼투압 ☐ 엔탈피
☐ 르샤틀리에의 원리 ☐ 상평형 그림 ☐ 피의 pH ☐ 탄소 연대 측정법 ☐ 세포 크기
☐ 항아리 냉장고 ☐ 생체 효소 ☐ 배터리 ☐ 도금 ☐ 연료 전지

영역

물질의 세 가지 상태와 용액

성취기준

[12화학Ⅱ01-01] 기체의 온도, 압력, 부피, 몰수 사이의 관계를 설명할 수 있다.

[12화학Ⅱ01-04] 분자 간 상호 작용을 이해하고, 분자 간 상호 작용의 크기와 끓는점의 관계를 설명할 수 있다.

[12화학Ⅱ01-05] 물의 밀도, 열용량, 표면 장력 등 성질을 수소 결합으로 설명할 수 있다.

[12화학Ⅱ01-06] 액체의 증기압과 끓는점의 관계를 설명할 수 있다.

[12화학Ⅱ01-08] 퍼센트 농도, ppm 농도, 몰랄 농도의 의미를 이해하고, 여러 가지 농도의 용액을 만들 수 있다.

[12화학Ⅱ01-09] 묽은 용액의 증기압 내림, 끓는점 오름, 어는점 내림을 이해하고, 일상생활의 예를 들 수 있다.

[12화학Ⅱ01-10] 삼투 현상을 관찰하고, 삼투압을 설명할 수 있다.

탐구주제

6.화학Ⅱ — 물질의 세 가지 상태와 용액

1 무극성 분자의 경우 분자 크기가 클수록 분산력이 증가하기 때문에 끓는점이 높아진다. 이러한 원리를 이용하여 석유 화학 산업에서 원유를 LPG, 나프타, 등유, 아스팔트 등으로 분류하는데 사용한다. 이처럼 분자간 상호 작용 크기를 이용한 사례와 과학적 원리를 조사해 보자.

관련학과

화학과, 물리학과 외 전 자연계열

2 음료의 성분 함량 표시에는 퍼센트 농도를, 공기 중 오존은 ppm 농도를 사용한다. 일상생활에서 사용하는 다양한 농도 표시 방법을 알아보고, 농도의 수학적 개념과 해당 농도 단위를 사용하는 이유를 조사해 보자. 또한 화학 실험이나 화학 산업에서 실생활에 주로 사용하는 퍼센트 농도가 아닌 몰농도와 몰랄 농도를 사용하는 이유를 조사하여 발표해 보자.

관련학과

화학과, 통계학과 외 전 자연계열

3 최초의 온도계는 갈릴레이가 만든 '기체온도계'이다. 포도주를 넣은 주전자에 유리관을 거꾸로 넣고 온도가 높아지면 부피가 팽창하는 '샤를의 법칙'이 적용된 것이다. 이후 액체 온도계인 알코올 온도계와 수은 온도계가 만들어지면서 정확한 온도측정이 가능하게 되었다. 온도에 따른 부피 변화를 이용한 사례와 그 과학적 원리를 조사해 보자.

관련학과

생명과학과, 수학과 외 전 자연계열

4 물 분자 사이의 수소 결합은 결합이 강하기 때문에 표면 장력이 크게 나타난다. 풀잎에 이슬이 둥근 모양을 하고 소금쟁이가 물 위에 뜰 수 있는 것도 물의 표면 장력이 크기 때문이다. 커다란 나무의 나뭇잎까지 중력을 거슬러 물이 올라갈 수 있는 이유 중 하나는 물의 표면 장력으로 인한 모세관 현상 때문이다. 주변 자연 현상 중 물의 수소 결합으로 인해 나타나는 사례를 탐구해 보자.

관련학과

생명과학과, 지구환경과학과 외 전 자연계열

5 외부 압력과 액체의 증기압이 같아져 끓기 시작하는 온도를 끓는점이라 한다. 외부 압력이 낮아지면 끓는점이 낮아지므로 산 위에 올라가 밥을 하게 되면 밥이 설익게 된다. 이를 방지하기 위해 돌을 뚜껑 위에 올려놓고 밥을 하면 된다. 이처럼 외부 압력에 따른 끓는점 변화를 이용한 사례와 과학적 원리를 조사하여 발표해 보자.

관련학과

지구환경과학과 외 전 자연계열

6 눈이 많이 오면 제설제를 뿌린다. 소금을 사용하면 어는점이 -21℃ 까지 내려가고, 염화 칼슘을 사용할 경우 -55℃ 까지 어는점이 내려간다고 한다. 제설제는 '묽은 용액의 어는점 내림'을 이용한 사례이다. 묽은 용액의 특성(증기압 내림, 끓는점 오름, 어는점 내림, 삼투압)을 이용한 일상생활 사례를 탐구해 보자.

관련학과

지구환경과학과, 화학과 외 전 자연계열

7 '삼투압'은 농도가 낮은 곳에서 높은 곳으로 물이 이동하면서 생긴다. 김장할 때 소금물에 배추를 절이는 것이 삼투압을 이용한 대표적인 사례이다. 바다에 직접 닿아 있는 사막 국가에서 물 부족 문제를 해결하기 위해 '역삼투압'을 이용해 바닷물에서 식수로 만드는 기술을 이용하기도 한다. 삼투압을 이용한 일상생활 사례를 발표해 보자.

관련학과

식품영양학과, 해양학과 외 전 자연계열

영역

반응 엔탈피와 화학 평형

성취기준

[12화학Ⅱ02-01] 열화학 반응식을 엔탈피를 이용하여 표현할 수 있다.

▶ 화학 반응에서 열의 출입에 관련된 내용으로 제한하며, 열역학적 함수로서의 엔탈피는 다루지 않는다.

[12화학Ⅱ02-04] 농도, 압력, 온도 변화에 따른 화학 평형의 이동을 관찰하고 르샤틀리에 원리로 설명할 수 있다.

[12화학Ⅱ02-05] 상평형 그림을 이용하여 물질의 상태 변화를 설명할 수 있다.

[12화학Ⅱ02-07] 완충 용액이 생체 내 화학 반응에서 중요함을 설명할 수 있다.

▶ 완충 용액의 작용을 설명할 때, 복잡한 pH 계산보다 생체 내 화학 반응에서 완충 용액의 중요성을 정성적으로 다룬다.

탐구주제

6.화학Ⅱ — 반응 엔탈피와 화학 평형

1. 더운 여름날 길에 물을 뿌리면 시원해진다. 그 이유는 물이 수증기로 변하는 과정에서 열을 흡수했기 때문이다. 에스키모인들은 추울 때 이글루의 벽면에 물을 뿌린다고 한다. 그러면 물이 얼면서 열을 방출하여 따뜻해진다. 열의 출입과 관련된 일상생활 속 사례를 조사하여 엔탈피의 변화로 설명해 보자.

관련학과

지구환경과학과 외 전 자연계열

2. '르샤틀리에의 원리'는 외부 조건(온도, 압력, 농도 등)을 변화시키면 그것을 상쇄하는 방향으로 이동한다는 것이다. 질소와 수소로 암모니아를 합성($N_2 + 3H_2O \rightleftarrows 2NH_3$)할 때 압력을 증가시키면 분자수가 적은 방향인 정반응으로 이동하여 암모니아 생산량이 증가한다. 이러한 방법으로 산업 현장에서 생산량을 증가시키기 위해 르샤틀리에의 원리가 이용된다. 일상생활이나 산업에서 르샤틀리에의 원리가 적용된 다른 사례를 조사하여 보고서를 작성해 보자.

관련학과

화학과, 물리학과 외 전 자연계열

3. 대기압(1기압)에서 이산화 탄소는 액체 상태를 볼 수 없고 승화성을 갖게 되는데 그 이유는 상평형 그림을 보면 알 수 있다. 이산화 탄소의 삼중점이 5.1기압, -56.6℃ 정도이기 때문에 이산화 탄소의 액체 상태를 보기 위해서는 5.1기압 이상의 조건을 만들어야 한다. 이렇듯 상평형 그림을 보면 승화성과 같은 물질의 특성뿐만 아니라 외부 압력에 따라 녹는점과 끓는점도 알 수 있다. 여러 가지 물질의 상평형 그림을 분석하여 물질의 특성을 발표해 보자.

관련학과

화학과, 물리학과 외 전 자연계열

4 우리가 자주 섭취하는 식초의 pH는 약 2.4~3.5이고, 콜라의 pH는 2.59로 산성이다. 우리는 산성 식품을 아무리 많이 섭취해도 우리 몸의 피의 pH는 7.4로 거의 변화없이 중성에 가까운 수치를 보인다. 피처럼 산과 염기를 추가해도 pH의 변화가 거의 없는 용액을 완충 용액이라 한다. 우리 몸의 피와 같이 완충 용액의 필요성과 그 과학적 원리에 대하여 조사하여 발표해 보자.

관련학과

생명과학과, 화학과, 식품생명공학과

영역

반응 속도와 촉매

성취기준

[12화학 II 03-03] 1차 반응의 반감기를 구할 수 있다.

▶ 반응 속도 및 반감기를 구하는 활동은 복잡한 계산보다 원리의 이해를 중심으로 다룬다.

[12화학 II 03-05] 농도에 따라 반응 속도가 달라짐을 설명할 수 있다.

▶ 농도에 따른 반응 속도 변화는 1차 반응으로 제한하여 다룬다.

[12화학 II 03-06] 온도에 따라 반응 속도가 달라짐을 설명할 수 있다.

[12화학 II 03-07] 촉매가 반응 속도를 변화시킬 수 있음을 설명할 수 있다.

[12화학 II 03-08] 촉매가 생명 현상이나 산업 현장에서 중요한 역할을 하는 예를 찾을 수 있다.

탐구주제

6.화학 II — 반응 속도와 촉매

1 질량수 14인 방사성 동위원소의 조성비와 반감기를 이용하여 연대를 측정하는 방법을 '탄소 연대 측정법'이라 한다. 이 방법은 1949년 물리화학자 '리비'가 대기 중에 존재하는 질량수 14 탄소의 생성 체계를 밝혔으며 이를 유기물이 포함되어 있는 고고학 유물의 절대 연대를 측정하는데 사용되고 있다. 반응 속도 및 반감기를 구하는 방법을 이해하고 고고학 이외에도 다양한 분야에서 반응 속도와 반감기가 이용되는 사례를 조사해 보자.

관련학과

지구환경과학과, 수학과 외 전 자연계열

2 각설탕보다 가루 설탕이 잘 녹는다. 그 이유는 표면적이 넓을수록 반응 속도가 증가하기 때문이다. 표면적을 넓혀 영양분과 노폐물의 교환이 쉽게 일어나도록 세포의 크기와 모양도 결정되었다고 볼 수 있다. 가느다란 신경 세포, 납작한 모양의 적혈구, 소장의 융털이 그 사례이다. 이처럼 우리 주변에서 표면적, 압력, 농도를 조절하여 반응 속도 조절 사례를 조사하고, 그 과학적 원리와 효용성에 대하여 발표해 보자.

관련학과

생물학과, 수학과 외 전 자연계열

3 온도가 높으면 반응 속도가 빨라진다. 이러한 이유로 여름에 쉽게 음식물이 상하기 때문에 우리는 냉장고를 이용한다. 반면 전기가 없고 더운 환경의 아프리카 일부 지역의 경우 음식물 보관에 어려움을 겪어왔다. 나이지리아의 교사인 '모하메드 바 아바'는 기화열을 이용하여 온도를 낮춘 '항아리 냉장고'를 고안하여 이 문제를 해결했다. 이처럼 사회 공동체의 필요, 문화, 환경적 조건을 고려해 만들어진 기술을 '적정기술'이라 한다. '항아리 냉장고'처럼 과학적 원리를 적용하여 세상을 따뜻하게 하는 기술을 고안해 보자.

관련학과

화학과 외 전 자연계열

4 20세기 이후 석유 화학에 기반을 둔 산업이 급격하게 발달하게 되었는데 촉매가 없다면 아예 합성이 안되거나 반응 속도가 너무 느려 효율성이 떨어져 생산할 수 없었을 것이다. 대표적인 사례로 식량 문제를 해결한 암모니아 합성법인 '하버·보슈법'은 철을 촉매로 사용했다. 최근 촉매는 화학 분야뿐만 아니라 전기·전자, 생활용품, 금속, 바이오, 신약 등 다양한 곳에 이용되고 있다. 자신의 진로 희망과 관련 있는 촉매 이용 분야에 대하여 조사하여 발표해 보자.

관련학과

화학과 외 전 자연계열

5 1673년 '레벤후크'가 제작한 현미경에 의해서 미생물이 최초로 발견되었고, 1864년 '파스퇴르'에 의해 발효나 부패가 미생물에 의해서 발생한다는 것을 알게 되었다. 포도주, 치즈, 김치, 된장 등 발효 식품에 미생물 효소가 이용된다. 이러한 미생물 효소를 최근 화학촉매를 대신하여 사용되고 있다. 이러한 '생체 촉매'가 산업에서 각광 받고 있는 이유와 적용 분야에 대하여 탐구하여 보고서를 작성해 보자.

관련학과

식품생명공학과, 화학과 외 전 자연계열

영역 전기 화학과 이용

성취기준

[12화학 II 04-01] 화학 전지의 작동 원리를 산화·환원 반응으로 설명할 수 있다.

▶ 화학 전지에서는 산화·환원 반응을 통하여 전기 에너지가 만들어지는 원리를 강조하여 다룬다.

[12화학 II 04-02] 전기 분해의 원리를 산화·환원 반응으로 설명할 수 있다.

[12화학 II 04-03] 수소 연료 전지가 활용되는 예를 조사하여 설명할 수 있다.

탐구주제

1 화학 전지의 역사는 1780년 해부학 교수 갈바니가 해부한 개구리 다리가 해부칼에 닿자 경련이 발생하는 것을 관찰한 후 동물 신경 속에 전기가 숨어 있다고 생각한 '동물 전기'가 그 시작이었다. 그러나 볼타는 갈바니의 주장에 맞서 서로 다른 종류의 두 금속이 접촉하면 생성된다는 것을 알게 되었고 '볼타 전지'를 고안하여 최초의 화학 전지를 만들어냈다. 현재 자동차에 쓰이는 납축전지, 일반 건전지에 쓰이는 니켈-카드뮴 전지, 핸드폰 배터리에 쓰이는 리튬 이온 전지 등 다양한 화학 전지가 사용되고 있다. 이러한 화학 전지의 원리를 종류별로 분석하여 보고서를 작성해 보자.

관련학과

화학과, 물리학과 외 전 자연계열

2 예전 핸드폰은 배터리 교체형으로 예비 배터리를 가지고 다녔지만 최근 출시되는 스마트폰의 경우 배터리가 일체형으로 되어있어 구매할 때 고려 사항으로 배터리 사용시간도 중요해졌다. 배터리의 크기가 스마트폰의 크기가 두께에도 큰 영향을 주기 때문에 배터리 기술 발전이 중요하다. 니켈-카드뮴, 리튬-폴리머 등 다양한 충전용 배터리가 존재하는데 스마트폰 배터리에 리튬 이온이 사용되는 이유가 무엇인지 조사해보고 앞으로 화학 전기 개발 및 발전 방향에 대하여 토의해 보자.

관련학과

화학과, 물리학과 외 전 자연계열

3 전기 분해를 이용하여 금속 물질 위에 은이나 금 등 다른 금속 물질로 얇게 씌우는 과정을 전기 도금이라 한다. 가격을 낮추기 위해 금이나 은으로 도금된 악세사리를 만들 때 사용되고, 자동차 휠에 경도를 높이고 외관을 아름답게 하기 위해 크롬을 도금하기도 한다. 이처럼 일상생활에서 전기 도금 이용 사례와 그 과학적 원리를 탐구하여 발표해 보자.

관련학과

화학과, 물리학과 외 전 자연계열

4 물의 전기 분해 역반응을 이용한 것이 연료 전지이다. 수소와 산소의 화학 반응을 통해 전기를 생산하는 신재생 에너지로 1960년 미국 NASA의 우주선에 전기와 물을 공급하는 장치로 처음 이용되었다. 연료 전지는 조력, 풍력 등을 이용한 대체에너지와 달리 기존 화석 연료 에너지 인프라를 이용할 수 있는 장점을 가져 이용 가치가 높다고 평가되어 활발히 개발되고 있다. 연료 전지의 과학적 원리와 장단점을 다른 신재생 에너지와 비교 분석하여 발표해 보자.

관련학과

천문우주학과, 지구물리학과 외 전 자연계열

활용 자료의 유의점

- (!) 기초 탐구 과정(관찰, 분류, 측정, 예상, 추리, 의사소통 등)과 통합 탐구 과정(문제 인식, 가설 설정, 변인 통제, 자료 해석, 결론 도출, 일반화 등), 수학적 사고와 컴퓨터 활용, 모형의 개발과 사용, 증거에 기초한 토론과 논증 등 기능을 학습 내용과 연결
- (!) 화학 내용과 관련된 기술, 공학, 예술, 수학 등 다른 교과와 연계하여 탐구
- (!) 학습 내용과 관련된 첨단 과학기술을 찾아보고 현대 생활에서 첨단 과학이 갖는 가치와 잠재력을 인식

핵심키워드

☐ 바이러스 ☐ 팬데믹 ☐ 융합과학 ☐ 분자육종 ☐ 미토콘드리아 ☐ ATP ☐ 기관계 ☐ 대사성 질환
☐ 커피 ☐ 약물남용 ☐ 세포운명전환 기술 ☐ 환경호르몬 ☐ 코로나19 진단키트 ☐ 항원항체반응
☐ 헬라세포 ☐ 우생학 ☐ 유전자가위 ☐ 생물종의 다양성 ☐ LMO

영역

생명과학의 이해

성취기준

[12생과 I 01-01] 생물의 특성을 이해하고, 생물과 비생물의 차이점을 설명할 수 있다.

▶ 생물과 비생물을 대상으로 구조와 기능적인 면에서의 공통점과 차이점을 스스로 찾아 정리하는 활동을 함으로써 생명에 대한 이해도를 높이도록 한다.

[12생과 I 01-02] 생명과학의 통합적 특성을 이해하고, 다른 학문 분야와의 연계성을 예를 들어 설명할 수 있다.

▶ 생명과학이 살아있는 생명체의 특성을 다루고 있어 타 학문 분야와 차이가 있지만 현대 생명과학 분야의 성과는 여러 학문 분야의 성과와 결합되어 나타난다는 것을 이해하도록 한다.

탐구주제

7.생명과학 I — 생명과학의 이해

1 박테리오파지 모형을 제작하여 박테리오파지의 증식과정을 설명하고, 최초 바이러스의 발견과 인류의 삶을 위협한 인수공통 전염병*의 역사에 대해 정리하여 발표해 보자.

*인수공통 전염병: 동물로부터 인간에게 감염되는 병을 의미함

관련학과

동물자원학과, 생명과학과, 생물학과, 수의학과, 의생명과학과, 축산학과

2 바이러스는 핵산과 단백질 껍질로 구성되어 있으며 숙주 세포 내에서만 물질대사를 하고 증식하는 생물적 특성과 비생물적 특성을 모두 갖고 있다. 전염병의 최고 경고 등급인 6단계 팬데믹(pandemic, 전염병의 대유행)을 초래한 신종 코로나바이러스의 생물적 특성과 비생물적 특성에 대해 정리하고, 코로나바이러스의 돌연변이가 잘 나타나는 원인을 규명해 보자.

관련학과

생명과학과, 생물학과, 의생명과학과

3 생명과학은 지구에 살고 있는 생물의 기원, 구조, 기능, 생식과 유전 등을 포함하는 자연과학의 성격과 인간 현상을 탐구하는 사회과학의 성격을 모두 가지고 있다. '바이오아트(BioArt)'는 생명체를 다루는 생물학과 예술이 융합한 현대 예술의 새로운 장르이다. 유전자 변형 기술을 적용, 환경보전을 위한 원료 개발 등 바이오아트 작가의 작품과 제작과정 등을 수집하여 PPT로 제작하고 발표해 보자.

관련학과

생명과학과, 생물학과, 의생명과학과, 지구환경과학과, 환경생명화학과

4 분자육종이란 농작물이나 가축을 개량하여 실용가치를 높여 우수하고 새로운 품종으로 개량하고 증식하는 전통적인 육종기술에 분자생물학을 접목시킨 최신 기술을 의미한다. 특히 육종기술과 비교하여 분자육종 기술의 활용 분야와 장점, IT 기술을 접목한 미래가치 등에 대해 정리하여 발표해 보자.

관련학과

농생물학과, 산림자원학과, 생명과학과, 생물학과, 식물자원학과, 원예학과

영역 사람의 물질대사

성취기준

[12생과 Ⅰ 02-01] 물질대사 과정에서 생성된 에너지가 생명 활동에 필요한 ATP로 저장되고 사용됨을 이해하고, 소화, 호흡, 순환 과정과 관련되어 있음을 설명할 수 있다.

▶ 물질대사에서 에너지가 ATP로 저장되고 사용된다는 수준에서 다룬다.

[12생과 Ⅰ 02-02] 세포 호흡 결과 발생한 노폐물의 배설 과정을 물질대사와 관련하여 설명할 수 있다.

▶ 세포 호흡 과정에서 발생한 노폐물이 배출되는 과정을 호흡, 순환, 배설과 연계하여 통합적으로 다룬다.

[12생과 Ⅰ 02-03] 물질대사와 관련 있는 질병을 조사하고, 대사성 질환을 예방하기 위한 올바른 생활 습관에 대해 토의하고 발표할 수 있다.

탐구주제

1 미토콘드리아는 세포 호흡을 통해 우리가 움직이는 데 필요한 에너지를 만들어낸다. 대다수의 과학자들은 독립된 생명체였던 박테리아 같은 원핵생물들이 사람의 세포에 들어와 자리를 잡은 뒤에 미트콘드리아라는 세포 소기관으로 분화했다는 '세포공생설'을 정설로 받아들인다. 미트콘트리아의 세포공생설에 대한 찬성과 반대에 대한 입장을 선택하여 근거를 제시하고 토론해 보자.

관련학과

생명과학과, 생물학과, 의생명과학과

2 1960년대 고가 상품이자 대표적인 기호 식품이었던 설탕은 최근 건강에 좋지 않은 대표 음식으로 자리 잡았다. 그러나 건강식으로 알려진 꿀, 천연 시럽 등은 설탕과 마찬가지로 체내에 들어오면 포도당으로 전환되어 에너지를(ATP)를 생성하는 역할을 한다. 생명 활동의 기본적인 에너지 단위인 ATP를 생성하는 설탕과 꿀의 영양성분을 분석하고 건강에 좋지 않다는 의견에 대해 자신의 생각을 발표해 보자.

관련학과

식품공학과, 식품생명공학과, 식품영양학과

3 사람의 몸에서 소화계, 호흡계, 순환계, 배설계는 에너지를 생성하고 노폐물을 배설하는 과정에서 고유의 기능을 수행하면서 서로 연결되어 통합적으로 작용한다. 각 기관계의 기능에 대한 흐름도를 정리하고 PPT로 제작하여 발표해 보자.

관련학과

동물자원학과, 수의학과, 생명과학과, 생물학과, 의생명과학과

4 대사성 질환은 체내에서 일어나는 물질대사의 이상으로 발생하는 질환이다. 대사성 질환은 비만이나 운동부족, 영양 과잉 등 에너지 불균형으로 발생하기 때문에 식이요법과 운동요법 등을 통하여 에너지 섭취량과 에너지 소비량의 균형을 유지할 수 있는 생활 습관을 길러야 한다. 한국건강관리협회(www.kahp.or.kr) 사이트를 접속하여 건강한 생활 습관을 위해 지녀야 할 비만관리, 영양, 운동, 스트레스, 금연·절주 항목을 조사하여 정리해 보자.

관련학과

생명과학과, 의생명과학과

5 현대경제원구원이 발표한 '커피산업의 5가지 트렌드 변화와 전망(2019.07.)'에 따르면 우리나라 원두 소비량은 2018년 기준 15만 톤으로 세계 6위 수준이며, 20세 이상 인구의 1인당 커피 소비량은 연간 353잔으로 세계 인구의 1인당 소비량의 약 3배가 넘는 수준으로 나타났다. 한국인들의 커피 소비량이 갑자기 증가한 이유를 분석하고, 커피로 인해 발생할 수 있는 대사성 질환에 대해 조사해 보자.

관련학과

생명과학과, 생물학과, 식품공학과, 식품생명공학과, 식품영양학과

영역

항상성과 몸의 조절

성취기준

[12생과Ⅰ03-01] 활동 전위에 의한 흥분의 전도와 시냅스를 통한 흥분의 전달을 이해하고, 약물이 시냅스 전달에 영향을 미치는 사례를 조사하여 발표할 수 있다.

▶ 자극과 반응 사이에 정보를 전달하는 신경계의 구조와 종류는 중학교 1~3학년군의 '자극과 반응' 단원에서 다루었으므로 흥분의 전도와 전달 과정을 중심으로 다룬다. 사례 조사 시 각성제, 환각제, 진정제 등이 신경계의 기능에 심각한 영향을 미칠 수 있다는 수준에서 다룬다.

[12생과Ⅰ03-03] 중추 신경계와 말초 신경계의 구조와 기능을 이해하고, 신경계와 관련된 질환을 조사하여 토의할 수 있다.

▶ 중추 신경계의 핵심인 대뇌 중심으로 뇌의 구조와 기능을 설명하고 중뇌, 소뇌, 연수, 간뇌는 간략하게 설명한다.

[12생과Ⅰ03-04] 내분비계와 호르몬의 특성을 이해하고, 사람의 주요 호르몬의 과잉·결핍에 따른 질환에 대해 설명할 수 있다.

▶ 신경계와 호르몬의 통합적 작용에 의한 항상성 조절에 초점을 두어 다루도록 한다.

[12생과Ⅰ03-05] 신경계와 내분비계의 조절 작용을 통해 우리 몸의 항상성이 유지되는 과정을 설명할 수 있다.

▶ 감염성과 비감염성의 질병을 구분할 수 있도록 하고, 감염성 질병을 일으키는 병원체들의 특징을 감염이나 예방과 관련지어 이해하도록 한다.

[12생과Ⅰ03-06] 다양한 질병의 원인과 우리 몸의 특이적 방어 작용과 비특이적 방어 작용을 이해하고, 관련 질환에 대한 예방과 치료 사례를 조사하여 발표할 수 있다.

[12생과Ⅰ03-07] 백신의 작용 원리를 항원 항체 반응과 관련지어 이해하고, 백신으로 예방하기 힘든 질병을 조사하여 그 이유를 토의할 수 있다.

탐구주제

1. 유엔범죄마약사무소의 세계마약 및 약물남용보고서(World Drug Report, 2019)를 참조하여 각성제, 진정제, 환각제의 약리작용(약물이 생체에 미치는 작용)과 약물사용의 증가추세, 비의학적 사용 현황 등을 조사하여 현대인들에게 나타나는 약물 오남용으로 인한 부작용 사례에 대해 정리해 보자.

관련학과

생명과학과, 의생명과학과, 화학과

2 최근 코로나19가 지속되고 확산되는 가운데 정신적인 불안감과 우울증을 호소하는 사람들이 증가하여 수면제, 알코올과 같은 진정제 의존도가 높아지고 있다. 이 외에도 대인관계에서 나타나는 정신적 스트레스, 업무에 대한 스트레스에서 비롯되는 카페인 과다 섭취 등 현대인들은 다양한 약물에 노출되어 있다. 현대인들이 안전하게 약물을 복용하고, 건강한 삶을 유지할 수 있는 방안을 모색해 보자.

(예: 2가지 이상 약물을 복용할 시에 약물간 부작용을 감지할 수 있는 AI 시스템 개발 등)

관련학과

생명과학과, 의생명과학과, 화학과

3 의학과 과학의 발달로 고령화 사회는 빠르게 진행되고 있지만, 파킨슨병과 치매와 같은 퇴행성 질환은 여전히 행복한 삶을 유지하는데 큰 걸림돌이 되고 있다. 동국대 김종필 교수는 체내 일반세포를 신경세포로 바꾸는 세포운명전환(Reprogramming) 기술을 완성해 치매와 같은 난치병 치료와 재생의학 도약의 발판을 마련하였다. 파킨슨병, 치매와 같은 퇴행성 질환에 대해 정리하고, 세포운명전환 기술과 유전자 편집기술의 원리와 차이점 및 적용 분야에 대해 조사해 보자.

*세포 리프로그래밍: 태어날 당시 세포의 운명을 바꾸는 기술로 1세대 배아줄기세포기술에서 출발해 성체, 역분화를 거쳐 현재 체내에서 직접 세포를 교차하는 4세대 기술이 개발되고 있다.

관련학과

생명과학과, 생물학과, 의생명과학과

4 환경호르몬(endocrine disruptor:내분비계 교란물질)은 정상적인 호르몬이 작용하는 것을 방해하여 생태계 교란, 성장억제, 생식이상 등을 초래한다. 특히 플라스틱은 가볍고 견고하여 실생활에서 흔하게 사용하고 있지만, 최근 생태계 교란을 일으키는 주범으로 알려져 있다. 생태계를 위협하는 플라스틱의 성분과 그에 따른 영향을 조사하고, 생태계를 보호하기 위한 친환경 바이오 플라스틱의 개발 연구, 플라스틱 폐기 및 처리 방법 등 실생활에서 플라스틱을 줄일 수 있는 방안을 정리하여 발표해 보자.

관련학과

생명과학과, 지구해양학과, 지구환경과학과, 화학과, 환경생명화학과

5 우리나라는 분자진단법(RT-PCR)기술을 통한 신속하고 정확하게 바이러스 유무 여부를 판독하여 코로나19 K-방역의 위상을 높이고, 식약청은(KFDA) 코로나바이러스 대유행에 대비하여 급속도로 환자를 판별하기 위한 항원항체 진단법을 승인하였다.(2020.11.) 코로나19 진단키트 방식검사에 있어 유전자 검사, 항원검사, 항체검사의 검사목적과 방법, 장점과 단점을 비교하여 분석해 보자.

관련학과

생명과학과, 생물학과, 의생명과학과

6 항원항체반응이란 항체가 항원과 결합함으로써 항원의 기능을 약화시켜 식균작용(몸 안의 세균을 잡아먹는 작용)을 촉진하는 것을 의미한다. 전통적 백신은 독성을 약화시키거나 죽은 병원체를 체내에 주입해 항체가 형성되도록 하는데, 코로나바이러스 백신은 코로나바이러스가 RNA바이러스에 속하여 기존 백신과 다른 원리를 가진다. 코로나바이러스 백신의 원리와 전통적인 백신의 원리의 차이점에 대해 조사해 보자.

관련학과

생명과학과, 생물학과, 의생명과학과

영역

유전

성취기준

[12생과 I 04-01] 염색체, 유전체, DNA, 유전자의 관계를 이해하고, 염색분체의 형성과 분리를 DNA 복제와 세포 분열과 관련지어 설명할 수 있다.

▶ 염색체, 유전체, DNA, 유전자의 개념을 단계적으로 다루고, 이들 간의 상호 관계를 명확히 이해하도록 다룬다.

[12생과 I 04-02] 생식 세포 형성 과정에서 일어나는 염색체의 조합을 이해하고, 이 과정을 통해 유전적 다양성을 획득할 수 있음을 설명할 수 있다.

▶ 생식 세포 형성 과정을 체세포 분열과 비교하도록 하고, 생식 세포 형성의 중요성을 생명의 연속성과 연관 지어 다루도록 한다. 생식 세포 형성 과정에서 교차는 다루지 않는다.

[12생과 I 04-03] 사람의 유전 현상을 가계도를 통해 이해하고, 상염색체 유전과 성염색체 유전을 구분하여 설명할 수 있다.

[12생과 I 04-04] 염색체 이상과 유전자 이상에 의해 일어나는 유전병의 종류와 특징을 알고, 사례를 조사하여 발표할 수 있다.

탐구주제

7.생명과학 I — 유전

1. 헬라세포(HeLa Cell)는 1951년 미국 볼티모어에 사는 헨리에타 랙스(Henrietta Lacks)란 흑인여성의 질에서 떼어낸 자궁 경부 암세포를 시험관에서 영구적으로 배양한 것으로, 오늘날 암연구에 가장 널리 사용되는 암세포이다. 실험실에서 증식된 헬라세포는 그녀의 몸무게에 400배에 달하는 것으로 알려져 있다. 헬라세포를 실험실에서 무한 증식할 수 있었던 이유를 세포주기와 연관 지어 규명하고, 헬라세포의 업적과 연구사례에 대해 조사해 보자.

관련학과

생명과학과, 생물학과, 의생명과학과

2. 찰스 다윈은 「종의 기원(1859)」에서 생존 경쟁을 통한 자연선택이 생물 종의 진화를 결정하는 진화론을 주장하였다. 다윈은 진화론을 생물학적 연구로 한계를 두었지만 당시 사회학, 유전학 등 사회 전반에 영향을 주었다. 특히 프랜시스 골턴이 창시한 우생학은 우수한 유전인자를 가진 인구를 번성시키고 열악한 유전인자를 가진 인구의 수를 감소시켜 인류를 유전학적으로 개량할 것을 주장하였다. 우생학의 연구과제와 연구방향의 변천과정을 조사하여 인간의 유전 인자를 우생학적 관점에서 개량하는 것이 정당한 것인가에 대해 토론해 보자.

관련학과

생명과학과, 생물학과, 의생명과학과

3. 우생학의 창시자 프랜시스 골턴은 자신의 연구를 뒷받침하기 위해 통계학적으로 접근하였다. 특히 '유전적 천재(Hereditary Genius)' 논문을 통해 인간의 지적 특징들을 통계학적 방법으로 연구하였다. 골턴은 백분율, 표준편차 등 다양한 개념을 적용하였는데 윤리적인 문제를 벗어나 그가 통계학에 기여한 점에 대해 조사해 보자.

관련학과

수학과, 통계학과 등

탐구주제

7.생명과학 I — 유전

4 2020년 노벨 화학상은 크리스퍼 유전자가위(CRISPR-CAS9)를 발견한 프랑스의 에마뉘엘 사르팡티에와 미국의 제니퍼 두드나가 공동 수상하였다. 노벨위원회는 '이 기술로 동·식물·미생물의 DNA를 매우 정교하게 변형할 수 있게 되어, 새로운 암 치료법 개발과 유전병 치료의 꿈을 현실화하는 데 기여했다'고 하였다. 특정 유전자에만 결합하는 효소를 사용하여 원하는 유전자를 잘라낼 수 있는 크리스퍼 편집기술 원리를 정리하고, 이 기술을 활용하여 생명과학자로서 연구하고 싶은 유전병 및 희귀질환 대해 정리해 보자.

관련학과

농생물학과, 동물자원과학과, 산림자원학과, 생명과학과, 생물학과, 수의학과, 식물자원학과, 원예학과, 의생명과학과, 화학과, 환경생명화학과

영역

생태계와 상호 작용

성취기준

[12생과 I 05-06] 생물다양성의 의미와 중요성을 이해하고 생물다양성 보전 방안을 토의할 수 있다.

▶ 생물다양성을 유전적 다양성, 종 다양성, 생태계(서식지) 다양성을 포괄하는 개념으로 이해시키되, '통합과학'에서 기본 개념은 다루었으므로, 여기에서는 각 개념을 보다 심화하여 상세히 다루도록 한다. 생태계 평형 유지에 생물다양성이 어떻게 기여하는지를 사례 중심으로 이해하도록 하며, 생물자원의 가치를 인식할 수 있도록 한다.

탐구주제

7.생명과학 I — 생태계와 상호 작용

1 지구의 역사에서 생물의 70~95%가 사라진 대멸종은 다섯 번이었다. 과학자들은 지금과 같은 추세라면 100년 안에 지구의 모든 생물의 75%가 사라지는 제6대 대멸종이 올 것이라고 엄중히 경고하였다. 또한 유기적 관계인 생태계에서 한 종이 멸종위기에 놓이면 다른 종들도 함께 사라지기 때문에 과학자들은 '멸종은 멸종을 낳는다'며 엄청난 재앙을 가져올 것이라 하였다. 특정 생물의 종이 멸종하면서 먹이 사슬이 붕괴하여 다른 종들이 사라진 사례를 조사하고 대멸종이라는 재앙을 막기 위해 인류가 노력해야 할 일들에 대해 고찰해 보자.

관련학과

농생물학과, 산림자원학과, 생명과학과, 생물학과, 식물자원학과, 지구해양학과, 지구환경과학과, 해양학과

2 유전자변형생물체(LMO; Living Modified Organism)란 유전자 재조합과 같은 현대생명공학기술을 적용하여 만들어진 새로운 조합의 유전물질을 포함하고 있는 생물체를 의미한다. LMO의 도입배경과 전통 육종방법과의 차이점을 밝히고, LMO 기술이 가져올 긍정적인 측면과 부정적인 측면을 PPT로 제작하여 발표해 보자.

관련학과

농생물학과, 산림자원학과, 생명과학과, 생물학과, 식물자원학과, 원예학과, 지구해양학과, 해양학과

활용 자료의 유의점

(!) 관찰, 측정, 예상, 추리, 의사소통 등 기초 탐구과정을 적용

(!) 과학적 사고와 컴퓨터 활용하여 증거에 기초한 토론과 논증 등 기능을 학습 내용과 연결

(!) 사회적 쟁점을 활용한 과학 글쓰기와 토론을 통하여 과학적 사고력과 의사소통능력을 함양

MEMO

핵심키워드

□ 중합효소연쇄반응 □ 루이 파스퇴르 □ RNA 바이러스 □ 파킨슨병 □ 효소 □ 페니실린
□ 김치 □ 바이오 에너지 □ 플라스미드 □ GMO □ LMO □ 유전자 치료
□ 배양육 □ GM식물 □ 코로나바이러스 □ 패스트트랙

영역 생명과학의 역사

성취기준

[12생과 II 01-01] 생명과학의 역사와 발달 과정을 알고, 주요 발견을 시기에 따라 나열하고 설명할 수 있다.

▶ 과학자의 탐구 과정 및 발견에 사용된 탐구 방법을 중심으로 다룬다. 또한 주요 발견이 생명과학의 발전뿐만 아니라 다른 학문 영역이나 사회의 변화에 영향을 준 사례를 중심으로 다룬다. 과학, 기술, 사회의 관련성과 과학의 본성에 대한 이해를 함양하도록 한다.

[12생과 II 01-02] 생명과학 발달에 기여한 주요 발견들에 사용된 연구 방법들을 조사하여 발표할 수 있다.

탐구주제

8.생명과학 II — 생명과학의 역사

1 스티븐 스필버그 감독의 영화 '쥬라기 공원'을 보면, 과학자들이 공룡의 피를 빨아먹은 모기의 화석에서 추출한 DNA를 증폭해 멸종한 공룡을 부활시키는데, 이 기술이 미국의 캐리 멀리스가 개발한 '중합효소연쇄반응(PCR: polymerase chain reaction)'이다. 유전학과 분자생물학의 발달 과정에 대해 역사 순으로 정리하고, 멀리스의 PCR원리와 적용분야, 그 의의에 대해 발표해 보자.

관련학과

농생물학과, 생명과학과, 생물학과, 동물자원과학과, 식물자원학과, 의생명과학과, 화학과, 환경생명화학과

2 루이 파스퇴르(Louis Pasteur)는 생물학, 농학, 의학, 위생학 등 인류의 역사를 바꾼 과학 혁명을 이끈 화학자이자 미생물학자이다. 그는 분자비대칭 연구를 통해 입체화학과 공간화학의 새로운 장을 열었고, 발효 연구로 저온살균법을 개발하였다. 또한 누에법 연구로 산업계와 농업계의 발전에 기여하였으며, 광견병 백신을 개발하여 전염병으로부터 인류를 구하였다. 파스퇴르의 연구는 다양한 과학의 발전을 가져왔는데 생명과학 역사의 발달 과정 속에서 파스퇴르의 연구와 같이 과학의 융합적 연구를 통한 업적 또는 인류의 역사를 바꾸어 놓은 연구에 대하여 조사하고, 발표해 보자.

관련학과

농생물학과, 동물자원과학과, 수의학과, 식물자원학과, 식품공학과, 식품생명공학과, 의생명과학과, 축산학과, 화학과, 환경생명화학과

3 과학자들은 연구를 통해 인류의 발전을 이끌어왔고, 과학연구방법을 통해 세상을 합리적으로 분석하는 과학적 사고를 가능하게 하였다. 생명과학 연구방법에 있어 귀납적 연구방법과 연역적 연구방법의 차이점과 실험과정에서 필요한 요소들을 정리하여 자신이 관심을 가지고 있는 생명 과학자의 연구주제에 따른 연구방법과 연구의 가치에 대해 분석하여 발표해 보자.

관련학과

전 자연계열

영역 세포의 특성

성취기준

[12생과II02-02] 탄수화물, 지질, 단백질, 핵산의 기본 구조와 기능을 설명할 수 있다.

▶ 탄수화물, 지질, 단백질, 핵산의 기본 구조와 기능은 이 물질들의 중요 특성과 역할을 이해하는 수준에서 다룬다.

[12생과II02-04] 세포 소기관들이 기능적으로 유기적인 관계를 이루고 있음을 이해하고, 이들 간의 관계성을 설명할 수 있다.

▶ 세포 소기관의 구조와 기능은 전자현미경을 포함한 다양한 현미경의 이용, 세포 분획법, 자기 방사법 등 방법으로 알아낼 수 있음을 이해하게 한다. 다양한 세포 소기관의 구조와 기능을 물질의 합성과 분비와 같은 세포 내 생명 활동과 관련지어 다룬다.

[12생과II02-05] 세포막을 통한 물질 출입 현상을 이해하고, 확산, 삼투, 능동 수송을 실험이나 모형을 통해 설명할 수 있다.

[12생과II02-06] 효소의 작용을 활성화 에너지와 기질의 특이성을 중심으로 이해하고, 온도와 pH가 효소 작용에 영향을 미칠 수 있음을 실험을 통해 설명할 수 있다.

▶ 효소의 특성, 효소의 구조와 종류, 효소의 활성에 영향을 미치는 요인 등을 다룸으로써 생물체 내에서 일어나는 여러 가지 화학 반응이 효소에 의해 조절됨을 이해하게 한다.

탐구주제

1 바이러스는 DNA 바이러스와 RNA 바이러스로 나누어진다. 코로나바이러스는 대표적인 RNA 바이러스인데 돌연변이를 잘 일으키는 성질을 가지고 있다. DNA와 RNA 바이러스 구조를 화학식으로 나타내어 비교하고, RNA 바이러스가 돌연변이를 잘 일으키는 이유를 증명해 보자.

관련학과

생물학과, 생명과학과, 화학과, 환경생명화학과

2 리보솜에서 DNA의 유전 정보에 따라 합성된 분비 단백질은 주머니 모양의 소포제(소낭)에 담긴 채 골지체로 이동하여 세포막에 도달하는데 일부 단백질은 세포 안에 그대로 남고 일부는 세포막으로 흘러 생리 활동에 관련한다. 유전자에 따라 단백질의 합성과 이동이 결정되는데 이 과정의 문제로 생기는 뇌질환, 면역질환, 대사질환 등 원인을 파악할 수 있다. 세포 속 단백질의 이동 경로를 통해 파킨슨병의 원인을 규명해 보자.

관련학과

생물학과, 생명과학과

3 효소는 생물체 내에서 활성화 에너지를 낮추어 물질대사의 반응 속도를 증가시키는 촉매제이다. 효소는 사람의 몸속에서 활성화 에너지를 낮추는 역할을 하며 생명체 밖에서도 적정 조건에 맞으면 활발하게 작용하여 반응을 촉진시키기 때문에 다양한 분야에 활용되고 있다. 식품분야, 의약분야, 환경분야, 생명공학 분야 중 자신의 관심분야를 선택하여 효소의 활용 사례에 대해 조사해 보자.

관련학과

생물학과, 생명과학과, 식물자원학과, 식품영양학과, 지구해양학과, 지구환경과학과, 해양학과, 환경생명화학과

4 경쟁적 저해제는 기질의 농도가 낮을 때 저해 효과가 더 크게 나타나는데 대표적인 경쟁적 저해제로는 항생제를 들 수 있다. 항생제를 먹으면 체내의 경쟁적 저해제 농도가 높아져 세균효소에 저해제가 결합하게 되고, 세균은 죽게 된다. 최초의 항생제는 알렉산더 플레밍(Alexander Fleming)의 페니실린이다. 페니실린의 발견 과정과 과학적 의의에 대해 정리해 보자.

관련학과

생명과학과, 생물학과, 의생명과학과, 화학과, 환경생명화학과

영역 세포 호흡과 광합성

성취기준

[12생과 II 03-03] 산소 호흡과 발효의 차이를 이해하고 실생활 속에서 발효를 이용한 사례를 조사하여 발표할 수 있다.

탐구주제

1 프랑스 몽펠리에 대학의 연구진은 국가별 식생활 차이의 상관관계를 분석하여, 한국은 발효 식품인 '김치'를 먹는 식생활 때문에 코로나바이러스 사망자 수가 다른 나라에 비해 적다고 발표하였다. 우리나라의 대표적인 젓산발효 음식인 김치는 전 세계가 주목하고 있지만, 발효과정을 거치며 포장재가 부풀어 오르거나 맛이 변질되는 등 해외 수출 또는 현지화에 어려움을 겪고 있다. 국내 연구소 또는 기업들의 김치 포장재 개발 사례를 조사하여 김치의 세계화 전략을 세워 발표해 보자.

관련학과

식품공학과

2 바이오 에너지란 포플러, 버드나무와 같은 나무, 사탕수수·옥수수·밀 등과 같은 곡류, 그 외 수생식물, 해조류, 조류 등 바이오매스를 자원으로 하는 화학적 또는 생물학적 전환과정을 통해 에너지를 만들어 낸다. 바이오매스를 에너지원으로 전환하는 과정을 알코올 발효를 적용하여 정리하고, 바이오 에너지의 긍정적 측면과 그에 따른 부정적 측면에 대해 조사해 보자.

관련학과

지구환경과학과, 화학과, 환경생명화학과

영역 생명공학 기술과 인간생활

성취기준

[12생과 II 06-01] ~ [12생과 II 06-03] 우리 생활과 밀접한 사례를 중심으로 하여 학생들의 흥미를 유도하도록 하고, 상세 실험 과정이나 원리를 과도하게 기술하거나 설명하는 것을 지양한다.

[12생과 II 06-04] LMO가 인간의 생활과 생태계에 미치는 긍정적인 영향과 부정적인 영향을 조사하고, 토론할 수 있다.

[12생과 II 06-05] 생명공학의 발달 과정에서 나타나는 생태학적, 윤리적, 법적, 사회적 문제점을 이해하고, 미래 사회에 미칠 영향을 예측하여 발표할 수 있다.

탐구주제

8. 생명과학 II — 생명공학 기술과 인간생활

1 플라스미드(Plasmid)는 세균의 세포 내에서 독자적으로 증식할 수 있는 염색체 이외의 원형 DNA 분자를 뜻한다. 이러한 성질 때문에 유전자 재조합에서 많이 적용되고 있는데 플라스미드가 유전자 재조합에 주로 사용되는 이유를 제시하고, 유전자 재조합 기술을 이용한 사례에 대해 조사해 보자.

관련학과

농생물학과, 생명과학과, 생물학과, 식물자원학과, 의생명과학과, 화학과, 환경생명화학과

2 유전자 재조합 식품(GMO: genetically modified organism)은 기존의 생물체 속에 다른 생물체의 유전자를 끼워 넣음으로써 기존의 생물체에 존재하지 않은 새로운 형질전환을 갖게 하는 유전자 조작 또는 재조합 등 기술로 재배되고 생산된 농산물을 원료로 만든 식품을 의미한다. 일부 과학자들과 환경단체 등은 GMO로 인해 고유한 생물의 성질이 변형되어 생태계의 균형을 파괴시킬 수 있다고 경고하지만, 국제생명과학협회, 세계보건기구, 유엔식량농업기구 등 국제 과학단체들은 GMO의 안전성과 연구의 당위성을 인정하고 있다. GMO 검사법의 원리와 과정에 대해 조사하고, GMO의 당위성과 미래가치에 대해 고찰하여 토론해 보자.

관련학과

농생물과학과, 생명과학과, 생물학과, 식물자원학과, 식품공학과, 식품생명공학과, 식품영양학과, 원예학과, 환경생명화학과

3 환경 오염이 심각하게 대두되면서 유전자 재조합 기술이 환경문제의 해결사로 각광받고 있다. 유전자 변형 생물체(LMO)의 활용 사례에 대해 정리하고, LMO가 인간과 자연 생태계에 미치는 영향을 의료, 식량, 농업, 환경 분야로 구분하여 고찰해 보자.

관련학과

생명과학과, 생물학과, 식품공학과, 식품생명공학과, 식품영양학과, 화학과, 환경생명화학과

4 유전자 치료는 외부에서 유전자를 주입하여 결함이 있는 유전자를 치료하는 방법을 의미한다. 유전자 치료는 체내 유전자 치료, 체외 유전자 치료, 유전자가위로 구분된다. 각 유전자 치료의 특징을 비교하여 유전자가위의 장점을 정리하고, 유전자가위를 활용하여 코로나바이러스를 억제하는 치료법을 연구한 사례를 조사해 보자.

관련학과

생명과학과, 생물학과, 의생명과학과, 화학과, 환경생명화학과

5 배양육(cell-cultured meat)은 동물의 세포를 배양하여 도살이나 축산의 과정 없이 만드는 고기를 의미한다. 배양육은 살아있는 동물의 세포를 분리하여 6주간 배양·증식·분열 등 과정을 거쳐 줄기세포에서 근육세포로 분화시킨 후 공학 기술의 접목을 통하여 살코기로 생산되고 있다. 배양육이 만들어지는 과정에 대해 조사하고, 배양육의 연구가치에 대해 고찰해 보자.

관련학과

동물자원학과, 생명과학과, 생물학과, 수의학과, 식품생명공학과, 축산학과

6 2019년 일본 문부과학성 전문위원회는 인간의 역분화줄기세포(iPS)를 쥐 배아에 넣어 인간 췌장 세포를 만드는 실험을 승인하였다. 일본 정부는 "사람과 동물의 경계가 애매한 생물이 태어나지 않도록 필요한 조치를 취한다"라는 조건으로 승인하였는데 이식용 장기를 동물의 체내에서 만드는 것이 가능하게 되었지만 윤리적 문제는 여전히 남아있다. 인간과 동물의 세포로 혼합배아를 만드는 연구에 대한 긍정적인 측면과 부정적 측면을 정리하고, 나타날 수 있는 윤리적 문제에 대해 고찰해 보자.

관련학과

생명과학과, 생물학과, 의생명과학과, 화학과, 환경생명화학과

7 환경 오염이 심각하게 대두되면서 유전자 재조합 기술로 탄생한 GM식물의 환경정화 기능이 환경문제의 해결사로 각광받고 있다. 나아가 유전자 변형 생물체(LMO)를 활용한 GM미생물을 통해 토양을 비옥하게 하여 화학 비료의 사용을 줄이거나 바다의 플라스틱을 분해하는 연구도 활발히 진행되고 있다. 국내외의 환경정화를 위한 유전자 변형 생물체에 대해 조사하고, 변형된 생물체로 인해 나타나게 되는 문제점을 고찰하여 발표해 보자.

관련학과

농생물학과, 동물자원과학과, 생명과학과, 생물학과, 식물자원학과, 지구해양학과, 지구환경과학과, 해양학과, 환경생명화학과

8 코로나바이러스는 왕관을 뜻하는 라틴어 '코로나'에서 유래하였는데 이유는 가장자리를 감싸고 있는 돌기(Spike)가 왕관을 연상하기 때문이다. 돌기는 코로나바이러스가 세포에 침입하도록 도움을 주는 역할을 하는데 코로나바이러스가 인체에 침입하여 증식하는 과정에 대해 설명해 보자.

관련학과

생명과학과, 생물학과, 의생명과학과, 화학과

9 전통적으로 인간에게 치명적인 위험을 가하는 바이러스가 등장하면 실험을 통해 전임상, 임상1상, 임상2상, 임상3상, 제조의 과정을 통해 백신을 개발한다. 안전성과 실효성에 있어 인증받을 때까지 10~15년의 오랜 기간이 걸리기 때문에 보통 바이러스가 종식되면 백신 개발을 멈추는 것이 일반적이다. 바이러스 백신 개발은 팬데믹 상황에서는 오랜 기간 연구를 할 수 없기 때문에 코로나바이러스 백신 개발에 있어 안전성을 인정받고 있는 '바이러스벡터 백신원리'를 이용하고 패스트트랙을 통해 빠르게 진행하고 있다. 코로나바이러스 백신 개발에 전통적인 백신 개발 과정이 아닌 패스트트랙을 적용하는 이유를 설명하고, 미래에 등장할 바이러스를 대비하기 위해 전 세계가 공동으로 가져야 할 사명에 대해 고찰해 보자.

관련학과

생명과학과, 생물학과, 의생명과학과, 화학과

활용 자료의 유의점

- ⓘ 생명과학 내용과 관련된 기술, 공학, 예술, 수학 등 다른 교과와 연계하여 탐구
- ⓘ 생명과학 윤리, 과학·기술·사회의 상호 관련성, 과학적 모델의 특성 등 과학의 본성과 관련된 내용을 탐구

MEMO

핵심키워드

☐ 대륙 이동과 판 구조론 ☐ 퇴적 구조와 환경 ☐ 지질 시대의 환경과 생물 ☐ 태풍 ☐ 악기상 ☐ 해수의 수온
☐ 엘니뇨 ☐ 지구온난화 ☐ 온실 효과 ☐ 별의 물리량 ☐ 외계 행성계 탐사 ☐ 생명 가능 지대
☐ 특이 은하 ☐ 충돌 은하 ☐ 허블 법칙 ☐ 빅뱅 ☐ 암흑 물질과 암흑 에너지

영역 지권의 변동

성취기준

[12지과 I 01-01] 대륙 이동설로부터 판 구조론까지의 정리 과정을 탐사 기술의 발달과 관련지어 설명할 수 있다.

▶ 대륙 이동에 대한 가설이 판 구조론으로 정립되기까지 해저에 대한 음향 측심, 해저 암석에 대한 고지자기 분석과 연령 측정, 해저에서 대륙으로 이어진 변환 단층의 발견, 섭입대 주변 지진의 진원 깊이 분석 등 탐사 기술의 진보와 밀접하게 관계됨을 이해하도록 한다. 단, 고지자기의 경우 역전 정도만 다룬다.

[12지과 I 01-02] 지질 시대 전체에 걸친 대륙 분포의 변화와 현재 대륙 이동 속도 자료를 통해 미래의 변화를 추정할 수 있다.

▶ 고지자기(복각) 자료 등을 활용하여 지질 시대 동안의 대륙 분포 변화를 살펴보고, 현재의 판 이동 속도를 기준으로 미래의 대륙과 해양의 분포를 그려 보도록 한다.

[12지과 I 01-03] 판을 움직이는 맨틀의 상부 운동과 플룸에 의한 구조 운동을 구분하여 설명할 수 있다.

▶ 상부 맨틀의 대류에 의한 판 운동과 맨틀-핵의 경계에서 올라오는 플룸 운동을 구분하여 이해하며, 플룸 상승류의 사례로 열점을 설명한다.

탐구주제

1

지구상의 대륙은 우리가 느낄 수는 없지만 매우 느리게 움직이고 있다. 뜨거운 내부가 천천히 이동하는 탓에 겉표면인 대륙 덩어리가 덩달아 움직이고 있는 것이다. 대륙은 오랜 기간 꾸준히 움직여왔고 그 기록들을 남기고 있다. 10억 년 전에는 곤드와나와 로라시아 초대륙으로, 3억 년 전에는 판게아 초대륙으로 서로 모이고 흩어지기를 반복해왔다. 현재도 판들은 이동을 하면서 화산활동과 지진을 발생시키고 있다. 또한 앞으로 1억 년 후에는 아시아 대륙을 중심으로 아메리카 대륙이 옆에 놓이면서 합쳐져 '아마시아'라는 새로운 초대륙이 탄생될 것이라고 한다. 북극해가 사라지고 한반도와 일본 열도는 서로 만나 하나의 땅덩어리가 되면서 동해가 사라질 것이라고 전망을 하고 있다. 인공위성 관측 결과에 의하면 현재 대전과 도쿄가 1년에 수 cm씩 서로 마주보고 이동하고 있다고 한다. 만일 1억 년 후에 '아마시아'라는 초대륙이 형성된다면 앞으로 지구의 미래는 대륙과 해양의 분포를 비롯하여 어떻게 변할 것인지 현재의 대륙과 해양의 분포와 비교해서 토론해 보자.

관련학과

지구해양학과, 지구환경과학과, 해양학과

2

「판구조론」을 읽으면 약 7,000만 년 전에 인도판이 적도를 지나 북쪽으로 이동하였고, 5,000만 년 전부터 유라시아판과 충돌하여 히말라야산맥이 형성되었음을 알 수 있다. 인도판이 유라시아판의 두꺼운 해양 퇴적층을 밀어 올리고 산맥이 형성되던 당시 해양 생태계의 변화와 지각 변동에 대해 추론해 보고, 현재 히말라야산맥 부근에서 발생하는 판의 운동에 따른 지각 변동에 대해 자료를 조사하여 발표해 보자. *(김경렬(2015), 판구조론, 생각의 힘)*

관련학과

지구물리학과, 지구환경과학과

3

1994년 유엔해양법협약의 발효로 해양 관할권이 12해리 영해에서 200해리 배타적 경제수역(EEZ)으로 확대되면서 연안국은 EEZ내에서 생물·비생물 자원의 탐사, 개발과 수역의 경제적 개발에 관한 주권적 권리와 인공 도서나 해양 구축물의 설치와 이용, 해양 오염의 방지 및 해양의 과학적 조사에 대한 관할권도 소유하게 되면서 국가들 간의 각축전이 첨예화됐다. 이에 해양수산부 국립해양조사원은 1996년부터 국가해양기본조사를 시작하였고 국가해양기본 조사를 통해 해양자원의 에너지 개발과 관리, 해양안전, 해양 정책 수립, 군사작전 등 다양한 목적에 활용 가능한 귀중한 성과물을 얻었다고 하였다. 이때 얻어진 해저지형도, 천부지층분포도, 지자기전자력도, 중력이상도의 각 도면을 얻기 위한 측정 방법은 무엇이었고 측정을 통해 얻을 수 있는 목적은 무엇인지 조사하여 발표해 보자.

관련학과

지구환경과학과, 해양학과

4

제2차 세계 대전 당시 적의 잠수함을 찾아내려 개발한 음파는 평탄할 것이라고 생각했던 해저 지형을 자세히 측정하게 된 계기가 되었다. 이 음파를 통하여 측정한 결과 현재 세계에서 가장 깊은 수심으로는 마리아나 해구의 심연 깊이로 11,033m에 달한다. 이 방법이 발명되기 전에는 끈에 무거운 납추를 달아 해수로 내려 추가 해저에 도달하는 순간 끈의 길이로 수심을 측정하였다고 한다. 음양측심법의 측정 원리와, 이전 측정 방법에 비해 음향측심법이 가진 장점을 설명하고, 이 원리가 실생활에 이용되는 사례를 찾아 발표해 보자.

관련학과

지구해양학과, 지구환경과학과, 해양학과

영역

지구의 역사

성취기준

[12지과 I 02-01] 지층에서 나타나는 다양한 퇴적 구조와 퇴적 환경의 관계를 설명할 수 있다.

▶ 지층 형성의 과정에서 지층 형성 구조와 더불어 퇴적암이 만들어지는 과정을 설명한다. 퇴적암 내에 기록된 다양한 퇴적 구조로부터 퇴적 작용이 일어난 환경을 살필 수 있도록 하며, 대표적인 퇴적암 지형으로부터 해당 퇴적 환경의 특징을 설명한다.

[12지과 I 02-04] 암석의 절대 연령을 구하는 원리를 이해하고, 방사성 동위원소 자료를 이용해 절대 연령을 구할 수 있다.

▶ 지층의 나이를 결정하는 데 상대 연령과 절대 연령이 있음을 이해하고, 절대 연령의 경우 방사성 동위원소를 이용하는 원리를 설명하고 간단한 계산을 통해 적용해 본다.

[12지과 I 02-05] 지질 시대를 기(紀) 수준에서 구분하고, 화석 자료를 통해 지질 시대의 생물 환경과 기후 변화를 해석할 수 있다.

▶ 지질 시대의 환경을 다루면서, 표준 화석으로 살펴본 고생물, 지질 시대를 결정하는 생물의 변천, 지구 환경의 변화 등을 다룬다. 대(代) 수준의 지질 시대 구분이 세부적으로 기(紀) 수준으로 구분됨을 이해하고, 구분된 지질 시대의 특징을 화석 자료 및 지각 변동의 역사를 통해 확인함으로써 지구 환경의 변화를 설명한다. 지구의 역사를 통하여 기후가 어떻게 변해왔는지를 고기후 연구 방법을 조사하여 설명하되, 고기후 연구 방법만 소개하고 자세한 메커니즘은 다루지 않는다.

탐구주제

9.지구과학 I — 지구의 역사

1 퇴적암은 바다뿐만 아니라 호수, 강 주변에서도 형성이 된다. 퇴적암의 퇴적 구조는 다양한 환경에 의해 형성되며, 지층의 선후관계 판별을 통해 지구의 역사를 해석하는데 중요한 역할을 하기도 한다. 「한반도 자연사 기행」을 통해 우리나라의 대표적인 퇴적암 지질 명소와 퇴적 환경 그리고 발견되는 화석을 지질 시대별 연도표로 작성하여 발표해 보자.

(조홍섭(2011), 한반도 자연사 기행, 한겨레출판)

관련학과

지구물리학과, 지구환경과학과

2 1973년 경북 경주시 황남동에서 발굴된 황남대총은 2003년에 황남대총의 주인이 19대 눌지왕으로 판명되었다고 발표했다. 여기에는 질량가속기분석(AMS)가 황남대총의 유품 중에 가죽·칠기에서 나온 ^{14}C를 분석해서 알아낸 것이다. 방사성 동위원소 ^{14}C는 '반감기'가 가장 짧아 고고학적 유물 연대 측정에서 약 7만 년 이내의 연령 측정에 가장 많이 이용하고 있다. 방사성 동위원소란 원자번호는 같고 질량수가 다른 원소를 의미하며 최초 원소의 질량이 절반으로 감소할 때까지 걸리는 시간인 반감기가 일정하다는 특징을 갖고 있다. 그렇다면 고고학적 유물의 연대 측정에 반감기가 가장 짧은 탄소가 왜 가장 많이 이용되고 있는지에 대해 탐구하고, 탄소를 이용하여 측정된 고고학적 유물 등을 사례를 들어 발표해 보자.

관련학과

지구물리학과, 지구환경과학과

탐구주제

3 2019년 유럽에서만 발견되던 독특한 원시 악어가 1억 1,000만 년 전 아시아에서도 살았다는 사실이 경남 진주에서 발견된 발자국 화석을 통해서 밝혀졌다. 중생대 백악기에 살았던 원시 악어는 뒷발자국의 길이가 7~9cm로 비교적 작았고 몸길이가 84~108cm의 소형 악어로 추정된다. 발견된 원시 악어는 오늘날의 악어와 달리 발가락 사이에 물갈퀴가 없고 꼬리를 끌며 이동한 흔적이 없었다고 한다. 원시 악어가 발견된 당시인 중생대 백악기의 생물 환경과 기후 등을 조사하고, 오늘날 악어가 사는 환경과 비교하여 발표해 보자.

관련학과

지구물리학과, 지구환경과학과

영역 대기와 해양의 변화

성취기준

[12지과 I 03-02] 태풍의 발생, 이동, 소멸 과정을 이해하고 태풍이 통과할 때의 날씨 변화를 일기도와 위성 영상 해석을 통해 설명할 수 있다.

▶ 최근에 발생한 사례를 중심으로 태풍이 우리나라에 준 피해와 영향 및 위력을 간략하게 다루면서, 태풍의 발생 시기, 진로, 대기와 해수의 상호 작용, 대기와 육지의 상호 작용 등을 설명한다.

[12지과 I 03-03] 뇌우, 국지성 호우, 폭설, 황사 등 우리나라의 주요 악기상의 생성 메커니즘을 이해하고, 피해를 최소화할 수 있는 방법에 대해 토의할 수 있다.

▶ 뇌우, 국지성 호우(집중호우), 강풍, 폭설, 우박 등과 같은 우리나라의 주요 악기상을 소개하고 이들의 생성 메커니즘을 간단히 다룬다.

탐구주제

1 해양수산부 국립해양조사원은 2010년부터 2019년까지 10년간 전국 연안 해수면의 평균 상승 속도(3.68mm)가 지난 30년간의 상승 속도(3.12mm)보다 1.18배 높아졌으며, 해수면 상승 속도가 점점 빨라진다고 발표했다. 특히 서해안(1.79mm→2.57mm)에 비해 동해안(3.83mm→5.17mm), 남해안(2.65mm→3.63mm), 제주 부근(4.20mm→5.69mm)의 해수면 상승이 더 빠르게 나타나고 있다고 발표했다. 최근 10년간 해수면 상승의 원인과 해수면 상승으로 발생할 수 있는 피해에 대해 생각해 보고, 이에 대처할 창의적인 방안을 토론해 보자.

관련학과

지구해양학과, 지구환경과학과, 해양학과

탐구주제

2 인류의 활동으로 기후 변화가 가속화되며 태풍, 폭우, 폭염 같은 기후재난이 점차 강력해지고 있다. 기초과학연구원(IBS) 기후물리연구단은 대기 중 이산화 탄소 농도가 현재보다 2배 증가하면 3등급 이상인 '강' 등급의 태풍이 50% 증가하고 약한 태풍 발생은 감소할 것이라고 예측했다. 세계기상기구에 따르면 2019년 지구 평균 이산화 탄소 농도가 역대 최고치인 410.5ppm을 기록하는 등 지구온난화가 점점 가속화되고 있다. 기후 변화에 관한 정부 간 협의체(IPCC)가 발표한 기후 변화 시나리오에 따르면 21세기 말 인간의 노력 없이 이대로 온실가스를 배출할 때 이산화 탄소 농도는 지금의 약 2배가 넘는 940ppm이 되며 전 지구 기온은 4.8도 오르고 한반도 기온은 약 6도 오를 것이다. 이산화 탄소의 증가가 인한 지구 전체와 한반도에 미칠 환경피해에 대해 예측해 보고 앞으로 어떻게 대처해야 할지 창의적인 방안을 탐구해 보자.

관련학과

지구해양학과, 지구환경과학과, 지구해양학과

3 중국과 몽골 지역에서 발생한 황사는 다양한 경로를 거쳐 한반도와 일본에 영향을 미치고 있다. 발원지에서 처음 발생할 때는 무시무시한 모래폭풍을 동반하기 때문에 희뿌연 모래 먼지로 뒤덮여 아주 심할 경우 몇 백 미터 앞도 분간할 수 없다. 보통 발원지에서 떠오른 입자의 30%는 그대로 발원지에 떨어지고, 20% 정도는 주변 지역에, 나머지 50% 정도는 한반도를 비롯해 아주 멀리까지 이동을 하면서 호흡기, 눈 질환, 알레르기 등 각종 염증을 유발한다. 중국과 몽골에서 발원한 황사가 한반도까지 이동을 하며 발생시키는 피해 과정을 대기 대순환의 메커니즘과 연관 지어 설명을 하고, 이와 같은 피해 상황을 해결할만한 대책은 없는지 창의적인 방안에 대해 탐구해 보자.

관련학과

대기과학과, 지구물리학과, 지구환경과학과

영역 대기와 해양의 상호 작용

성취기준

[12지과 Ⅰ 04-01] 대기의 대순환과 해양의 표층 순환과의 관계를 주요 표층 해류를 중심으로 설명할 수 있다.

▶ 대양별 주요 해류 분포를 다루되 우리나라 주변 해류 분포에 대해서도 북태평양의 표층 순환과 관련지어 다룬다.

[12지과 Ⅰ 04-02] 심층 순환의 발생 원리와 분포를 이해하고, 이를 표층 순환 및 기후 변화와 관련지어 설명할 수 있다.

▶ 해수의 밀도가 수온과 염분에 따라 영향을 받음을 T-S 다이어그램을 통해서 이해하게 한다. 심층 순환에서 주요 해류는 단순화시킨 바다 단면을 이용해서 다루며, 실제 해저 지형이나 대륙의 분포 등이 해류의 방향이나 해수의 대순환에 미치는 영향은 다루지 않는다.

[12지과 Ⅰ 04-03] 대기와 해수의 상호 작용의 사례로서 해수의 용승과 침강, 남방진동의 발생 과정과 관련 현상을 이해한다.

▶ 실제 자료나 사례를 활용하여 해류의 변화, 해수면 온도 변화 등과 같은 해양의 변화가 초래할 수 있는 기후 변화를 기후 시스템의 관점에서 이해하게 한다.

[12지과 I 04-04] 기후 변화의 원인을 자연적 요인과 인위적 요인으로 구분하여 설명하고, 인간 활동에 의한 기후 변화의 환경적, 사회적 및 경제적 영향과 기후 변화 문제를 과학적으로 해결하는 방법에 대해 토의할 수 있다.

▶ 기후 변화의 원인을 인위적 요인과 자연적 요인으로 구분하고 자연적 요인을 지구 외적 요인과 지구 내적 요인으로 구분하여 다룬다. 인간 활동에 의한 기후 변화를 지구온난화를 중심으로 다룬다.

탐구주제

9.지구과학 I — 대기와 해양의 상호 작용

1 열대 지역 해수면 온도 상승은 적도 대류 활동을 강화해 우리나라를 포함한 중위도 지역에 엘니뇨와 라니냐 등 기상 이변을 일으킨다. 이 때문에 기후학자들의 연구가 활발히 진행됐지만 열대 지역 기온이 지구 나머지 지역 기온보다 더 빠르게 오르는 이유를 밝히지 못했었다. 하지만 기초과학연구원(IBS)은 기후모형 실험을 통해 아열대 지역 이산화탄소가 같은 양의 열대 지역 이산화 탄소보다 열대 지역 해수면의 온도를 40% 더 상승시키는 역할을 한다는 사실을 밝혀냈다. 열대 지역과 아열대 지역의 열적 차이는 '해들리 순환'이라는 대규모 대기 순환을 일으키는데 아열대 지역의 온실가스가 증가해 열적 차이가 줄어들면서 해들리 순환이 약해지는 것으로 나타났다. 한국을 비롯한 동아시아 지역의 기상 이변을 최소화할 수 있는 방법에 대해 토론해 보자.

관련학과

대기과학과, 지구환경과학과

2 장기간 비정상적으로 해수 온도가 높아지는 해양 열파가 바다 생태계를 파괴하고 있다. 최근 몇 년 동안 이런 종류의 '바다 폭염'은 바다와 연안 생태계에 커다란 변화를 일으키며 새와 어류 및 해양 포유류의 폐사율을 높이고, 녹조 같은 해로운 조류 번식을 유발하면서 해양 영양분 공급을 크게 감소시키고 있는 것으로 나타났다. 또한 산호의 백화 현상을 일으키고 극지방 만년설의 면적을 급격하게 감소시킬 수 있는 것으로 확인했다. 통계 분석과 시뮬레이션을 통해 기온이 3도 상승하면 전 세계 바다에서는 이런 극한 현상이 1년 혹은 10년에 한 번씩 일어날 것이라고 예상을 하고 있다. 해양 생태계의 돌이킬 수 없는 손실을 방지하기 위한 해결책은 없는 것인가? 다양한 관점으로 생각하고 토론해 보자.

관련학과

지구해양학과, 지구환경과학과, 해양학과

3 일반적으로 지구 대기에 존재하는 산소는 원자량이 16인 ^{16}O가 99.759%, ^{17}O가 0.037%, ^{18}O가 0.204%이다. 해수에는 ^{16}O를 포함한 물 분자가 더 가벼워 증발이 더 쉽게 일어나기 때문에 대기에 비해 ^{18}O의 비율이 약간 더 높다. 이 비율은 온도에 따라 변하는데 대체로 지구의 기온이 높을수록 무거운 ^{18}O을 포함한 물 분자를 증발시킬 에너지가 충분하여 대기에서 ^{18}O의 비율이 높아지고 해수는 낮아진다. 대기 중의 물 분자는 강수를 통해 빙하를 형성하고, 그 빙하의 중심인 빙핵(ice core)을 분석하여 당시의 기후를 추정할 수 있다. 그렇다면 이 외에 고기후를 분석할 수 있는 다른 방법들은 어떤 것들이 있을지 자료를 찾아 발표해 보자.

관련학과

대기과학과, 지구환경과학과

탐구주제

4 한반도의 연평균 기온은 지난 30년 동안(1981~2010년) 1.2℃ 상승했으며 모든 계절에서 증가하는 경향을 보이고 있다. 또한 연평균 기온의 상승 경향은 북한(0.45℃/10년)이 남한(0.36℃/10년)보다 1.3배 크게 나타나고 있다. 한반도의 평균 기온은 1912년 10.5℃, 2000년 12.3℃를 보이며 증가하는 경향을 보이고 있고, 2020년 13.8℃, 2050년에는 16℃로 더 크게 증가할 것으로 예상하고 있어 심각한 환경 변화와 피해가 예상된다. 그렇다면 한반도의 평균 기온이 급격하게 상승한다고 할 때 예상할 수 있는 환경 변화를 조사하여 보고서를 작성하고 발표해 보자.

관련학과

지구해양학과, 지구환경과학과, 해양학과

영역 별과 외계 행성계

성취기준

[12지과 I 05-01] 별의 스펙트럼과 광도로부터 별의 온도와 크기를 결정하는 방법을 설명할 수 있다.

▶ 2차원적인 분광 분류가 필요함을 설명하고 온도와 광도에 따른 항성의 분류 체계를 다룬다. 흡수선의 세기로부터 별의 온도를 추정하고 동일한 온도에서도 광도 계급에 따라 광도가 다르게 나타난다는 사실과 스테판-볼츠만 법칙을 적용하여 별의 크기를 알아낼 수 있음을 이해한다.

[12지과 I 05-03] 태양과 비슷한 질량을 가진 별의 진화 과정에 따른 특징을 설명할 수 있다.

▶ 다양한 질량을 지닌 별들의 진화 경로를 제시하고 비교하며, 특히 진화의 마지막 단계가 질량에 따라 백색왜성, 초신성, 중성자성, 블랙홀 등으로 서로 다른 종말을 맞는다는 것을 다룬다.

[12지과 I 05-06] 외계 생명체가 존재할 가능성이 있는 행성의 일반적인 조건을 파악할 수 있으며 탐사의 의의를 토의할 수 있다.

▶ 외계 행성계의 생명체 존재 여부에 대한 판단은 중심별의 온도에 따른 생명 가능 지대(habitable zone)와 관련이 있으며, 항성이 행성을 거느린다는 것이 일반적인 것임을 인식시킨다.

탐구주제

1 흑체(black body)는 입사되는 전자기파를 모두 흡수하고 흡수한 전자기파를 복사의 형태로 방출하면서 에너지의 평형을 유지하는 가상의 물체이다. 일반적으로 우리가 색을 볼 수 있는 것은 물체는 빛을 흡수하거나 방출하는 진동수가 한정되어 있기 때문이며, 흑체는 존재하지 않는다. 과학자들은 '왜 가상의 물체인 흑체를 만들었을까?' 궁금증이 생기지 않을 수 없다. 과학자들은 태양을 흑체로 가정하여 표면 온도가 5,500℃임을 밝혀내면서 별을 비롯하여 우주의 온도를 측정하고 있다. 지구상에서는 흑체를 만들 수 없는 것인가? 흑체가 만들어지기 어렵다면 그 이유가 무엇인지 탐구해 보자.

관련학과

우주과학과, 천문우주과학과

2 폴란드 바르샤바대 오글(OGLE) 연구팀과 천문연구원 외계행성 탐색시스템(KMTnet) 연구팀은 '중력 마이크로렌즈' 현상을 관측해 지구보다 작은 떠돌이 외계행성을 발견했다고 밝혔다. 지금까지 4천 개 넘는 외계행성이 발견되었는데 대부분의 외계행성이 태양계 내의 행성들과는 매우 다른 것으로 밝혀졌지만 한 가지 공통점은 중심별 주위를 공전하고 있다는 것이다. 최근에 발견된 떠돌이 행성은 스스로 빛을 내지 않아 직접 관측이 어렵고, 주위에 별이 없고 크기도 작아 중력 마이크로렌즈 현상을 통해 발견되고 있으며, 질량도 화성 정도로 가장 작다고 밝혀졌다.. 작은 떠돌이 행성의 발견을 통해서 우리가 기대할 수 있는 것은 무엇일까 토론해 보자.

관련학과

우주과학과, 천문우주과학과

3 태양계에서 가장 가까운 별인 '프로시마 켄타우리'는 지구에서 약 4.2광년 떨어져 있다. 최근 이곳에서 지구와 비슷한 암석형 외계행성이 두 개 발견되고 그중 프록시마 b 행성은 물이 액체 상태로 존재할 수 있는 '생명체 서식 가능 영역'에 있어 생명체 서식의 기대를 모아 왔다. 그러나 호주 시드니대학교 연구팀이 이 행성에서 생명체를 찾을 수 있는 가능성이 작다는 연구 결과를 발표했다. 온도가 낮고 크기가 작은 적색왜성이라도 수성보다도 더 별 가까이에 형성되어 있고 행성이 돌발적으로 방출하는 항성 플레어의 이온 방사에 고스란히 노출되므로 생명체가 살아남을 수 없다는 것이다. 참고로 지구는 태양이 태양 플레어와 코로나질량방출(CME)의 고에너지를 가진 입자를 방출하지만 강력한 자기장을 보호막으로 갖고 있어 생명체가 유지되고 있는 것이다. 우주에 생명체가 서식할 수 있을까? 서식할 수 있다면 어떤 환경이 조성되어야 할까 토론해 보자.

관련학과

우주과학과, 천문우주과학과

영역 외부 은하와 우주 팽창

성취기준

[12지과 I 06-01] 허블의 은하 분류 체계에 따라 외부 은하를 분류하고, 전파 은하, 퀘이사 등과 같은 특이 은하와 충돌 은하의 특징을 설명할 수 있다.

▶ 허블의 은하 분류 체계가 은하의 진화 순서와 상관이 없는 형태학적 분류임을 다룬다. 특이 은하와 충돌 은하의 관측적 특징을 간략하게 다룬다.

[12지과 I 06-02] 우주 배경 복사, 우주 망원경 관측 등 최신 관측 자료를 바탕으로 급팽창 우주와 가속 팽창 우주를 포함하는 빅뱅(대폭발) 우주론을 설명할 수 있다.

▶ 우주론 모형을 역사적 관점에서 서술한다. 대폭발 우주론의 관측적 증거를 가급적 최신 자료를 통해 제시하고, 대폭발 우주론의 모순점을 해결하기 위한 급팽창 우주론의 특징을 간략히 다룬다.

[12지과 I 06-03] 우주의 대부분이 암흑 에너지와 암흑 물질로 이루어져 있음을 설명할 수 있다.

▶ 최근의 연구 결과로 알게 된 표준 모형의 도입 배경을 다루고 표준 모형의 특징을 암흑 에너지와 암흑 물질 등을 소개하면서 간략히 다룬다.

탐구주제

1 대표적인 은하의 분류 기준은 은하의 형태와 분광학적 특징이다. 일반적으로는 허블-샌디지 분류 방법을 바탕으로 밝은 은하 분류(나선, 타원, 불규칙은하)에 적용하고 있고, 분광학적 분류는 분광 스펙트럼의 특징으로 분류하는데 주로 활동성 은하(특이 은하, 충돌 은하) 분류에 적용하고 있다. 활동성 은하는 은하의 중심핵에 활동은하핵이라 부르는 매우 무거운 블랙홀이 에너지를 방출하고 있고, 그 주위에 부착원반, 넓은 방출선 영역, 좁은 방출선 영역, 먼지토러스 등이 있다고 여겨진다. 활동성 은하에 해당되는 외부 은하를 조사하고, 그 특징들을 비교·정리하여 발표해 보자.

관련학과

우주과학과, 천문우주과학과

2 우주는 시작과 끝이 있을까? 아니면 무한할까? 이런 의문은 인류 탄생 이후 끊임없이 지속되어 왔다. 이후 외부 은하의 스펙트럼 변화를 통해 우주는 정적인 시공간이 아니라 동적인 시공간이라는 것을 허블이 밝혀냈고, 허블 법칙으로 불리게 되었다. 허블 법칙에 의해 우주 기원을 설명하려는 우주론이 확립되면서 우주 팽창의 개념을 대폭발 우주론과 정상 우주론으로 발전하여 왔다. 대폭발 우주론과 정상 우주론의 모형을 비교 설명하고, 대폭발 우주론이 어떤 이유로 지지를 받고 있는지 증거를 찾아 제시해 보자. 또한 대폭발 이후 우주는 꾸준히 팽창을 하였지만, 급팽창이 지나고 서서히 팽창 속도가 줄어들었다고 생각하였는데 최근의 관측 자료에 의하면 그렇지 않다고 한다. 그 이유가 무엇일까? 자료를 찾아 토론해 보자.

관련학과

우주과학과, 천문우주과학과

3 암흑 물질은 우주에 널리 존재할 것으로 추정되지만 아직 직접 관측하지는 못한 물질을 일컫는 말이다. 우주론의 표준 모형에 의하면 우주의 27%가 암흑 물질이고, 보통의 물질은 5%, 나머지 68%는 아직 정체를 모르는 에너지인데 이를 암흑 에너지라 한다. 그렇다면 어떻게 관측하지 못하고 있는 암흑 물질의 존재를 알 수 있는 것일까? 암흑 물질의 존재를 알 수 있는 측정 방법은 무엇인지 탐구해 보고, 암흑 물질이 존재한다는 증거를 제시한 후 암흑 물질의 후보로 거론되는 것들에는 무엇이 있을지 조사하여 발표해 보자.

관련학과

우주과학과, 천문우주과학과

4 초기의 빅뱅 우주론에서 생각한 우주의 팽창은 시간이 가면서 팽창률이 점점 감소하는 감속 팽창이었다. 팽창률이 감소하는 까닭은 우주를 구성하는 물질들이 서로 중력을 잡아당기면서 팽창을 저지하기 때문이라고 생각했다. 그러나 20세기 말에 Ia형 초신성을 관측하여 얻은 자료는 감속 팽창 우주의 모형에서 어긋났으며, 관측 결과에 따르면 현재 우주의 팽창률은 점점 증가하고 있다. Ia형 초신성들의 적색 편이와 거리 지수를 보면 이론적인 예상값보다 관측값에서 더 큰 거리 지수를 보여준다. 예상값과 관측값의 차이가 나는 이유를 우주의 팽창 속도와 관련지어 탐구해 보자.

관련학과

우주과학과, 천문우주과학과

활용 자료의 유의점

(!) 기초 탐구 과정(관찰, 분류, 측정, 예상, 추리, 의사소통 등)과 통합 탐구 과정(문제 인식, 가설 설정, 변인 통제, 자료 해석, 결론 도출, 일반화 등), 수학적 사고와 컴퓨터 활용, 모형의 개발과 사용, 증거에 기초한 토론과 논증 등 기능을 학습 내용과 연결

(!) 지구과학 내용과 관련된 기술, 공학, 예술, 수학 등 다른 교과와 연계하여 탐구

(!) 지구와 우주 및 과학과 관련된 사회적 쟁점을 활용한 과학 글쓰기와 토론을 통하여 과학적 사고력, 창의적 사고력 및 의사소통능력을 함양

(!) 과학자 이야기, 지구과학사, 시사성 있는 지구과학 내용 등을 탐구 활동에 활용

(!) 과학의 잠정성, 과학적 방법의 다양성, 과학 윤리, 과학·기술·사회의 상호 관련성, 과학적 모델의 특성, 관찰과 추리의 차이 등 과학의 본성과 관련된 내용을 탐구

MEMO

과학과
10

지구과학Ⅱ

핵심키워드

☐ 지각 열류량 ☐ 중력 탐사 ☐ 판 구조적 힘 ☐ 포츠담 중력 감자 ☐ 광물의 분류 ☐ 광상 ☐ 미래 청정연료 ☐ 한반도 지질 분포 ☐ 변성 작용 ☐ 전향력 ☐ 쓰나미 원인 ☐ 푄 현상 ☐ 기압 경도력 ☐ 편서풍 파동 ☐ 계절별 별자리 ☐ 세페이드 변광성 ☐ 광전 측광 ☐ 나선팔 구조

영역 지구의 형성과 역장

성취기준

[12지과Ⅱ01-02] 지구 내부 에너지의 생성 과정을 설명할 수 있다.

▶ 지구 탄생의 초창기에 생성된 에너지를 이해하도록 하며, 지구 역사를 통해 지구 내부에서 발생되고 축적된 에너지가 지구 변동의 원동력임을 설명한다.

[12지과Ⅱ01-03] 지진파를 이용하여 지구의 내부 구조를 알아내는 과정과 지각의 두께 차이를 지각평형설로 설명할 수 있다.

▶ 지진파(종파 및 횡파)의 특성으로부터 지구 내부 구조를 알아낼 수 있음을 이해하고, 지각의 분포와 두께 차이로부터 지각평형설을 설명한다.

[12지과Ⅱ01-04] 표준 중력의 의미를 이해하고 중력 이상의 다양한 요인들을 설명할 수 있다.

▶ 중력과 지구 내부 물질의 분포에 대한 이해로부터 표준 중력의 의미와 중력 이상의 다양한 요인을 설명하고, 중력 보정의 과정은 다루지 않도록 한다.

[12지과Ⅱ01-05] 지구 자기장의 발생 과정과 특성 및 자기장의 변화를 이해한다.

▶ 지구 내부의 외핵의 성질로부터 지구에 자기장이 발생함을 이해하고, 자기장의 세 가지 요소를 설명하고 극성이 주기적 변화해 왔음을 파악한다.

1. 지각 열류량은 지구 내부에서 지표로 방출되는 열량으로 두 지점 사이의 거리에 반비례하고 두 지점 사이의 온도 차에 비례한다. 지각 열류량이 크게 나타나는 지역은 해령, 호상열도 등 화산 활동이 활발한 지역이며, 작게 나타나는 지역은 오래된 해양 지각이나 대륙의 중심부이다. 이렇게 지각 열류량이 차이를 보이는 이유를 설명하고, 지각 열류량의 크기가 대칭적으로 나타나는 곳이 어디인지 조사하여 그 이유와 함께 발표해 보자.

관련학과

우주과학과, 지구물리학과, 지구해양학과, 지구환경과학과

2. 중력계를 이용해 측정한 중력값은 측정 장소마다 다르게 나타나는데 이는 측정 장소의 고도, 지형, 지하 물질 분포 등이 다르기 때문이다. 따라서 중력계로 측정된 중력값은 필요에 따라 적절한 보정을 한다. 지하 내부의 밀도가 클수록 중력 이상이 크게 나타나고, 중력 이상의 변화 곡선을 통해 관입이나 단층 등 지하 내부의 구조를 알아낼 수 있다. 중력 이상에 영향을 미치는 다양한 요인과 중력 탐사를 이용하는 분야를 조사한 후 발표해 보자.

관련학과

우주과학과, 지구물리학과, 지구환경과학과

3. 세계의 지붕인 히말라야와 안데스 같은 주요 산맥들의 지형적인 특성은 판 구조적 힘의 작용으로만 설명하기는 어렵다. 어느 지역에서 판의 섭입 혹은 충돌과 같은 판 구조적 힘으로 산맥이 융기하게 되면, 그 지역에서는 침식과 사태가 발생하고, 융기된 암체를 중심으로 주변 분지나 해양으로 퇴적물의 이동이 일어나게 된다. 이러한 퇴적물의 이동을 근거로 습곡 산맥과 조륙 운동을 설명해 보자.

관련학과

우주과학과, 지구물리학과, 산림자원학과, 지구환경과학과

4. '포츠담 중력 감자'란 지구의 표면은 매끈한 공 모양이지만 중력으로 나타낸 지구는 울퉁불퉁한 감자 모양처럼 생겼고, 이 연구를 진행한 곳이 독일의 포츠담이기에 붙여진 이름이다. 2020년 6월 고감도 탐지기를 장착한 인공위성 그레이스와 챔프가 지구 궤도를 돌며 제작한 중력장 지도가 발표되었는데 히말라야산맥처럼 판과 판이 만나 암석이 쌓이는 지역에서는 밀도가 증가하기에 중력이 높게 나타난다. 이처럼 정밀한 지구 중력의 변화를 측정하여 알 수 있는 것들에는 어떤 것들이 있는지 조사하여 발표해 보자.

관련학과

우주과학과, 지구물리학과, 지구환경과학과

영역 지구 구성 물질과 자원

성취기준

[12지과 II 02-01] 규산염 광물의 구조를 통해 광물의 물리적 특성을 설명하고 광물을 구분할 수 있다.

▶ 규산염 광물의 기본 골격인 사면체를 이해하고, 그로부터 여러 규산염 광물들이 분류됨을 설명하며, 광물들의 물리적 특성을 탐색한다.

[12지과Ⅱ02-02] 편광 현미경을 이용하여 주요 광물을 식별하고 광물의 조직과 생성의 선후 관계 등을 해석하여 암석의 형성 환경을 유추할 수 있다.

▶ 암석에서 관찰할 수 있는 조직의 종류를 알아보고, 조직적 특징을 이용하여 암석을 구분하고 암석의 형성 환경을 설명한다.

[12지과Ⅱ02-03] 화성, 변성, 퇴적 작용을 통해 광상이 형성되는 과정을 예를 들어 설명할 수 있다.

▶ 화성, 변성, 퇴적 작용을 통해 광상이 형성되는 과정을 이해하고, 대표적인 광상에 수반되는 자원의 종류를 조사하여 설명한다.

[12지과Ⅱ02-04] 광물과 암석이 우리 생활의 여러 분야에 다양하게 이용되는 예를 조사하여 발표할 수 있다.

▶ 우리 생활에서 활용되는 암석과 광물의 사례를 조사하여 발표함으로써 지구의 구성 물질이 실생활에 유용하게 쓰일 수 있음을 이해한다.

[12지과Ⅱ02-05] 해양에서 얻을 수 있는 에너지와 물질 자원의 종류와 분포를 알고, 이를 활용하는 사례와 자원 개발의 중요성을 조사하여 발표할 수 있다.

▶ 해양에서 얻을 수 있는 에너지의 종류와 그 활용 가능성에 대해 이해하고, 해저 자원의 종류, 분포 및 개발 현황에 대해 설명한다. 세계적인 자원의 추이를 조사하여 발표하며, 해양과 지질 자원의 현황과 개발의 중요성에 대해 이해한다.

탐구주제

1 광물의 분류는 1차적으로 화학 성분에 따라 분류하는데 많은 광물이 음이온과 금속 양이온으로 구성되어 있어 음이온 성분에 따라 구분하는 것이 일반적이다. SiO_2^{4-} 의 음이온을 가지고 있는 규산염 광물이 지각과 맨틀의 90% 이상을 차지한다. 대표적인 규산염 광물로 석영(SiO_2), 감람석($(Mg, Fe)_2SiO_4$)이 있는데 이러한 규산염 광물의 구조와 특징을 조사하여 발표해 보자.

관련학과

지구물리학과, 지구환경과학과

2 지구의 지각에 존재하는 여러 종류의 광물과 암석은 우리 삶의 터전이 될뿐만 아니라 우리 실생활과 전통적인 산업 그리고 첨단 산업 분야에 활용되고 있다. 인구의 증가 및 문명 발달에 따른 생활 수준의 향상으로 광물과 암석 자원의 사용량은 기하급수적으로 증가하고 있다. 스마트폰, 자동차, TV 등 우리 생활용품의 각 부품에 사용되는 광물을 조사하여 발표해 보자.

관련학과

지구물리학과, 지구환경과학과

3 광상은 쓸모 있는 광물이 지하의 일부 영역에 집중하여 분포하는 곳을 말한다. 여러 가지 기준에 따라 분류할 수 있으나 가장 일반적으로는 광상이 형성된 과정을 기준으로 분류한다. 마그마가 굳는 화성 활동과 관련된 작용에 의해 생성된 마그마 광상, 마그마 고결과는 관계없이 물·바람 등에 의한 풍화·침식·퇴적의 과정을 거쳐 생성된 퇴적 광상, 기존의 광상이 변질하여 생성된 변성 광상 3가지로 구별된다. 이들 광상에서 산출되는 주된 광물의 종류와 그 이유를 조사하여 발표해 보자.

관련학과

지구물리학과, 지구환경과학과

4 가스 하이드레이트라고도 불리는 가스 수화물은 주로 메탄과 물로 구성된 고체상태의 화합물을 말한다. 외관상 백색의 눈가루처럼 보이며, 매우 높은 압력과 낮은 온도의 특별한 조건에서만 국한되어 나타나는 것으로 알려져 있다. 불을 붙이면 타기 때문에 불타는 얼음으로도 불린다. 메탄이 연소될 때 발생하는 이산화 탄소의 양이 적기 때문에 미래의 청정연료로도 꼽힌다. 이러한 가스 수화물이 분포하는 장소는 어떤 지질학적 특징이 있는지 조사하여 설명해 보자. 또한 해양에 존재하는 자원을 이용하기 위해서는 어떤 기술이 필요한지 조사하여 발표해 보자.

관련학과

지구물리학과, 지구환경과학과, 지구해양학과, 해양학과

영역 한반도의 지질

성취기준

[12지과 II 03-01] 지질도에 사용되는 기본 기호를 통해 암석의 종류와 지질 구조를 파악할 수 있다.

▶ 지질도에 표시된 색(화성암, 변성암, 퇴적암의 색 구분)과 기본적인 기호(주향, 경사, 단층, 습곡)를 이해하고, 이를 통해 어떤 지역의 지질 요소를 파악해 본다. 단, 지층 단면도 그리기나 경사 계산 등 심화 활동은 하지 않도록 한다.

[12지과 II 03-02] 한반도의 지질 자료를 통해 한반도의 지사를 설명할 수 있다.

▶ 한반도의 지체 구조(경기육괴, 옥천대, 영남육괴, 경상분지)를 살펴보고, 지질 분포의 경우 시대별(선캄브리아 변성암복합체, 조선누층군, 평안누층군, 경상누층군, 중생대~신생대 화성 활동)로 구분해 보고, 대표적인 지각 변동의 특징을 파악한다.

[12지과 II 03-03] 한반도 지질의 구조적인 특징 자료 분석을 통해 한반도 주변의 판구조 환경에 대해 조사하여 발표할 수 있다.

▶ 한반도 주변의 판구조 환경을 이해하고, 현재의 모습으로 한반도가 형성된 과정을 시기별로 알아본다.

[12지과 II 03-04] 한반도의 기반을 이루는 선캄브리아 변성암 복합체를 통해 광역 변성 작용을, 중생대 화성 활동과 주변 퇴적암의 관계를 통해 접촉 변성 작용을 설명할 수 있다.

▶ 지각 변동으로 인해 일어난 광역 변성 작용과 뜨거운 마그마가 관입하여 기반암을 열 변성시키는 접촉 변성 작용의 차이를 이해하고, 대표적인 변성암으로부터 변성 작용의 종류와 변성 정도를 설명한다.

탐구주제

1. 많은 지층들이 처음에 쌓일 때는 그 면이 수면을 이루는 수평면과 평행을 이루지만, 오랜 세월 습곡이나 단층 같은 지각 변동을 받으며 융기 또는 하강하면 지층면이 기울거나, 구부러지고, 침식당해서 부분적으로 소실되는 등 복잡하게 변하게 된다. 따라서 조사 대상인 지층이 쌓인 과정을 공간적으로 이해하고 쌓인 순서를 파악하려면 지층면의 기울기나 방향을 알아야 한다. 지층면의 기울기와 방향은 주향과 경사를 측정하여 알 수 있다. 여기에 언급되는 주향과 경사를 이용하여 지질도를 해석하는 과정을 발표해 보자.

관련학과

지구물리학과, 지구환경과학과

2. 한반도는 그 크기는 작지만 다양한 암석들이 분포한다. 이러한 암석들은 지질학적인 과정을 거치며 현재의 위치에 존재하고 있다. 우리나라의 강원도에서는 고생대의 화석이 많이 나오지만, 경상도에서는 중생대 공룡 발자국 화석이 많이 나온다. 또 경기도에는 화석이 거의 나오지 않는 변성암이 넓게 분포한다. 이러한 한반도 지질 분포는 어떻게 만들어진 것인지 조사하고 다양한 사진 자료를 이용하여 발표해 보자.

관련학과

지구물리학과, 지구환경과학과, 환경생명화학과

3. 대륙판과 해양판의 수렴형 경계에서는 서로 접근하는 판의 한쪽이 해구에서 맨틀 속으로 침강하여 지표로부터 사라진다. 한 쪽 판이 다른 쪽 판의 아래로 비스듬히 밀려들면서 맨틀 속으로 침강하는 현상을 섭입이라고 한다. 섭입 과정에서는 항상 해양판이 대륙판 아래로 밀려 들어간다. 이는 해양판이 대륙판보다 밀도가 크기 때문이다. 이러한 섭입 지역에서 만들어지는 지질 구조와, 이로 인해 나타나는 지각변동에 대해 설명해 보자.

관련학과

지구물리학과, 지구환경과학과

4. 변성 작용의 종류는 조산대, 섭입대와 관련하여 넓은 범위의 지각 내에서 일어나는 광역 변성 작용과 고온의 마그마에 의해 화성암 관입암체 주변에서 일어나는 접촉 변성(열 변성) 작용이 있다. 한반도 선캄브리아 시대 변성암과 중생대 화성암 주변에 나타나는 변성암은 각각 어떤 변성 작용을 받았는지 근거를 조사하여 발표해 보자.

관련학과

지구물리학과, 지구해양학과, 지구환경과학과

영역 해수의 운동과 순환

성취기준

[12지과II04-01] 정역학 평형을 이용하여 수압의 연직 분포 및 해수를 움직이는 힘을 정량적으로 설명할 수 있다.

[12지과II04-02] 에크만 수송과 연계하여 지형류의 발생 원리를 이해하고, 서안 경계류와 동안 경계류의 특징을 비교하여 설명할 수 있다.

[12지과II04-03] 해파의 발생 과정을 이해하고, 천해파와 심해파의 차이점을 비교하여 설명할 수 있다.

▶ 해파는 해수면이 주기적으로 상하 운동하면서 에너지를 전파하는 현상으로 바닷물이 직접 이동하는 것은 아니라는 사실을 파악한다. 이때 심해파와 천해파의 중간 영역(전이파)에 대한 개념을 간단히 다룬다.

[12지과 II 04-04] 해일이 발생하는 여러 가지 원인을 이해하고, 피해 사례와 대처 방안을 조사하여 발표할 수 있다.

▶ 해일 발생 당시의 기압, 만조 시기, 해안 및 해저 지형에 따라서도 해일의 피해가 달라질 수 있음을 이해한다.

[12지과 II 04-05] 조석의 발생 과정을 이해하고, 자료 해석을 통해 각 지역에서의 조석 양상을 설명할 수 있다.

▶ 기조력을 정성적으로 도입하고, 달에 의한 기조력이 태양보다 2배 정도 크다는 것을 다룬다. 평형 조석론 정도만 다룬다.

탐구주제

10.지구과학 II — 해수의 운동과 순환

1 회전판 위에서 느끼는 전향력의 크기는 회전판이 빠르게 회전할수록, 즉 회전 각속도가 클수록 커진다. 따라서 자전하는 지구상에서는 위도에 따라 회전 각속도의 크기가 변하므로, 이에 따라 전향력의 크기도 다르다. 전향력은 고위도록 갈수록 지구의 회전 각속도가 커져 극지방에서 최대가 되고, 저위도로 갈수록 회전 각속도가 작아져 적도 지방에서 최소가 되는데, 그 이유를 푸코의 추를 이용하여 설명해 보자.

관련학과

지구물리학과, 지구해양학과, 지구환경과학과, 해양학과

2 전향력은 저위도에서 고위도로 갈수록 커진다. 따라서 편서풍대의 표층 해수는 무역풍대의 표층 해수보다 전향력의 영향을 크게 받는다. 그러므로 편서풍대에서 무역풍대로 이동하는 표층 해수는 그 양이 무역풍대에서 편서풍대로 이동하는 표층 해수보다 많고, 이 표층 해수가 적도 해류와 함께 서쪽으로 흐르게 되어 표층 순환의 중심이 대양의 서쪽으로 치우치는 서안 강화 현상이 나타난다. 이러한 서안 강화에 의해 생성되는 좁고 강한 해류를 서안 경계류라 하는데 이것을 동안 경계류의 특징과 비교하여 설명해 보자.

관련학과

지구물리학과, 지구해양학과, 지구환경과학과, 해양학과

3 우리가 자주 찾는 바닷가에서 보는 해파는 해수면이 주기적으로 상승하고 하강하는 운동이다. 해파는 주로 바람에 의해 발생하므로 해수면 위에서 부는 바람의 세기와 지속 시간 및 범위에 따라 크기가 달라진다. 해파의 발생 원인에는 바람 이외에도 지진, 해저 화산, 기압 변화 등이 있다. 이렇게 해파가 전파될 때 물 입자의 운동을 조사하고, 에너지의 전달을 설명해 보자.

관련학과

지구해양학과, 지구환경과학과, 해양학과

4 2011년 3월 11일 일본의 혼슈 서쪽 해안에서 발생한 규모 8.9의 해저 지진이 유발한 지진 해일은 일본 열도 서부 해안을 덮쳐 1만 명 이상이 사망하고, 수십만 명의 이재민을 발생시켰다. 이러한 해수의 급격한 이동으로 형성되는 긴 파장의 천해파를 쓰나미라 한다. 이러한 쓰나미의 발생 원인을 조사하고, 엄청난 피해를 가져오는 쓰나미가 발생했을 때 효과적인 대처 방안에 대해 토의해 보자.

관련학과

지구물리학과, 지구해양학과, 지구환경과학과, 해양학과

탐구주제

5 서해안은 조석 현상으로 갯벌에 들어가서 조개를 잡기에 좋은 환경이다. 조석을 일으키는 힘을 기조력이라고 하는데, 기조력은 달과 태양에 의해 발생한다. 태양보다 달이 더 큰 영향을 끼치는데 그 이유는 달이 지구에 더 가까이 있기 때문이다. 달에 의한 기조력은 태양에 의한 기조력의 약 2배이다. 달에 의한 기조력의 크기와 방향을 이용하여 서해안에서 관측되는 만조와 간조 현상을 설명해 보자.

관련학과

지구물리학과, 지구해양학과, 지구환경과학과, 해양학과

영역 대기의 운동과 순환

성취기준

[12지과II05-01] 단열 변화의 과정을 이해하고, 건조 단열 변화와 습윤 단열 변화의 차이점을 설명할 수 있다.

[12지과II05-02] 대기의 상태와 안정도의 관계를 이해하고, 안개 및 구름의 발생 원리와 유형을 추론할 수 있다.

[12지과II05-03] 정역학 평형을 이용하여 대기압의 연직 분포 및 대기를 움직이는 힘을 정량적으로 설명할 수 있다.

▶ 대기를 움직이게 하는 힘인 기압 경도력을 이해하고, 이를 계산할 수 있는 수식을 정역학 평형으로부터 유도하게 한다.

[12지과II05-04] 지균풍, 경도풍, 지상풍의 발생 원리를 비교하여 설명할 수 있다.

[12지과II05-05] 편서풍 파동의 발생 과정을 이해하고, 이와 관련지어 지상 고·저기압의 발생 과정을 설명할 수 있다.

▶ 편서풍 파동과 제트류가 발생하는 과정을 대기 대순환과 관련지어 설명하고, 편서풍 파동을 지상 고·저기압의 발생 및 지구의 열수지 유지와 관련지어 이해하게 한다.

탐구주제

1 태백산맥에서 발생하는 높새바람은 일종의 푄 현상으로, 우리나라에서 늦봄부터 초여름에 걸쳐 동해안에서 태백산맥을 넘어 서쪽 지역으로 부는 북동풍을 말한다. 높새바람은 한반도 북동쪽 너머 연해주 부근에 자리 잡고 발달한 습하고 차가운 성질의 오호츠크해 기단이 한반도로 세력을 미칠 때 나타난다. 북동풍이 태백산맥을 넘어가면서 기온이 높고 건조한 바람으로 바뀐다. 이 바람이 산맥을 넘으면서 단열 감률로 기온의 차이가 발생하는 과정을 조사하고, 산맥을 넘기 전후의 기온, 이슬점, 상대습도를 이용하여 푄 현상을 설명해 보자.

관련학과

대기과학과, 지구물리학과, 지구환경과학과

2 일반적으로 대류권 내에서 대기의 연직 기온 분포는 고도가 높아질수록 기온이 낮아지므로 전체적으로 불안정한 상태라고 할 수 있다. 하지만 장소와 시간에 따라 가열 상태가 변하는 지표면 때문에 지표 부근의 기온은 지속적으로 달라지며, 변화의 폭은 상공의 기온보다 훨씬 크다. 이에 따라 대기는 안정 상태와 불안정 상태가 교대로 나타나는데 하층의 공기 온도가 상층보다 낮아서 안정한 대기의 상태를 기온 역전층이라고 한다. 기온의 역전층이 나타나는 다양한 경우를 설명해 보자.

관련학과

대기과학과, 지구물리학과, 지구환경과학과

3 기압 경도력은 두 지점 사이의 기압 차 때문에 생기는 힘으로, 바람을 일으키는 가장 근본적인 힘이다. 대기 중에서 두 지역의 기압이 서로 다를 때, 기압 경도력은 기압이 높은 곳에서 기압이 낮은 곳을 향하여 등압선에 직각으로 작용한다. 기압 경도력의 크기는 두 지점 사이의 기압 차에 비례하고, 두 지점 사이의 거리에는 반비례한다. 기압 경도력의 크기를 높이가 다른 물기둥의 예로 설명하고 공기밀도, 기압 차, 거리를 이용하여 그 크기를 나타내 보자.

관련학과

대기과학과, 지구물리학과, 지구환경과학과

4 지상의 바람이 위도에 따라 무역풍, 편서풍, 극동풍으로 나뉘는 것과는 달리 상층 대기에서는 주로 편서풍이 분다. 그것은 온도가 높은 적도 지방 상공에는 고기압이 위치하고 온도가 낮은 극지방의 상공에는 저기압이 있어, 기압 경도력에 의해 발생한 바람이 전향력의 영향으로 편서풍을 이루기 때문이다. 이처럼 대기 상층에서 빠른 속도로 불고 있는 편서풍은 중위도 지방에서 남북 간의 온도 차가 커지면 대기가 불안정해져 남북으로 파동을 일으키는데 이를 편서풍 파동이라고 한다. 이러한 편서풍 파동이 날씨 변화에 어떤 영향을 미치는지 조사하여 발표해 보자.

관련학과

대기과학과, 지구물리학과, 지구환경과학과, 지구해양학과, 해양학과

5 지구는 위도별로는 에너지 수지가 불균형을 이루고 있다. 즉 적도 지방은 입사되는 에너지가 방출되는 에너지보다 많아 에너지 과잉 상태가 되고, 극지방은 입사되는 에너지가 방출되는 에너지보다 적어 에너지 부족 상태가 된다. 따라서 적도 지방은 온도가 계속 올라가고 극지방은 온도가 계속 낮아질 것으로 생각되지만, 실제로 지구의 온도는 일정하게 유지되고 있다. 그 까닭은 지표면을 둘러싸고 있는 공기와 해수에서 대규모 이동이 일어나 적도 지방의 남는 에너지를 극지방으로 수송함으로써 에너지의 불균형 상태를 해소해 주기 때문이다. 이를 대기 대순환의 구조와 패턴인 단일 세포 순환 모델과 3세포 순환을 비교하여 설명해 보자.

관련학과

대기과학과, 지구물리학과, 지구환경과학과, 지구해양학과, 해양학과

영역 행성의 운동

성취기준

[12지과 II 06-01] 천체의 위치 변화를 지평 좌표와 적도 좌표를 이용하여 나타낼 수 있다.

▶ 좌표의 기본이 되는 방위와 시각의 개념, 지구의 경도와 위도의 개념을 먼저 다루고 좌표계를 도입한다.

[12지과 II 06-02] 내행성과 외행성의 겉보기 운동을 비교하고 지구중심설과 태양중심설로 행성의 겉보기 운동을 설명할 수 있다.

▶ 내행성과 외행성의 겉보기 운동의 특징을 관측적 측면에서 설명하고, 지구중심설과 태양중심설 각각의 설명 모형에서 행성의 겉보기 운동을 어떻게 설명하는지를 비교한다.

[12지과 II 06-03] 지구중심설과 태양중심설 중 금성의 위상과 크기 변화 관측 사실에 부합하는 태양계 모형을 찾을 수 있다.

▶ 망원경 발명 이후로 관측이 가능해진 금성의 위상 변화가 지구 중심 모형과 태양 중심 모형에서 각각 어떻게 예측되는지를 기술하고 관측한 사실에 부합하는 모형을 판별한다. 우주관의 변천사를 과학사적 접근을 통해 다루는 것이 바람직하다.

[12지과 II 06-04] 회합 주기와 지구의 공전 주기를 이용하여 행성의 공전 주기를 구할 수 있음을 다룬다. 또한 행성의 겉보기 운동에서 내행성과 외행성의 공전 궤도 반경을 구하는 과정을 구체적인 자료를 도입하여 설명한다.

[12지과 II 06-05] 케플러의 세 가지 법칙을 이용하여 행성의 운동을 이해하고 쌍성계 등 다른 천체에 적용할 수 있다.

▶ 케플러의 세 가지 법칙에서 각 법칙의 물리적 의미를 다루고, 행성의 궤도가 총 에너지에 따라 다양함을 설명한다. 또한 원운동을 하는 경우를 예로 들어 제3법칙을 유도하는 방법을 다룬다. 또한 제3법칙을 쌍성계에 응용하여 쌍성계의 주기와 장반경을 이용하여 질량을 구할 수 있음을 간단히 다룬다.

탐구주제

1 매일 같은 시각에 별자리를 관측해 보면 별자리가 하루에 약 1°씩 동쪽에서 서쪽으로 이동하는 것을 알 수 있다. 이것은 태양의 위치가 별자리에 대해서 동쪽으로 이동해 간다는 것을 의미한다. 태양은 1년 동안 12개의 별자리를 지나 1년 후에는 다시 처음의 별자리로 위치하게 된다. 이것은 지구가 태양을 중심으로 1년을 주기로 공전하기 때문에 나타나는 겉보기 현상이다. 우리 눈에는 태양이 천구상에서 한 바퀴를 도는 것처럼 보이는데 이것을 태양의 연주 운동이라고 한다. 이러한 태양의 운동을 황동 12궁에 표시하여 설명해 보자.

관련학과

우주과학과, 지구환경과학과, 천문우주학과, 지구물리학과

2 우리가 보는 계절별 별자리는 각 계절의 자정에 남쪽 자오선 부근에 위치하는 별자리이다. 따라서 이들 별자리는 태양의 반대편에 위치하는 별자리로, 초저녁에 동쪽 하늘에서 떠올라 자정 무렵에는 남쪽 자오선 부근에 위치하고, 새벽에 해 뜰 무렵에는 서쪽 하늘로 지는 별자리이다. 자신이 태어난 날 태양의 위치를 황도에 표시해 보자. 또, 자신의 탄생 별자리를 찾아 태양의 위치와 비교해 설명해 보자. 그리고 오늘 자정에 관측이 가능한 별자리를 찾아 표시해 보고, 왜 이러한 현상이 나타나는지 설명해 보자.

관련학과

우주과학과, 지구환경과학과, 천문우주학과, 지구물리학과

3 우리가 보는 밤하늘에서 달을 제외하고 가장 밝게 빛나는 천체는 무엇일까? 가장 밝게 보이는 것은 금성이고, 두 번째로 밝은 것은 목성이다. 그렇다면 세 번째로 밝게 빛나는 천체도 행성일까? 세 번째는 수성일 수도 있고 화성일 수도 있고 큰개자리의 1등성인 시리우스일 수도 있다. 즉 밤하늘에서 밝게 빛나는 천체는 때에 따라서 다르다는 것이다. 행성은 별과는 달리 햇빛을 반사하여 빛나므로 지구-태양-행성의 상대적인 위치와 거리에 따라 밝기가 변한다. 금성의 위치에 따른 시직경과 겉보기 밝기 변화를 조사하여 발표해 보자.

관련학과

우주과학과, 지구환경과학과, 천문우주학과, 지구물리학과

4 천동설에 의하면 금성은 지구와 태양 사이에 놓인 주전원 위에서만 움직이므로 금성의 위상이 초승달과 그믐달 모양만 반복해 나타날 뿐 반달 이상의 모양은 나타날 수 없다. 갈릴레이의 관측으로 볼 수 있는 반달과 보름달 사이의 모양이 나타나려면 지구에서 볼 때 금성이 태양 뒤편에 있어야 하므로, 금성의 위상 변화는 지동설 모형이 옳다는 증거가 된다. 금성의 위상과 크기 변화를 이용하여 천동설의 모순을 설명하는 자료를 만들어 발표해 보자.

관련학과

우주과학과, 지구환경과학과, 천문우주과학과, 지구물리학과

5 케플러는 제3법칙을 조화 법칙이라 불렀는데, 이 법칙에 신이 창조한 태양계의 조화가 잘 드러나 있다고 믿었기 때문이다. 후에 뉴턴이 만유인력 법칙을 발견하는 데 밑거름이 된 것도 바로 이 케플러 제3법칙이다. 뉴턴은 태양의 중력이 행성의 운동을 지배한다는 것을 수학적으로 증명하면서, 케플러의 세 가지 법칙에도 이 힘이 작용하고 있음을 증명하였다. 자신이 케플러가 되었다고 가정하고 케플러의 제1, 2, 3법칙을 정리하여 설명해 보자.

관련학과

우주과학과, 지구환경과학과, 천문우주학과, 지구물리학과

영역 우리 은하와 우주의 구조

성취기준

[12지과 II 07-01] 성단의 색-등급도(C-M도)를 이용한 주계열 맞추기 및 세페이드 변광성의 주기-광도 관계를 이용하여 천체의 거리를 구할 수 있다.

▶ 세페이드 변광성의 주기-광도 관계가 나오게 된 역사적 과정을 간략히 도입하여 주기-광도 관계를 설명하고, 주기-광도 관계를 이용하여 별의 거리를 구하는 방법을 다룬다. 성단의 C-M도를 비교하여 성단의 특징과 진화 상태를 설명한다.

[12지과 II 07-02] 우리은하의 구성원인 산개 성단과 구상 성단의 특징을 알고 이들의 공간 분포를 통해 우리은하의 구조를 설명할 수 있다.

[12지과 II 07-03] 성간 티끌에 의한 별빛의 소광 및 적외선 관측 등을 통해 성간 티끌과 성간 기체가 존재함을 설명할 수 있다.

▶ 성간 기체는 수소의 상태와 온도, 밀도에 따라 다양한 상태로 분포하고 있음을 다룬다. 성간 티끌의 존재는 성간 소광과 적외선 관측을 통해 알 수 있음을 다루고, 성간 적색화는 색초과를 도입하여 간략히 다룬다. 우리은하를 구성하는 성간 물질에 의해 별빛의 흡수, 산란, 적색화 등 현상이 나타나므로 관측 결과는 보정되어야 함을 다룬다.

[12지과 II 07-04] 21cm 수소선 관측 결과로부터 은하의 나선팔 구조를 알아낸 과정을 설명할 수 있다.

▶ 전파 관측이 우리은하의 구조를 밝히는데 중요하게 사용되는 이유와 그 성과를 간략히 다룬다. 나선 구조와 관련된 별의 시선 속도와 접선 속도를 포함한 공간 운동을 간략히 다룬다.

[12지과 II 07-05] 우리은하의 속도 곡선을 이용하여 우리은하의 질량과 빛을 내지 않는 물질이 존재함을 설명할 수 있다.

▶ 우리은하의 회전 속도 곡선으로부터 구한 은하의 질량이 별의 광도로부터 추정한 은하의 질량에 비해 크게 나온다는 사실로부터 빛을 내지 않는 물질이 있음을 설명한다.

[12지과 II 07-06] 은하들이 은하군, 은하단, 초은하단으로 집단을 이루고 있으며 우리은하가 국부은하군의 중심 은하임을 안다.

▶ 은하군, 은하단, 초은하단, 각각의 규모와 특징을 구체적으로 다룬다. 우리은하가 속한 은하군과 은하단의 특성을 알아보고, 우리은하가 안드로메다 은하와 함께 국부 은하군의 중심 은하임을 설명한다.

[12지과 II 07-07] 은하 장성과 보이드 등 대규모 구조를 통해 우주의 전반적인 모습을 설명할 수 있다.

▶ 우주에서 볼 수 있는 최대 규모의 구조를 회피역(void), 은하 장성(Great Wall) 등과 같은 3차원적 공간 분포를 도입하여 설명한다. 우주의 대규모 구조가 우주론 연구와 어떻게 관련되며 은하가 우주를 구성하는 기본 천체임을 다룬다.

탐구주제

10.지구과학 II — 우리 은하와 우주의 구조

1 세페이드 변광성은 변광성의 특정 유형으로서 이들의 변광주기와 절대 광도 사이의 정확한 관계성으로 유명하다. 세페이드 변광성은 지구에서 해당 변광성이 있는 성단이나 은하까지의 거리를 산출하는 표준 광원으로 사용된다. 지구에서 가장 가까운 세페이드 변광성들을 이용하여 주기-광도 관계를 매우 정확하게 계산할 수 있기 때문에, 이 방법을 이용하여 산출된 거리값은 현재 가능한 방법들을 통해 얻을 수 있는 결과물 중 가장 신뢰도가 높다고 할 수 있다. 이 세페이드 변광성의 주기-광도 관계를 이용하여 천체의 거리를 구하는 방법을 적절한 자료를 활용하여 발표해 보자.

관련학과

우주과학과, 지구환경과학과, 천문우주학과, 지구물리학과, 대기과학과

2 최근에는 별의 더 정확한 색지수를 얻기 위해서 안시 등급이나 사진 등급보다는 CCD를 이용한 광전 측광을 한다. 이때 CCD에 U, B, V라는 3종류의 필터를 장착하여 사용한다. U필터는 파장이 짧은 보라색 부근의 0.36, B필터는 파란색 부근의 0.42, V필터는 노란색 부근의 0.574 파장을 투과하는 필터이다. 이러한 U, B, V필터를 사용해서 정한 등급을 각각 U, B, V등급이라고 한다. B등급은 사진 등급과 비슷하며, V등급은 안시 등급과 비슷하다. 또한 U-B, B-V를 각각 색지수로 사용한다. 두 색지수 모두 색지수 값이 작을수록 온도가 높은 별이다. 이러한 색-등급도를 이용하여 산개성단과 구상 성단의 거리와 나이를 추정하는 자료를 찾아 발표해 보자.

관련학과

우주과학과, 지구환경과학과, 천문우주학과

3 윌리엄 허셜은 원래 음악가였으나, 취미로 시작한 천문 관측이 그의 삶을 완전히 천문학자의 길로 들어서게 하였다. 그는 거대한 반사 망원경을 스스로 제작하고 많은 쌍성계를 발견하여 이들이 실제로 중력적으로 서로를 속박하는 물리적인 쌍성계임을 검증하였고, 천왕성을 발견하여 천문학 발전에 크게 기여하였다. 여동생 캐롤라인과 함께 많은 성운을 발견하기도 하였다. 허셜의 이러한 기여에도 여러 오류가 전해진다. 천문학자 허셜의 오류를 조사하고, 그러한 오류의 원인을 분석하여 발표해 보자.

관련학과

우주과학과, 지구환경과학과, 천문우주학과, 지구물리학과

4 별과 별 사이의 공간인 성간 공간은 진공이 아니며 원자, 분자, 이온, 먼지 등 다양한 형태의 물질과 우주선이라고 부르는 고에너지 입자가 자기장과 상호 작용하며 빛의 속도에 해당하는 속력으로 운동한다. 성간 공간에 존재하는 물질은 이온, 원자, 분자, 먼지로 나눌 수 있으며 이들은 서로 다른 물리적 성질을 띤다. 성간 먼지 혹은 티끌은 우리가 일상생활에서 접하는 먼지보다 작은 크기로서 가시광선의 파장에 해당하는 1 μm 정도이다. 이러한 성간 먼지에 대해 조사하여 발표해 보자.

관련학과

우주과학과, 지구환경과학과, 천문우주학과, 지구물리학과, 대기과학과

5 중성 수소의 분포를 파악하고 이들의 시선 속도 성분을 구하는 데에 21cm 전파는 매우 유용하며, 우리은하의 나선팔 구조를 연구하는 데에 중요한 관측 자료를 제공한다. 하지만 우리은하 안에서 우리은하의 나선팔 구조를 세밀하게 파악하는 것은 매우 어렵다. 매우 큰 성간 소광과 거리에 대한 정보를 획득하기 힘들어서 은하 안에서 천구면에 투영된 정보를 해석하는 데에 어려움이 많기 때문이다. 적외선과 전파 영역의 여러 연구 결과를 모아서 종합하면 우리은하는 막대 나선 은하이며 은하 중심으로부터 태양은 약 8.5 kpc의 거리에 있다. 천문학자들은 우리은하에 4개의 나선팔이 있다고 생각하고 있지만, 여전히 우리은하의 나선팔 구조는 많은 연구와 논란이 진행 중이다. 자신이 과학자라고 가정하고 다양한 자료를 활용하여 우리은하의 모형을 예측하여 제시해 보자.

관련학과

우주과학과, 지구환경과학과, 천문우주학과, 지구물리학과

활용 자료의 유의점

- ⓘ 기초 탐구 과정(관찰, 분류, 측정, 예상, 추리, 의사소통 등)과 통합 탐구 과정(문제 인식, 가설 설정, 변인 통제, 자료 해석, 결론 도출, 일반화 등), 수학적 사고와 컴퓨터 활용, 모형의 개발과 사용, 증거에 기초한 토론과 논증 등 기능을 학습 내용과 연결
- ⓘ 지구과학 내용과 관련된 기술, 공학, 예술, 수학 등 다른 교과와 연계하여 탐구
- ⓘ 지구와 우주 및 과학과 관련된 사회적 쟁점을 활용한 과학 글쓰기와 토론을 통하여 과학적 사고력, 창의적 사고력 및 의사소통능력을 함양
- ⓘ 과학자 이야기, 지구과학사, 시사성 있는 지구과학 내용 등을 탐구 활동에 활용
- ⓘ 과학의 잠정성, 과학적 방법의 다양성, 과학 윤리, 과학·기술·사회의 상호 관련성, 과학적 모델의 특성, 관찰과 추리의 차이 등 과학의 본성과 관련된 내용을 탐구

핵심키워드

☐ 인식론 ☐ 반증주의 ☐ 역사 발전 이해 방법 ☐ 패러다임 ☐ 자연 철학 ☐ 과학 혁명 ☐ 역학 혁명
☐ 전자기학 발달 ☐ 현대 물리학 ☐ 열역학 ☐ 천문학 혁명 ☐ DNA ☐ 생명 공학
☐ 지구의 역사 ☐ 동양 과학 ☐ 근대과학 ☐ 연구 윤리

영역 과학이란 무엇인가?

성취기준

[12과사01-01] 과학과 자연의 관계에 대한 다양한 인식론적 주장을 알아보고, 과학이 지향하는 목표와 방향을 이해할 수 있다.

[12과사01-02] 연역 추론과 귀납 추론의 차이점을 이해하고, 베이컨의 귀납주의와 그 한계를 설명할 수 있다.

[12과사01-03] 가설 연역적 방법의 의미를 알고, 포퍼의 반증주의의 내용과 그 한계를 설명할 수 있다.

[12과사01-04] 과학의 역사를 패러다임의 전환으로 보는 쿤의 과학관을 이해하고 그 한계를 설명할 수 있다.

[12과사01-05] 과학의 역사적 발전을 이해하는 방법으로 내적 접근과 외적 접근의 차이와 이들의 상호 보완성을 설명할 수 있다.

탐구주제

① 인식론(epistemology)은 지식의 본질에 관한 철학이다. 근대 인식론은 유럽의 이성론과 영국의 경험론이 대표적이다. 이성론은 수학의 기하학에서 지식을 얻을 수 있다고 하였고, 경험론은 인간의 감각 경험을 통해 지식을 얻을 수 있다고 하였다. 칸트는 이성론과 경험론을 융합하여 '선험적 종합판단'을 주장했다. '지식은 경험에서 오지만 형식을 부여해야 한다'는 것이다. 칸트의 인식론이 과학 발달에 어떠한 영향을 미쳤는지 탐구해 보자.

관련학과

전 자연계열

2 '연역(演繹)'은 '펼 연'+'풀 역'으로 '하나로 묶인 것을 풀었다'는 의미를, '귀납(歸納)'은 '돌아갈 귀'+'거두어들일 납'으로 '풀린 것을 되돌려 놓는다'는 의미를 갖고 있다. 연역 추론은 일반적인 사실로부터 구체적인 사실을 도출하는 것이고, 귀납 추론은 구체적인 사실로부터 일반적인 사실을 추론하는 것이다. 귀납 추론과 연역 추론을 과학에서 이용하는 사례를 통해 설명해 보자. 또한 베이컨의 귀납주의와 그 한계점에 대하여 토의해 보자.

관련학과

전 자연계열

3 '칼 포퍼'는 '과학적 가설은 검증이 불가능하지만 반증은 가능하며, 과학은 가설을 반증하는 과정에서 발전한다'고 하였다. 대표적 사례로 '모든 백조는 희다'라는 가설에서 세상의 모든 백조를 확인하여 검증하는 것은 어렵지만 검은 백조를 발견하여 반증하여 가설이 틀렸다는 것을 입증할 수 있다는 것이다. 포퍼가 과학 이론을 형성하는 방법인 '가설 연역적 방법'을 과학적 사례를 통하여 설명해 보자. 또한 포퍼의 반증주의와 그 한계점을 조사해 보자.

관련학과

전 자연계열

4 우리가 현재 자주 사용하는 '패러다임'이란 용어는 토마스 쿤이 「과학혁명의 구조」에서 처음 사용하였다. 과학자들이 자연 현상을 바라보는 관점인 패러다임은 점진적 발전이 아닌 혁명적으로 바뀌며, 바뀌는 과정이 합리성 요인이 아니라 사회적, 심리적 요인으로 바뀐다고 주장하였다. 아리스토텔레스의 패러다임에서 뉴턴의 패러다임으로 변화했고, 현재 우리는 아인슈타인의 패러다임에 살고 있다고 볼 수 있는데 이러한 쿤의 과학관과 그 한계점을 주제로 토의해 보자.

관련학과

전 자연계열

5 과학의 역사를 이해하는 방법은 크게 2가지가 있다. 과학 내적인 변화를 중심으로 한 '내적 접근법', 과학 외적 요소가 과학 변화에 어떤 영향을 미쳤는가를 연구하는 '외적 접근법'이다. 두 가지 방법의 과학적 사례를 통해 차이를 알아보고, 하나의 과학사를 연구하기 위해 두 방법의 상호 보완성의 필요성을 토의해 보자.

관련학과

전 자연계열

영역

서양 과학사

성취기준

[12과사02-01] 이집트와 메소포타미아를 중심으로 전개되었던 과학의 특징을 알고, 과학의 형성에 영향을 미친 사회, 문화적 요인을 설명할 수 있다.

[12과사02-02] 그리스, 로마를 중심으로 발전한 과학을 통하여 서구의 과학이 어떻게 출발했는지 설명할 수 있다.

[12과사02-03] 로마의 분열과 르네상스가 일어나기까지의 약 1,000년 간의 암흑 시기인 중세에 나타난 서구의 과학을 이해하고, 이를 통하여 근대 과학의 태동을 설명할 수 있다.

[12과사02-04]	르네상스에 의한 사회적인 변화 이후에 16~17세기에 일어난 과학 혁명을 이해하고 근대 과학의 특징을 설명할 수 있다.
[12과사02-05]	코페르니쿠스, 티코 브라헤, 케플러, 뉴턴 등 연구를 통하여 이루어진 천문학 혁명의 배경과 내용을 설명할 수 있다.
[12과사02-06]	역학 영역에서 갈릴레이, 데카르트, 뉴턴의 연구를 이해하고, 고전 역학 혁명의 배경과 내용을 설명할 수 있다.
[12과사02-07]	라부아지에 연소 이론, 돌턴의 원자설, 멘델레예프의 주기율표 등 과학사적 의의를 설명할 수 있다.
[12과사02-08]	다윈의 진화론의 배경과 근대 생물학 연구의 과학사적 의의를 설명할 수 있다.
[12과사02-09]	열역학이 성립된 과정과 그 과학사적 의의를 설명할 수 있다.
[12과사02-10]	빛과 색에 대한 철학적 탐구에서 전자기학 이론이 형성되기까지의 과정과 과학사적 의의를 설명할 수 있다.
[12과사02-11]	양자론과 상대성이론의 과학사적 의의를 설명할 수 있다.
[12과사02-12]	왓슨과 크릭의 DNA 구조 발견을 비롯한 20세기의 유전에 대한 연구를 포함한 생명공학 연구의 의의를 설명할 수 있다.
[12과사02-13]	대륙 이동설, 맨틀 대류설 등 지구 내부를 이해하기 위한 여러 이론의 과학사적 의의를 설명할 수 있다.

탐구주제

11.과학사 — 서양 과학사

1 고대의 과학은 이집트와 메소포타미아에서 시작했다고 볼 수 있으며, 농업의 발전을 위해 수학과 천문학이 발전하게 되었다. 이집트의 태양은 1년을 365일, 1년을 12개월, 1개월을 30일로 나누고 달에 포함되지 않은 5일을 포함하고 있는데 지금의 달력과 매우 흡사하여 놀라움을 주고 있다. 과학 발달 사례를 조사하여 사회, 문화가 과학 발달에 어떤 영향을 주었으며, 이집트와 메소포타미아의 과학 발달 특징이 무엇인지 설명해 보자.

관련학과

전 자연계열

2 그리스의 과학 발달은 정치, 문화적 배경이 큰 영향을 미쳤다. 왕권 정치가 아닌 의사소통이 자유로운 민주적 정부 형태였고, 아카데미와 같이 높은 수준의 학교가 존재하였으며, 페니키아의 알파벳을 수용하여 문자 소통이 가능했다. 또한, 주변 지역과 활발히 문화를 교류했고, 노예제를 운영하였다. 이러한 배경 속에서 플라톤, 아리스토텔레스 등 철학자들이 배출되었고 자연 철학이 발달하게 되었다. 각 철학자의 자연 철학에 대하여 탐구해 보자.

관련학과

전 자연계열

3 그리스 문화가 중동과 서남 아시아 지역에 전파었고, 그 지역 문화와 융합하여 헬레니즘 문명이 발달하였다. 이집트 프톨레마이오스 왕조 시대에 특히 과학이 발달하게 되었는데 알렉산드리아의 도서관과 '뮤지엄'의 어원이 되는 '무세이온'이 대표적이다. 에라토스테네스, 아르키메데스, 유클리드, 프톨레마이오스 등 헬레니즘 시대의 자연 철학자에 대해 조사하여 발표해 보자.

관련학과

전 자연계열

4 자연재해와 전염병, 이민족의 침입으로 중세 시대는 과학의 암흑기라 불렸다. 그러나 금속을 금으로 만들기 위한 다양한 화학 반응과 실험을 시도하여 연금술이 발달하였다. 중세 전반기에는 이슬람 문화에서 천문학, 대수학이 발달하였다. 11세기부터 농업 생산량과 인구가 증가하면서 도시가 발달하고 이슬람 문화가 유입되어 문화와 경제가 동시에 발달하였다. 중세 시대에 과학 발달 특성에 대하여 시대 상황과 연관 지어 탐구해 보자.

관련학과

전 자연계열

5 '태양 중심설'을 주장한 코페르니쿠스, 천문 관측 자료를 모은 티코 브라헤, 티코 브라헤의 관측 자료를 수학적으로 분석하여 '케플러의 3가지 법칙'을 만들어낸 케플러, '만유인력의 법칙'을 이야기한 뉴턴이 천문학의 혁명적 발전을 가져왔다. 천문학 발전에 공헌한 과학자와 관련 이론을 탐구한 후 보고서를 작성해 보자.

관련학과

물리학과, 천문우주학과, 지구물리학과, 수학과, 통계학과

6 갈릴레이는 사고 실험을 통해 2,000년간 굳건히 지켜온 아리스토텔레스의 과학 철학인 '무거운 물체가 빨리 떨어진다'를 반박하고 '무거운 물체와 가벼운 물체는 동시에 떨어진다'는 것을 입증했다. 갈릴레이뿐만 아니라 이성에 의해 자연 현상을 바라봐야 한다는 데카르트의 3가지 법칙, 뉴턴의 역학에 관한 3가지 법칙이 나오면서 고전 역학 혁명이 일어났다. 고전 역학 발전에 영향을 미친 과학자와 관련 이론을 탐구하여 발표해 보자.

관련학과

물리학과, 천문우주학과, 지구물리학과, 수학과, 통계학과

7 근대의 화학의 아버지라 불리는 라부아지에는 실험을 통해 질량 보존 법칙을 증명하고 산소의 존재를 입증하였다. 존 돌턴은 각 원소가 고유한 원자로 구성되어 있다는 가설을 세워 일정 성분비 법칙 등을 설명하는 '돌턴의 원자설'을 주장하였다. 멘델레예프는 당시 발견된 60여 종의 원소를 규칙적으로 나열한 주기율표를 제안했다. 화학 발전에 큰 영향을 미친 과학자와 관련 이론을 탐구해 보자.

관련학과

화학과, 물리학과, 자원학과

8 찰스 다윈은 '분화된 종이 자연 선택과정에 따라 진화된다'고 하였다. 생명의 주기가 짧은 곤충의 경우 진화를 관찰할 수 있는데 환경이 깨끗할 때는 흰 나방이 주류를 이루었으나 산업이 발달하면서 나무색이 어두워져서 검은 나방이 주류로 바뀌는 사례가 있다. 다윈의 진화론의 배경이 무엇이며, 근대 생물학 연구에 어떤 과학사적 의의를 갖는지 발표해 보자.

관련학과

생명공학과, 생물학과, 자원학과, 지구환경과학과

9 열역학의 역사는 열과 에너지의 정의를 정립하는 과정과 일맥상통한다. 카르노 사이클을 만든 '니콜라 레오나르 사디 카르노', 열역학 제1법칙과 열역학 제2법칙의 정의를 내린 '루돌프 클라우지우스', 상태방정식을 세운 '반데르발스' 등 많은 과학자들이 열역학 분야를 발전시켰다. 열역학 발전 과정을 조사하고, 과학사적 의의를 되짚어 보자.

관련학과

물리학과, 화학과, 수학과, 통계학과

10 전기와 자기 현상을 탐구하는 학문이 전자기학이다. 그리스 철학자 탈레스가 호박을 마찰하면 작은 물체가 달라붙는 정전기 현상을 관찰하였는데 전기(electricity)의 어원이 그리스어 호박에서 왔다고 추정하고 있다. 크리스티안 외르스테드는 전류가 흐르면 자기장이 생성된다는 것을 발견하였고, 마이클 패러데이는 '전자기 유도 법칙'을 발표했다. 또한 멕스웰은 '멕스웰 방정식'으로 전자기학의 기초를 세웠다, 전자기학에 발전에 공헌한 과학자들과 관련 이론을 탐구해 보자.

관련학과

물리학과, 화학과, 수학과, 통계학과

11 20세기 이전의 물리학을 고전 물리학, 20세기 이후 물리학을 현대 물리학이라 한다. 거시적인 세계에 대한 물리학이 고전 물리학에서 뉴턴 역학이었다면 현대 물리학은 상대성이론이 있다. 미시적인 세계에 대한 물리학은 고전 물리학에서 전자기학이 있다면 현대 물리학에서는 양자론이 있다. 현대 물리학의 주류인 상대성이론과 양자론에 대하여 탐구해 보자.

관련학과

물리학과, 천문우주학과, 지구물리학과, 화학과, 수학과, 통계학과

12 1863년 멘델의 유전 법칙 이후 유전학에 대한 관심이 높아지고, 1953년 왓슨과 크릭에 의해 DNA가 이중 나선 구조라는 것을 밝혀낸 이후 유전학이 급격하게 발전하였다. 그 이후 DNA 재조합 기술, 세포 융합 기술, DNA 염기 서열 분석법, PCR 등이 개발되었다. 유전 공학의 발전 과정을 살펴보고 앞으로의 유전 공학의 발전 방향에 대하여 토론해 보자.

관련학과

생명공학과, 생물학과, 화학과, 식품자원학과, 수학과, 통계학과

13 베게너는 아프리카 서쪽 해안선과 남아메리카 동쪽 해안선이 일치하는 것과 두 대륙의 화석이 일치한다는 사실에 기반하여 '대륙 이동설'을 발표했다. 홈즈는 대륙을 이동시킨 힘의 근원이 맨틀 대류라고 주장했다. 그 이후 '해저 확장설'과 '판 구조론'이 대두되었고, 최근에는 '플룸 구조론'이 주목받고 있다. 지구의 역사를 밝히는 과정에서 공헌한 과학자들과 관련 이론을 탐구해 보자.

관련학과

지구물리학과, 지구환경과학과, 해양학과, 생물학과

영역

동양 및 한국 과학사

성취기준

[12과사03-01]	중국을 중심으로 동양 전통 과학의 발전 과정을 이해한다. 특히 자연 세계를 이해하려는 노력을 하늘의 운행과 원리에 대한 연구를 중심으로 설명할 수 있다.
[12과사03-02]	중국, 일본, 한국에서 서양의 근대 과학의 수용 과정을 설명할 수 있다.
[12과사03-03]	인도에서 수학과 과학이 발전할 수 있었던 역사적 배경과 그 과정을 설명할 수 있다.
[12과사03-04]	이슬람 세계에서 발전한 과학의 내용을 이해하고, 이슬람 과학이 서구로 유입되는 과정을 설명할 수 있다.
[12과사03-05]	삼국 시대부터 조선 시대에 이르기까지 한국에서의 과학과 기술이 발전하는 과정을 이해하고, 우리 과학의 독창성과 우수성에 대해 설명할 수 있다.
[12과사03-06]	한국 현대 과학의 발전 과정을 이해하고, 최근 세계 과학계에서의 한국 과학이 갖는 위상을 소개할 수 있다.

탐구주제

1 중국의 황제를 '天子(천자)'라 하여 하늘을 연구하는 천문학이 발달하였다. 기원전 1,500년 갑골문자에 천문과 역법에 관한 기록이 남겨져 있다. 유네스코 문화유산으로 등제된 24절기는 주나라 시기에 제작되었다. 중국 천문학자 장형은 관측을 통해 혼천설을 주장하고, 천문 관측 도구 '혼천의'와 지진을 경고해주는 '지동의'를 만들었다. 중국의 과학 발달에 대해 조사한 후 발표해 보자.

관련학과

전 자연계열

2 우리나라가 일제 강점기에 비로소 근대과학이 들어와서 발전하게 되었다는 잘못된 역사 인식이 있다. 김연희의 「한국 근대과학 형성사」를 읽으면 조선 시대 고종은 무기제조 관련 최신기술 도입을 위해 1881년 청으로 유학을 보냈고, 농업 기술과 서양 의학을 도입하였으며, 인력 양성을 위해 사범 학교와 기술 학교를 설립하였다. 이러한 사례를 바탕으로 우리나라 근대과학의 형성 시기와 그 과정에 대하여 발표해 보자. *(김연희(2016), 한국 근대과학 형성사, 들녘)*

관련학과

전 자연계열

3 '지식'이라는 의미를 가지고 있으며, 종교와 과학 지식이 혼합된 힌두교 경전 「베다」는 후손에게 전해지며 과학의 발달에 기여했다. 언어학자들은 과학 실험을 진행하는 등 언어학의 발전과 과학 발전 사이에 밀접한 관계가 있다고 보았다. '아리아 싯단타'는 숫자 '0', 원주율, 10진법과 아라비아 숫자 체계를 갖추고 지구가 자전한다고 주장하였다. '브라마푸타 싯단타'는 지구 둘레를 정확히 측정하고 음수와 무리수 개념을 밝혔다. 이렇듯 고대 인도에서는 수학, 천문학, 의학 등 실질적인 과학이 발달하였다. 고대 인도 과학 발달의 역사적 배경과 사례를 탐구해 보자.

관련학과

수학과, 천문우주학과 외 전 자연계열

4 서양에서는 중세 시대를 과학의 암흑기라 부르지만, 이슬람 과학 발전을 보면 '황금시대'라 불러야 할 것이다. '이븐 알 하이삼'의 「광학의 서」는 카메라의 기초가 되는 광학 이론을 연구하였고, '압바스 이븐 피르나르'는 하늘을 나는 시도를 라이트 형제보다 1,000년 전에 했다. 수술의 아버지라 불리는 '알 자라위'가 개발한 수술 도구는 아직도 사용하고 있으며, '알 자자리'는 '코끼리 시계'와 같은 오토마타를 고안하였다. 현대 과학의 근간이 된 이슬람 과학 발전 사례를 조사하여 발표해 보자.

관련학과
물리학과 외 전 자연계열

5 세종대왕 때 발행된 정초의 「농사직설」, 장영실의 해시계 '앙부일구'와 물시계 '자격루', 별자리 관측 도구 '혼천의', 바람 측정기 '풍기대', 물 측정기 '수표'는 농업 발전에 크게 기여하였다. 무엇보다도 우리 역사상 가장 위대한 발명은 세종대왕의 '한글'일 것이다. 삼국 시대부터 조선 시대에 이르기까지 우리나라 과학기술의 독창성과 우수성을 볼 수 있는 사례를 조사하여 발표해 보자.

관련학과
전 자연계열

6 2020 네이처에 한국 특집호가 실렸다. 네이쳐지에 따르면 연구 개발 투자와 하향식 시스템 지원을 통해 정보통신 기술과 과학의 급진적인 혁신을 이루었고, 선진국의 과학기술을 따라하는 수준에서 선두자의 역할로 바뀌었다고 평가받는다. 현대 과학의 발전 과정과 한국 과학 중 세계적으로 인정받은 사례를 조사해 보자.

관련학과
전 자연계열

영역 과학과 현대 사회

성취기준

[12과사04-01] 과학의 역사에서 찾을 수 있는 과학과 종교, 정치, 문화 등 연관성을 통해 사회 속에서의 과학이 갖는 역할을 토의할 수 있다.

[12과사04-02] 최근의 과학기술의 발전에 따른 윤리적인 쟁점 사례를 이용하여 과학자로서 갖추어야 할 연구 윤리, 생명 윤리 등에 대하여 토의할 수 있다.

[12과사04-03] 현대 사회에서 과학과 기술, 사회와의 관련성에 대해서 토의할 수 있다.

탐구주제

1. 칸트의 인식론은 지식의 본질에 대하여 탐구하여 과학 지식에 대한 생각에도 영향을 미쳤지만 종교에도 영향을 주었다. 인간의 인식 안에서 윤리적 삶을 실천할 수 있도록 도와주는 것이 종교라 본 것이다. 칸트 이외에도 과학이 종교, 문화 등에 영향을 미친 사례를 조사해 보자.

관련학과

전 자연계열

2. 마이클 샌델은 「완벽에 대한 반론」에서 생명공학의 발전이 질병의 치료와 예방에 도움을 주지만, 인간의 유전적 특성을 마음대로 조작할 수 있어 우려된다는 점을 제시하고 있다. 이 책을 읽고 책에 제시된 '줄기세포', '강화 윤리학', '생명 공학적 운동 선수', '맞춤 아기' 등을 주제로 과학자가 갖추어야 할 연구 윤리와 과학기술의 발전 방향에 대한 자신의 생각을 과학적 근거를 가지고 토의해 보자. *(마이클 샌델(2016), 완벽에 대한 반론, 와이즈베리)*

관련학과

생명공학과, 생물학과 외 전 자연계열

3. 과학의 역사를 살펴보면 과학은 사회, 문화 등 우리를 둘러싼 모든 분야에 상호 영향을 받고 발전해 왔다. 최근 코로나 19로 인한 백신 개발, 바이러스 진단 키트 발전 등을 보아도 알 수 있다. 진로 희망 분야 사례를 주제로 하여 과학, 기술, 사회와 관련성을 토의해 보자.

관련학과

전 자연계열

활용 자료의 유의점

- (!) 고대에서 현대까지의 과학사의 내용뿐만 아니라, 과학의 변화 과정과 사회 문화적인 요소와의 관련성 등을 포괄적으로 이해
- (!) 주요한 과학 개념이 형성되는 과정을 과학, 철학적 맥락에서 이해
- (!) 토론 활동을 통하여 분석적이고 비판적인 태도를 함양하고, 과학과 관련된 사회적 이슈에 효율적으로 대처하는 방법 학습
- (!) 과학사, 과학 철학, 과학과 기술, 과학과 사회 등 다양한 주제의 서적을 읽을 것을 권장

MEMO

과학과
12

생활과 과학

핵심키워드

☐ 야생동물 유래 전염병 ☐ 백신 효과 ☐ 자연 면역 ☐ K-방역 시스템 ☐ 신약의 효능 ☐ 질병 예방법 ☐ 식량 손실 ☐ 고카페인 식품 ☐ 고령 친화식품 ☐ 질병 예방 식품 ☐ 신경관 결손 ☐ 안티몬 ☐ 동물보호 ☐ 스마트 섬유 ☐ 친환경 건축 ☐ 공중부양 횡단보도 ☐ 로봇 심판 ☐ 역사 복원 기술

영역 건강한 생활

성취기준

[12생활01-01]	질병, 의약품, 위생, 예방 접종, 진단, 치료 등과 관련된 과학 원리를 조사하고, 설명할 수 있다.
[12생활01-02]	인류 문명사에 있어서 과학이 인류 건강 및 수명 연장에 영향을 준 대표적인 몇몇 사례를 조사하고, 토론할 수 있다.
[12생활01-03]	과학적이고 합리적으로 건강한 신체를 유지하여 관리하기 위한 가족의 식품 및 신체 활동을 조사하고 분석할 수 있다.
[12생활01-04]	약물 오남용의 폐해에 대해 경각심을 높이고, 약물의 올바른 이해와 사용을 권장하는 캠페인을 기획하고 발표할 수 있다.
[12생활01-06]	과학이 인류 식생활에 미친 긍정적 영향과 부정적 영향에 대해 조사하고, 토론할 수 있다.
[12생활01-07]	식품 소비자로서 주변 식료품의 구성 성분을 조사하여, 권장 식료품 목록을 작성할 수 있다.
[12생활01-08]	방사능 물질, 수은, 중금속 등 환경 오염원에 노출된 먹거리에 대한 위험성을 조사하고, 토론할 수 있다.

탐구주제

12.생활과 과학 — 건강한 생활

① 마운트사이나이 아이칸의대 벤저민 글릭스버그(Benjamin Glicksberg) 유전 및 유전체학 조교수는 코로나19가 처음 발병했을 때 코로나19가 병을 일으키는 과정이 다차원적이라는 사실을 밝히고, 환자 데이터를 사용해 결과를 예측하는 모델을 구축하였다. 이 연구는 과거의 병력과 동반 질환, 맥박이나 체온, 호흡 같은 생체 신호와 입원 시 실험실 검사 결과를 포함한 코로나19 환자들의 특성을 분석하였다. 이러한 모델이 치료과정에 어떠한 영향을 미칠지 설명해 보자.

관련학과

농생명학과, 동물자원과학과, 생명과학과, 생물학과, 수의학과, 수학과, 식품생명공학과, 의생명과학과, 통계학과, 환경생명화학과

2 코로나19를 비롯해 사스, 메르스, 에이즈 등 인간에게 치명적인 바이러스성 전염병에는 공통점이 하나 있다. 모두 야생동물로부터 유래됐다는 점이다. 코로나19의 숙주는 박쥐와 천산갑, 사스는 박쥐-사향고양이, 메르스는 박쥐-낙타 등이 꼽히며, 에이즈 역시 야생 원숭이가 가진 바이러스의 변종이다. 최근 야생동물에서 유래한 전염병이 왜 이처럼 확산되고 있는지를 밝혀낸 새로운 연구 결과가 발표되었는데 이러한 연구 결과를 조사하고, 이를 정리하여 발표해 보자.

관련학과

농생명학과, 동물자원과학과, 생명과학과, 생물학과, 수의학과, 의생명과학과, 환경생명화학과

3 코로나19 백신의 효과가 얼마나 오랫동안 지속될지 또는 면역력이 얼마나 오래 지속될지를 아는 유일한 방법은 코로나19에 걸렸다가 완치된 환자들을 연구하는 것이다. 하지만 이를 통해 만든 백신이라 할지라도 자연 면역의 메커니즘과 동일하지 않기 때문에 효과에 대해서는 다양한 의견이 있다. 화이자와 모더나와 같이 지금까지 개발된 백신의 원리에 대해 조사하고, 이를 정리하여 발표해 보자.

관련학과

농생명학과, 생명과학과, 생물학과, 수의학과, 수학과, 의생명과학과, 환경생명화학과

4 코로나19 검사에는 대표적으로 비인두도말 PCR(유전자증폭) 검사, 타액 PCR 검사, 신속항원검사 등이 있다. 각각의 검사 방법의 원리 및 장단점을 정리하고 K-방역 시스템에 대한 자신의 생각을 발표해 보자.

관련학과

농생명학과, 생명과학과, 생물학과, 수의학과, 수학과, 의생명과학과, 환경생명화학과

5 2000년에 등록된 임상시험은 총 2,119건이었으나 2019년 12월에는 150배나 많은 32만 5,592건이었다. 1938년에 미국 식품의약국(FDA)에서 약물을 심사하기 시작한 이래 2018년 12월까지 허가된 약물은 총 1,900가지다. 신약이 만들어지는 과정과 신약의 효능을 알아보기 위한 과정을 사례를 통해 알아보고, 이를 발표해 보자.

관련학과

농생명학과, 생명과학과, 생물학과, 수의학과, 수학과, 의생명과학과, 환경생명화학과

6 병원균의 침입을 막을 수는 없지만 병원균의 침입을 최소화할 수 있도록 해야 건강을 유지할 수 있다. 또한 항상 건강한 신체를 유지하여 면역력을 높이는 것도 병에 걸리지 않는 방법이다. 개인, 사회, 국가 수준의 질병의 예방 방법을 구분하여 토론하고 인포그래픽, 카드뉴스 등을 제작하여 전시해 보자.

관련학과

농생명학과, 생명과학과, 생물학과, 수의학과, 의생명과학과, 환경생명화학과

7 페스트, 천연두 등과 같이 인류의 역사에 큰 영향을 미친 대유행병의 발병 원인과 증상, 인류에 끼친 영향을 당시 사회적 상황과 연계하여 조사하고, 과학의 발전이 인류의 건강에 미친 영향을 긍정적, 부정적 측면으로 나누어 발표해 보자.

관련학과

농생명학과, 생명과학과, 생물학과, 수의학과, 의생명과학과, 환경생명화학과

8 2013년 영화 '감기', 2012년 영화 '연가시' 및 소설 「눈먼 자들의 도시」와 같이 전염병을 소재로 한 영화 또는 소설 중 하나를 선택하고 질병에 대한 과학적 대처가 필요한 이유를 발표해 보자.

관련학과

농생명학과, 생명과학과, 생물학과, 수의학과, 의생명과학과, 환경생명화학과

9 한 연구에 의하면 4인 가족의 경우 구입한 유통기한이 지나거나 상해서 폐기하는 비율이 구매한 식품의 약 25%에 달하는 것으로 나타나고 있다. 특히 이로 인한 손실액이 연간 1,600억 달러(한화 약 192조 원)에 달하는 것으로 나타났다. 문제는 이같은 식량 손실이 세계적으로 발생하고 있다는 것이다. 또한 포장용 플라스틱으로 인해 발생하는 환경오염도 심각한 상황이라 할 수 있다. 이런 상황에서 과학자들은 식품 폐기를 줄일 수 있는 환경친화적인 포장재를 개발해왔다. 기존 포장재와 친환경적인 포장재의 사례를 들고 이들의 장단점을 조사한 후 발표해 보자.

관련학과

농생물학과, 산림자원학과, 생명과학과, 생물학과, 식물자원학과, 식품생명공학과, 식품영양학과, 임학과, 지구환경과학과, 화학과, 환경생명화학과

10 카페인과 식품 첨가물 사용 기준을 강화한 어린이 기호식품 품질 인증 기준 시행으로 고카페인 함유 식품은 이제 어린이 기호식품으로 품질 인증을 받을 수 없게 되었다. 고카페인 식품이 학생들에게 어떤 영향을 주는지 알아보고, 학교에서 판매가 금지된 것에 대한 자신의 생각을 발표해 보자.

관련학과

식품생명공학과, 식품영양학과, 환경생명화학과

11 과학기술의 발달과 생활양식의 변화로 지난 200년간 인간의 평균 수명은 약 2배 이상 증가하였다. 최근 수명이 연장되면서 노년의 건강한 삶을 위한 고령 친화식품이 대두되고 있다. 고령 친화식품의 필요성과 종류를 조사하여 발표해 보자.

관련학과

식품생명공학과, 식품영양학과

12 달걀, 육류 등에 들어있는 포스파티딜콜린 성분이 치매 위험 감소와 연관이 있다는 연구 결과가 나왔다. 이와 같이 질병 예방, 치료가 있는 식품 또는 질병을 유발하는 식품을 알아보고, 과학적 근거를 들어 설명해 보자.

관련학과

식품생명공학과, 식품영양학과, 생명과학과, 생물학과, 수의학과, 의생명과학과

13 식품 첨가물은 식품 제조, 가공 또는 보존을 위해 식품에 첨가, 혼합하는 등의 방법에 사용되는 물질로 장기간 섭취하면 위험하기에 식품 첨가물 표시제와 같은 제도를 두고 있다. 우리 조상들이 사용했던 식품 첨가물의 종류와 현재 사용하는 식품첨가물을 비교하여 장단점을 분석하고 안전한 식품을 선택하기 위해 고려해야 할 것이 무엇인지 조사하여 정보를 알리는 카드뉴스를 만들어 보자.

관련학과

식품생명공학과, 식품영양학과, 생명과학과, 생물학과, 수의학과, 의생명과학과

14 방사능, 식품첨가물 등 우리 주변에는 건강을 위협하는 다양한 먹거리가 존재한다. 직접 재료의 선택에서 요리부터 폐기까지의 전과정을 수행해보고 건강하고 안전한 먹거리를 위해 고려해야 할 부분이 무엇인지 과정별로 정리하여 발표해 보자.

관련학과

식품생명공학과, 식품영양학과, 생명과학과, 생물학과, 수의학과, 의생명과학과

영역

아름다운 생활

성취기준

[12생활02-01]	샴푸와 세안제, 화장품, 염색, 파마 등에 포함된 과학적 원리를 조사하고, 설명할 수 있다.
[12생활02-02]	아름다움은 건강한 신체와 정신에 기반한다는 것을 이해하고, 미용의 올바른 가치를 담은 광고, 동영상 등 홍보물을 제작할 수 있다.
[12생활02-04]	화장품 개발의 윤리와 동물 보호 등과 관련된 내용을 조사하고, 토론할 수 있다.
[12생활02-06]	과학이 의복의 발달에 미친 영향을 조사하고, 발표할 수 있다.
[12생활02-08]	등산복, 운동복, 방화복, 방수복, 방탄복 등 안전과 관련된 의복의 소재 및 기능 등을 조사하고, 비교함으로써 안전 의복들의 장점과 개선점에 대해 토론할 수 있다.

탐구주제

12.생활과 과학 — 아름다운 생활

1. 최근 가정에서 거의 매일 사용하는 일부 샴푸나 세제 또는 클리너 등에 들어가는 화학물질을 가지고 생쥐와 쥐를 실험한 결과, 태아사망이나 기형 또는 불임을 불러일으키는 '신경관 결손'(NTDs)이 증가한다는 연구 결과가 발표되었다. 자신이 사용하고 있는 샴푸와 세안제, 화장품에 들어간 성분을 확인해 보고 각각의 성분이 왜 필요한지 과학적으로 설명해 보자.

관련학과

농생물학과, 동물자원학과, 생명과학과, 화학과, 환경생명화학과

2. 식약청은 식품의약품을 법이 정한 기준에 의해 의약품과 의약외품, 화장품 등으로 분류하고 있다. 의약품과 의약외품, 화장품의 차이 그리고 집 또는 학교에서 사용하는 물품의 성분을 조사하고, 표를 만들어 발표해 보자.

관련학과

농생물학과, 수의학과, 의생명과학과, 동물자원학과, 생명과학과, 화학과, 환경생명화학과

3. 역사적 고증에 의하면 지금으로부터 약 5만 년 전부터 화장이 시작됐으며 양귀비의 경우 피부 미용을 위해 살구씨 가루, 달걀흰자 등을 사용하였다고 한다. 역사적 인물 중 한 명을 선택하여 아름다움을 위해 사용한 재료와 화장법을 과학적 원리를 통해 알아보고, 발표해 보자.

관련학과

농생물학과, 생명과학과, 생물학과, 의류학과, 의상학과, 화학과

4. 우리가 사용하는 화장품 중에는 색을 내기 위해 안티몬이라는 착색제를 사용하는데 이 성분은 현재 대기 물질이나 물에도 존재하고 있는 흔한 성분이다. 사실 기준치인 10ppm 이하로 사용된다면 건강상에 큰 위해는 없지만, 과량 사용된다면 피부 염증이나 두통, 구토, 호흡 곤란을 유발할 수 있다. 독성 걱정 없는 화장품을 선택하기 위한 방법에는 무엇이 있는지 포스터, 광고, 카드뉴스 등을 제작하여 발표해 보자.

관련학과

농생물학과, 생명과학과, 생물학과, 의류학과, 의상학과, 화학과

5 동물보호에 대한 사회적 인식이 높아지면서 화장품에 대한 동물실험이 금지되었다. 하지만 사람 몸에 직접 닿는 제품이 안전한지 확인하는 작업은 꼭 필요하므로 그래서 최근 사람의 체세포를 배양해 만든 인공 피부 개발이 주목받고 있다. 인공 피부란 무엇인지 조사하고, 동물실험을 대체할 수 있는 방법에 대해 토론해 보자.

관련학과

농생물학과, 동물자원학과, 생명과학과, 생물학과, 수의학과, 식품생명공학과, 축산학과

6 스스로 알아서 신체 상태를 점검해주거나, 휴대폰을 들고 다니지 않아도 언제든지 연락할 수 있는 스마트 의류는 웨어러블 기기의 대표적 상품이지만 착용과 전자제품의 탈부착 등의 불편함이 있다. 최근에 스마트 의류가 가지고 있는 문제들을 근본적으로 개선할 수 있는 '스마트 섬유'가 개발되었는데 스마트 섬유가 무엇인지 그리고 이를 활용한 제품에는 무엇이 있는지 조사하여 발표해 보자.

관련학과

의류학과, 의상학과, 화학과

7 등산복, 운동복, 방화복, 방수복, 방탄복 등 의류에 적용된 과학적 원리를 조사하고, 첨단 과학기술을 활용한 의류(환경미화원을 위한 밤에도 잘 보이는 옷, 아기 체온이 37℃ 이상시 알려주는 옷)와 같이 위험을 방지하거나 사회 문제를 해결할 수 있도록 첨단 기술을 활용한 의류에 대해 모둠별로 토론해 보자

관련학과

의류학과, 의상학과, 화학과

8 뜨거운 물을 붓거나 충전기를 사용하여 보온팩을 데운 후에 침낭 속에 보온팩을 넣어두면 4~6시간 동안 일정한 온도를 유지할 수 있는 휴대용 인큐베이터 '엠브레이스'의 개발과정을 알아보고, 엠브레이스의 원리와 장점에 대해 조사하여 발표해 보자.

관련학과

의류학과, 의상학과, 수의학과, 의생명과학과

영역 편리한 생활

성취기준

[12생활03-01] 초고층 건물, 경기장, 음악 공연장, 지붕, 다리 구조 등 다양한 건축물을 조사하고, 각 건축물에 관련된 과학적 원리를 설명할 수 있다.

[12생활03-02] 인간의 외부 환경, 주거의 개념, 건물의 기능, 편안함, 쓰레기, 안전 등 건축물을 설계할 때 고려해야 하는 사항들을 조사하고, 발표할 수 있다.

[12생활03-05] 자동차, 기차, 선박, 비행기, 신호등, GPS 등에 관련된 과학적 원리를 조사하고, 설명할 수 있다.

[12생활03-08] 교통사고의 유형 및 비율을 조사하고, 교통사고를 줄일 수 있는 방안 및 전략을 만들어 토론할 수 있다.

탐구주제

1 외부 온도가 50도에 육박하는 더운 날씨에도 흰개미들의 집안 내부 온도는 30도 정도를 유지한다. 흰개미들은 엄청난 양의 산소를 소비하고 이산화 탄소와 열을 배출하면서도, 집으로 들어온 공기는 위로 빠져나가게 하는 통풍 구조로 집을 만들어 적정한 온도와 습도를 유지할 수 있다. 만약 흰개미 집처럼 통풍 구조를 만든다면 에어컨 없는 건물이 가능해질 것이다. 자연의 원리를 이용한 건축물을 조사하거나 또는 직접 건축물을 설계해보고 모둠별로 발표해 보자.

관련학과

대기과학과, 물리학과, 생물학과, 지구물리학과, 지구환경과학과

2 최근 자연환경을 지키면서도, 주거 환경을 쾌적하게 만들기 위한 목적으로 건물을 짓고 나서부터 철거할 때까지의 기간 동안 환경에 주는 피해를 최소화할 수 있도록 설계된 건축물이 주목을 끌고 있다. 패시브하우스와 액티브하우스 등과 같은 친환경 건축을 할 때 고려해야 할 요소가 무엇인지 알아보고, 친환경 건축의 사례를 통해 건축물에 적용된 과학적 원리를 조사하여 발표해 보자.

관련학과

대기과학과, 지구물리학과, 지구환경과학과, 환경생명화학과

3 최근 한 연구에 의하면 어린이와 청소년 보행자의 교통사고가 하루 중 오후 5시에 가장 많이 발생하는 것으로 나타났다. 우리 지역의 교통사고 유형과 사망사고 유형을 통계학적 측면에서 알아보고, 교통사고를 줄일 수 있는 방법을 고안해 보자.

관련학과

물리학과, 수학과, 통계학과, 지구물리학과

4 일명 '공중부양 횡단보도'로 불리우는 '3D 횡단보도'는 대표적인 교통안전 아이디어로 기둥이 공중에 마치 떠 있는 것처럼 보여 교통사고를 줄이는 방법이다. 3D 횡단보도와 같이 국내외 교통사고 예방 아이디어를 살펴보고, 이를 바탕으로 자신이 생각하는 교통사고를 예방할 수 있는 아이디어를 만들어 보자.

관련학과

물리학과, 수학과, 통계학과, 지구물리학과

5 GPS는 위성에서 보내는 신호를 받아 사용자의 현재 위치를 계산하는 위성항법시스템이다. 최근 지진 발생 시 지각판의 이동 속도 추적이나 지진의 규모 예측 연구에 GPS가 활용되는 등 GPS에 대한 과학적 연구가 다양해지고 있다. GPS를 통해 지진, 화산, 쓰나미 등 자연재해를 예측하는 원리에 대해 발표해 보자.

관련학과

대기과학과, 물리학과, 수학과, 우주과학과, 지구물리학과, 지구해양학과, 지구환경과학과, 해양학과

영역 **문화생활**

성취기준

[12생활04-01] 스포츠, 음악, 미술, 사진, 문학 등에 관련된 과학적 원리 및 개념을 조사하고, 설명할 수 있다.

[12생활04-04] 안전, 음악 또는 미술 작품의 표절, 문화재 보존 및 복원 기술, 보안 유지, 자료·정보 유출 및 도난 방지 등을 위하여 고려해야 할 내용들과 관련된 사례들을 조사하고, 발표할 수 있다.

[12생활04-05] 공연, 영화, 미디어 아트 등 종합 예술과 관련된 과학적 원리 및 개념을 조사하고, 설명할 수 있다.

탐구주제

1 스포츠 시합을 하다 보면 뜨거운 열기를 가라앉게 만드는 판정 문제가 종종 발생하곤 하는데 심판도 사람이기 때문에 판정에 있어서 오류와 실수가 발생할 수 있다. 지금까지 이러한 오류와 실수를 우리는 '오심도 경기의 일부'라는 말로 넘어가고는 했다. 그러나 최근 ICT 기술의 발달로 이와 같은 문제를 해결할 수 있는 로봇 심판이 등장하였다. 스포츠, 음악, 사진, 문학에 등장한 AI 기술에 대해 조사하고, AI에 대한 자신의 생각을 자유롭게 발표해 보자.

관련학과

물리학과, 수학과, 통계학과

2 스포츠 경기를 보다 보면 운동선수들이 팔, 다리, 어깨 등에 알록달록한 테이프를 붙이고 나오는 경우가 있다. 대강 붕대로 동여맨 것처럼 보이지만 그 붕대에는 과학적 비밀이 숨어 있다. 관절, 근육, 인대 등 보호를 위한 스포츠 테이핑의 과학적 원리를 조사 발표해 보자.

관련학과

물리학과, 수의학과, 생물학과, 생명과학과, 의생명과학과

3 모든 스포츠, 음악, 미술에는 수학이 숨어 있다고 한다. 예를 들어 스포츠에서 상대를 이기기 위한 전략도 수학적 사고력이며, 축구공의 경우도 구가 아닌 준정다면체로 전개도의 개념이 들어가 있다. 이처럼 스포츠, 음악, 사진, 문학에 들어있는 수학적 개념 및 원리에 대해 조사한 후 발표해 보자.

관련학과

수학과, 통계학과

4 최근에는 홀로그램 기술과 가상현실 기술을 통한 디지털 유산 복원이 차세대 문화유산 분야로 주목받고 있다. 이들 기술을 통해 재현하는 이른바 가상 유산은 기록과 보존을 넘어 활용의 측면에서 매우 유용하게 사용되고 있다. 최근에 문화재와 사라진 역사를 과학기술로 복원하는 사례를 찾아보고, 각각의 사례에 적용된 과학적 원리를 발표해 보자.

관련학과

물리학과, 지구물리학과

5 한 음악 케이블에서는 인공지능(AI) 음악 프로젝트 '다시 한번'을 통해 고(故) 터틀맨의 모습을 복원해 주목을 받고 있다. 그 외에도 홀로그램과 가상현실을 활용하여 집에서도 박물관의 모습을 확인할 수 있는 기술이 발전하고 있다. 이러한 프로젝트에 사용된 과학적 원리를 조사하고, 이를 활용하여 사회에 긍정적으로 활용할 수 있는 방법을 고안해 보자.

관련학과

물리학과, 통계학과

활용 자료의 유의점

- ① 과학적 원리가 다가올 미래에는 어떻게 적용될 수 있는지 예측하고 이를 적용할 수 있는 기술에 대해 탐구
- ① 기초 탐구 과정(관찰, 분류, 측정, 예상, 추리, 의사소통 등)과 통합 탐구 과정(문제 인식, 가설 설정, 변인 통제, 자료 해석, 결론 도출, 일반화 등), 수학적 사고와 컴퓨터 활용, 모형의 개발과 사용, 증거에 기초한 토론과 논증 등 기능을 학습 내용과 관련하여 탐구
- ① 과학의 잠정성, 과학적 방법의 다양성, 과학 윤리, 과학·기술·사회의 상호 관련성, 과학적 모델의 특성, 관찰과 추리의 차이 등 과학의 본성과 관련된 내용을 적절한 소재를 활용
- ① 고등학생에서 수준에 적합한 탐구 과제를 선정하고 교과 내용을 심화할 수 있는 사례나 주제를 선정하여 탐구 진행
- ① 과학적 원리와 함께 기술, 공학, 예술, 수학 등 다른 주제와 입장에 대하여 통합하여 탐구

MEMO

핵심키워드

☐ 허블-르메트르 법칙 ☐ 인플레이션 우주론 ☐ 핵융합 반응 ☐ 허블 우주 망원경 ☐ 생명 가능 지대 ☐ 다이너모 이론 ☐ 시아노박테리아 ☐ 유전암호 ☐ DNA복제 ☐ 탄성파와 전자기파 ☐ 스마트그리드 ☐ 광통신 ☐ 거대자기저항 ☐ 다이오드 ☐ 그래핀 ☐ 종자은행 ☐ 코로나바이러스 ☐ 선플라 ☐ 태양광발전 ☐ 인공광합성

영역 우주의 기원과 진화

성취기준

[12융과01-01] 허블 법칙을 통하여 우주의 팽창을 설명하고 우주의 나이를 구할 수 있다.

[12융과01-02] 빅뱅 우주에서 기본 입자와 양성자 및 중성자, 헬륨 원자핵이 순차적으로 만들어짐을 모형으로 표현할 수 있다.

[12융과01-03] 수소, 헬륨 원자가 나타내는 선스펙트럼으로부터 우주에 수소와 헬륨이 풍부하다는 것을 알 수 있으며 원자가 형성되면서 나온 빛이 우주배경복사로 검출된다는 것을 알고 이를 빅뱅의 증거로 설명할 수 있다.

[12융과01-04] 별이 탄생하고 적색거성, 초신성으로 진화하면서 탄소와 산소 등 무거운 원소가 만들어지는 과정을 설명할 수 있다.

[12융과01-05] 은하의 크기, 구조, 별의 개수 등이 다양하고, 은하와 은하 사이의 공간 등이 우주의 전체 구조를 이루고 있음을 우주 거대 구조를 관측한 결과를 활용하여 설명할 수 있다.

[12융과01-06] 성간 공간에서 수소, 탄소, 질소, 산소 원자들로부터 수소와 질소 분자, 그리고 일산화탄소, 물, 암모니아 등과 같은 간단한 화합물이 만들어지는 과정을 설명할 수 있다.

탐구주제

1 2018년 10월 국제천문연맹(IAU)은 연례회의와 전자투표에 참석한 회원 1만 1,072명에게 허블의 법칙을 허블-르메트르 법칙으로 개명하는 찬반투표를 진행한 결과 78%가 개명 찬성, 20%가 반대 의사를 표명했고 나머지 2%는 기권했다고 발표했다. 찬성과 반대하는 입장의 의견을 각각 조사하고, 정리해서 토론해 보자.

관련학과

우주과학과, 천문우주학과, 지구물리학과, 물리학과, 지구환경과학과

2 최초의 인플레이션 우주론은 미국의 물리학자 앨런구스에 의해 1980년에 등장했다. 인플레이션 우주론은 빅뱅 직후 얼마 지나지 않은 시점에서 우주가 급격히 팽창했다는 이론으로 기존에 빅뱅 우주론이 설명할 수 없던 한계들을 해결할 수 있었다. 빅뱅 우주론의 3가지 한계와, 이 한계를 해결하기 위해 인플레이션 이론이 급팽창을 동원하여 설명한 방법을 조사해 발표해 보자.

관련학과

우주과학과, 천문우주학과, 지구물리학과, 물리학과, 지구환경과학과

3 펜지어스와 윌슨이 발견한 우주배경복사는 정상상태 우주론의 도전을 물리치고 빅뱅모델을 우주론 논쟁에서 결정적인 우위에 서도록 하였다. 우주배경복사의 발견이 빅뱅우주론에 미친 영향에 대해 조사해 보고, 최초의 우주배경복사 탐사선 COBE 프로젝트의 성과는 무엇인지 조사하여 발표해 보자.

관련학과

우주과학과, 천문우주학과, 지구물리학과, 물리학과

4 별은 일생 동안 핵융합을 통하여 탄소, 산소, 규소, 철과 같은 갖가지 원소들을 만들어 별 내부에 차곡차곡 쌓아놓는다. 별은 물질과 생명체의 재료가 되는 원소들의 생성 공장인 셈이다. 별 내부에서 핵융합 반응이 일어나는 과정을 탐구하여 발표해 보자.

관련학과

우주과학과, 천문우주학과, 지구물리학과, 물리학과, 화학과

5 멀리 떨어진 은하 관측에는 지구 대기 바깥에 있는 미국 NASA의 '허블 우주 망원경'과 유럽우주기구(ESA)의 허셜 적외선 우주 망원경이 큰 공헌을 했다. 이를 통해 과학자들이 얻은 은하의 수는 대략 1,000억에서 2,000억 개 사이다. 허블 우주 망원경과 허셜 적외선 우주 망원경의 특징과 공헌은 무엇인지 조사해 보고, 관측 가능한 우주 속의 항성들 중 지구에서 얼마나 많은 항성을 관측할 수 있을까?라는 주제로 탐구해 보자.

관련학과

우주과학과, 천문우주학과, 지구물리학과, 물리학과

영역

태양계와 지구

성취기준

[12융과02-01]	태양계의 형성 과정은 행성의 공전궤도와 방향, 지구형 행성과 목성형 행성 등 태양계의 여러 특징과 관련된다는 것을 알고, 태양에서 핵융합 반응이 일어나는 과정을 태양의 특성과 관련지어 설명할 수 있다.
[12융과02-02]	케플러의 법칙은 행성의 운동에 관한 법칙으로 뉴턴의 운동 법칙을 이용하여 케플러 법칙을 설명할 수 있다.
[12융과02-03]	지구와 달의 공전과 자전에 의해 식현상이 나타남을 모형으로 설명할 수 있다.
[12융과02-04]	행성의 탈출 속도를 구하고, 목성, 금성, 화성 등 대기 성분 차이를 탈출속도 및 기체 분자의 특성과 관련지어 설명할 수 있다.
[12융과02-05]	지구의 진화 과정을 통하여 지권, 수권, 기권 등과 같은 지구계 각 권이 형성되었으며, 태양으로부터의 거리가 지구를 특별한 행성으로 만들었다는 것을 추론할 수 있다.
[12융과02-06]	지구의 원소 분포와 주변 화합물의 특성을 주기율과 관련지어 설명할 수 있다.
[12융과02-07]	지구의 자기장과 이온층의 형성 원인을 지구의 내부 물질과 지구의 자전과 관련지어 설명할 수 있다.

탐구주제

1 태양계 형성 학설 중 칸트와 라플라스가 제시한 '칸트-라플라스 성운설'은 태양과 행성 모두 성운으로부터 한꺼번에 만들어졌다는 이론이다. 그러나 이러한 이론으로는 그 근거가 불분명하여 많은 과학자들이 항성인 태양이 먼저 만들어지고, 그 후 행성들이 주변을 지나가다 붙잡혔다는 '포획설'을 믿어왔다. 그러나 결국 다시 예전의 성운설이 역사적 조명을 받게 되었다. 그 이유는 무엇인지 탐구하여 발표해 보자.

관련학과

우주과학과, 천문우주학과, 지구물리학과, 물리학과

2 독일의 천문학자 요하네스 케플러는 400년 전인 1619년 '우주의 조화'란 저서를 통해 행성의 공전주기와 공전궤도 반지름과의 관계를 설명한 행성 운동 조화의 법칙(제3법칙)을 발표했다. 케플러의 제3법칙에서 뉴턴은 만유인력 법칙을 어떻게 발견했는지 수식으로 증명하는 과정을 조사하여 발표해 보자.

관련학과

우주과학과, 천문우주학과, 지구물리학과, 물리학과

3 달이 순수하게 지구를 한 바퀴 공전하는 시간을 항성월(恒星月)이라고 하고, 반면에 달이 삭으로부터 다음 삭에 도달하기까지의 평균 시간을 삭망월(朔望月)이라고 한다. 여기서 삭이란 태양과 지구 사이에 달이 껴서 보이지 않는 음력 초하루, 망은 지구 뒤편에 달이 위치한 보름이다. 삭이나 망에서 매번 일식, 월식이 일어나지 않는 이유는 무엇인지 조사하여 발표해 보자.

관련학과

우주과학과, 천문우주학과, 지구물리학과, 물리학과

4 지구형 행성과 목성형 행성의 대기는 다르다. 보통 목성형 행성은 태양으로부터 멀리 떨어져 있기 때문에 온도가 낮으며 대부분 수소와 헬륨과 같은 가벼운 기체가 대기를 구성하고 있는 반면, 지구형 행성은 수소와 헬륨으로 구성된 원시대기가 강력한 태양풍에 의해 소실되어 이산화 탄소, 산소, 질소와 같은 대기로 구성되어 있다. 금성과 목성의 대기 성분 차이를 탈출속도 및 기체 분자의 특성과 관련하여 조사한 후 발표해 보자.

관련학과

우주과학과, 천문우주학과, 지구물리학과, 물리학과, 지구환경과학과, 화학과

5 생명 가능 지대는 태양이 방출하는 에너지의 영향으로 액체 상태의 물이 존재할 수 있는 범위다. 태양계에서 생명 가능 지대(액체 상태 물) 영역은 '금성'과 '화성'사이 지구쯤의 위치가 된다. 그래서 지구에 액체 상태의 물이 있을 수 있는 것이다. 중심별의 질량과 공전 궤도의 반지름에 따른 생명 가능 지대의 관계를 탐구하여 발표해 보자.

관련학과

우주과학과, 천문우주학과, 지구물리학과, 물리학과

6 다이너모 이론은 1920년 라모가 처음 제창한 것으로 지구 외핵의 유체운동이 외부 자기장의 영향을 받아 유도전류를 형성하고, 이 유도전류는 지구 회전축을 따라 자기장을 만든다는 설명이다. 외핵에 여러 개의 다이너모가 있다는 로즈와 윌킨슨형 다이너모를 통해 지구 자기장의 생성과정을 조사하여 발표해 보자.

관련학과

우주과학과, 천문우주학과, 지구물리학과, 물리학과

영역 생명의 진화

성취기준

[12융과03-01] 원시 바다에서 화학적 진화를 통해 간단한 화합물로부터 단백질과 같은 복잡한 탄소 화합물이 만들어지고 생명이 탄생하였음을 밀러의 실험 결과와 관련지어 설명할 수 있다.

[12융과03-02] 광합성 박테리아가 출현하여 태양에너지를 이용해 물을 분해하고 이때 나온 수소를 사용하여 이산화 탄소를 탄수화물로 환원시키면서 산소가 발생하고, 이 반응이 지구와 생명의 역사에 변혁을 가져온 과정을 과학적 근거를 들어 설명할 수 있다.

[12융과03-03] 지질 시대에 따른 생물 화석의 변화를 통해 생물 종의 진화 과정을 추론할 수 있으며, 생물 화석이 포함된 지층과 암석의 특징을 바탕으로 과거 생물의 생활환경을 유추할 수 있다.

[12융과03-04] 원핵생물, 진핵생물, 단세포생물, 다세포생물의 차이를 근거로 하여 다양한 생물 종의 진화를 설명하는 진화론의 핵심을 설명할 수 있다.

[12융과03-05] 지구의 모든 생명체가 염색체, 유전자, DNA의 개념을 바탕으로 동일한 유전 암호를 사용하는 것에 근거하여 생명의 연속성을 설명할 수 있다.

[12융과03-06] 대립 유전자 쌍이 생식 세포 분열과 수정을 거쳐 복제, 분배, 조합을 이룸으로써 유전 현상이 나타남을 사례를 들어 설명할 수 있다

탐구주제

1 생명의 기원에 대해서는 여러 가지 가설이 주장되고 있다. 그중 가장 많은 지지를 받는 화학진화설에 따르면 생물은 초기 지구상에 존재한 원자나 분자들이 결합하여 간단한 유기 분자가 합성된 것으로, 이로부터 간단한 세포가 형성되었다고 한다. 화학진화설에서의 스텐리 밀러의 실험에 대해 파악해 보고, 그 문제점은 무엇인지 조사하여 발표해 보자.

관련학과

화학과, 생물학과, 생명과학과, 환경생명화학과, 의생명과학과

2 원시의 대기는 생물이 살기 어려운 상태였다. 그러나 생물의 광합성 작용이 일어나면서 산소가 생겨났다. 이처럼 최초의 지구생물은 약 35억 년 전쯤의 것으로 추정되는 화석에서 발견된 것으로, 지금의 광합성을 한 원핵 미생물인 시아노박테리아이다. 시아노박테리아가 생명의 진화에서 어떤 역할을 했는지 탐구해 보자.

관련학과

지구환경과학과, 생물학과, 생명과학과, 환경생명화학과, 지구물리학과, 의생명과학과

3 지층(地層)이 다르면 그곳에서 출현하는 화석의 종류도 다른데 이것은 생물의 변천을 단적으로 나타낸다. 지층의 생성 시대를 알려 주는 화석을 표준 화석, 지층이 만들어진 당시의 환경을 알려 주는 화석을 시상 화석이라고 한다. 표준 화석과 시상 화석 가운데 대표적인 생물의 화석을 조사하여 생물의 진화과정을 탐구해 보자.

관련학과

지구환경과학과, 생물학과, 생명과학과, 환경생명화학과

4 유전암호는 1961년 마셜 니렌버그에 의해 밝혀지게 되었고, 완전한 유전암호표는 1966년 로버트 홀리와 고빈드 코라나에 의해 만들어졌다. 1968년에 "유전암호의 해독과 단백질 합성에서 그 기능에 관한 연구"로 노벨생리의학상을 공동 수상했다. 유전자 암호 해독에 관한 이론 및 원리에 대해 탐구하여 발표해 보자.

관련학과

생물학과, 생명과학과, 환경생명화학과, 의생명과학과

5 DNA의 복제(Replication)는 세포가 증식을 위해 분열하여 두 개의 세포로 나뉠 때, 두 딸세포가 같은 유전물질을 갖기 위해 이루어지는 현상이다. DNA 복제과정에 작용하는 효소들의 역할과 기능에 대해 조사하여 발표해 보자.

관련학과

생물학과, 생명과학과, 환경생명화학과, 의생명과학과

영역 정보통신과 신소재

성취기준

[12융과04-01] 빛, 힘, 소리, 온도 변화, 압력 변화, 탄성파, 전자기파 등 자연계의 물리적 정보 발생 과정을 통해, 아날로그 정보와 디지털 정보의 의미와 차이를 설명할 수 있다. 법을 설명할 수 있고, 광물 자원이 활용되는 사례를 조사하여 발표할 수 있다.

[12융과04-02]	정보를 인식하는 여러 가지 센서의 기본 작동 원리를 이해하고, 휴대전화, 광통신 등 첨단 정보 전달기기에서 정보가 다른 형태로 변환되어 전달되는 과정을 설명할 수 있다.
[12융과04-03]	하드디스크 등 여러 가지 디지털 정보 저장 장치의 원리와 구조를 이해하고, 이 원리가 적용된 자기 기록 카드 등에 대해 조사하여 발표할 수 있다.
[12융과04-04]	눈에서 색을 인식하는 세포의 특성과 빛의 3원색 사이의 관계를 바탕으로, LCD 등 영상표현 장치와 디지털 카메라 등 영상 저장 장치의 원리와 구조를 과학적으로 설명할 수 있다.
[12융과04-05]	고체에 대한 에너지 띠구조를 바탕으로 도체, 부도체, 반도체의 차이가 나타난다는 것을 이해하고, 이는 초전도체와 액정 등 새로운 소재의 물리적 원리로 활용될 수 있음을 설명할 수 있다.
[12융과04-06]	반도체의 도핑과 반도체 소자의 전기적 특성을 이해하고, 이러한 특성이 다이오드와 트랜지스터, 고집적 메모리 등 구조에 활용되는 사례를 제시할 수 있다.
[12융과04-07]	고분자 물질의 구조와 이에 따른 특성을 이해하고, 고분자 물질의 특성을 활용한 합성섬유, 합성수지, 나노 물질 등 다양한 첨단 소재를 조사하여 발표할 수 있다.
[12융과04-08]	중요한 광물 자원의 생성 과정과 유형, 분포와 탐사 방법을 설명할 수 있고, 광물 자원이 활용되는 사례를 조사하여 발표할 수 있다.

탐구주제

13.융합과학 — 정보통신과 신소재

1 탄성파는 탄성 매질 내에서 매질의 교란 상태 변화로 인해 에너지가 전달되는 파동이고, 전자기파는 전기장과 자기장의 진동 양상이 공간에서 진행하는 파동이다. 탄성파와 전자기파의 발생과정에 대해 조사하고, 우리 생활 속에서 탄성파와 전자기파가 사용되고 있는 사례를 조사하여 발표해 보자.

관련학과

물리학과, 지구물리학과

2 스마트그리드는 기존의 전력망(Grid)에 ICT 기술을 접목하여, 공급자와 소비자가 양방향으로 실시간 전력 정보를 교환함으로써 에너지효율을 최적화하는 차세대 전력망이다. 스마트그리드의 필요성 및 기대효과와 발전 방향에 대해 조사해 보고, 국내 사례인 제주 실증단지에 대해 탐구해 보자.

관련학과

물리학과, 지구물리학과, 지구환경과학과

3 초음파의 과학적 연구는 제1차 세계대전 말에 프랑스의 물리학자 P.랑주뱅이 잠수함을 탐지하는 데 초음파를 사용하려 한 것이 처음이었다. 초음파의 발생 원리, 특징과 종류 그리고 초음파의 기술에 대해 조사하고, 초음파가 산업과 생활 속에서 사용되는 예를 들어 탐구하여 발표해 보자.

관련학과

물리학과, 지구물리학과, 지구환경과학과

4 광통신은 기존의 금속 심선을 이용한 유선통신이나 주파수를 이용한 무선통신과는 달리 광섬유케이블이나 적외선을 통해 정보를 전송하는 통신방식이다. 광통신이 이루어지는 과정에서 이용되는 원리, 특징 및 종류, 사례를 조사해 보고, 광통신의 한계를 파악한 후 이 한계를 극복할 수 있는 개선방안에 대해 탐구해 보자.

관련학과

물리학과, 지구물리학과, 지구환경과학과

5 프랑스 국립과학연구센터(CNRS) 알베르 페르(69) 교수와 독일 윌리히 연구센터 페터 그륀베르크(68) 교수는 '거대자기저항(Giant Magneto Resistance, GMR)' 현상의 발견이라는 공로로 2007년 노벨물리학상을 수상했다. 거대자기저항 현상의 발견은 기초 과학과 기술 발전이 잘 결합된 아주 좋은 예이다. 거대자기저항 현상의 발견이 현대 정보기술 혁명에 어떤 영향을 끼쳤는지 조사하여 탐구해 보자.

관련학과

물리학과, 지구물리학과, 지구환경과학과

6 LCD는 액정표시장치로 인가전압에 따른 액정 투과도의 변화를 이용하여 각종 장치에서 발생하는 여러 가지 전기적인 정보를 시각정보로 변화시켜 전달하는 전기소자이다. LCD의 역사 및 기본구조, 동작원리를 알아보고, 최신 기술동향에 대해서 조사하여 발표해 보자.

관련학과

화학과, 물리학과, 지구물리학과

7 다이오드는 2개의 단자를 갖는 전자 부품으로써 한쪽에는 낮은 저항을 다른 쪽에는 높은 저항을 둬 전류가 한쪽으로만 흐를 수 있게 하는 물질이다. 다이오드의 원리 및 이론적 배경과 실용 사례를 조사하여 발표해 보자.

관련학과

물리학과, 지구물리학과

8 그래핀은 2004년 영국의 가임과 노보셀로프 연구팀이 발견하여 2010년 노벨물리학상을 받은 신소재이다. 2020년 7월 국내 연구진이 세계 최초로 4층 그래핀을 단결정으로 만드는 합성법을 개발했다. 꿈의 신소재라 불리는 그래핀의 특징과 응용분야에 대해 조사해 보고, 4층 그래핀을 단결정으로 만드는 합성법 개발 연구 성과로 인한 향후 전망에 대해 탐구해 보자.

관련학과

물리학과, 지구물리학과

9 반도체는 어떤 특별한 조건 하에서만 전기가 통하는 물질로서 필요에 따라 전류를 조절하는데 사용된다. 우리가 사용하는 컴퓨터에는 어떤 반도체가 들어있는지 조사해 보고, 반도체는 어떤 원리로 다양한 기능을 갖게 되었는지 탐구하여 발표해 보자.

관련학과

물리학과, 지구물리학과

탐구주제

10 플라스틱은 그 성질에 따라 크게 열경화성 플라스틱과 열가소성 플라스틱으로 나눌 수 있다. 열경화성 플라스틱은 열을 가하면 굳고, 한번 굳으면 재가열해도 부드러워지거나 녹지 않는 성질을 지닌다. 열가소성 플라스틱은 열을 가하면 녹고, 온도를 낮추면 고체로 되돌아가는 열에 유동적인 성질을 지닌다. 플라스틱의 역사 및 종류 그리고 플라스틱의 재질별 특성을 조사해 보고, 플라스틱의 재활용 방안을 탐구하여 발표해 보자.

관련학과

물리학과, 지구물리학과

영역 인류의 건강과 과학기술

성취기준

[12융과05-01] 질소 고정의 의미와 비료의 생산, 농작물과 가축 개량을 위한 육종과 유전공학 기술, 식품의 안전성과 품질 개선 기술 등 식량 자원의 양과 질의 향상에 적용된 과학적 원리를 설명할 수 있다.

[12융과05-02] 식량 자원의 지속적인 개발 및 확보와 관련하여 생태계와 생물다양성의 가치 및 종자은행의 중요성을 이해하고, 물의 소독, 살균, 세제의 사용이 인간 수명의 증가와 건강의 증진에 기여하였음을 조사하여 발표할 수 있다.

[12융과05-03] 건강한 생활의 유지를 위해 세포의 물질대사, 생장, 조직 형성 및 에너지 공급을 위한 영양소의 고른 섭취가 필요함을 이해하고, 일과 운동을 통하여 에너지가 소비되는 과정을 설명할 수 있다.

[12융과05-04] 병원체로 작용하는 박테리아와 바이러스의 특징을 이해하고, 이들의 확산을 방지하기 위해 개발된 백신과 면역 과정에 대해 설명할 수 있다.

[12융과05-05] 의료에 사용되는 청진기, 혈압계, 내시경과 MRI를 비롯한 첨단 영상 진단 장치에는 물리적 원리가 적용되었으며, 혈액 검사 등에는 화학적 원리가 적용되었다는 것을 설명할 수 있다.

[12융과05-06] 생태계와 생물다양성의 가치를 천연 의약품과 관련지어 설명하고, 아스피린 등 합성 의약품의 중요성에 대해 토의할 수 있다.

[12융과05-07] 암의 발생은 유전적·환경적 요인과 관련됨을 알고, DNA 염기 서열과 단백질의 상세 구조에 대한 지식을 바탕으로 개발된 신약이 암의 진단과 치료에 활용되는 사례를 설명할 수 있다.

탐구주제

1 미국의 스타트업 기업인 'The Impossible Food'는 미생물 유전공학을 통해 '고기를 고기이게 하는' 첨가물(HEME: 철 단백질)의 대량생산에 성공하였다. 임파서블 버거의 패티가 바로 헴(Heme)을 사용해 만든 것이다. 임파서블 버거의 패티가 만들어질 때 적용되는 과학적 원리에 대해 탐구하여 발표해 보자.

관련학과

생명과학과, 생물학과, 의생명과학과, 환경생명화학과, 식품생명공학과, 식품영양학과

2 종자은행은 식물자원의 연구, 보존과 이용에 근간이 되는 종자의 장기 저장을 위해 필수적인 시설로 새로운 품종개발과 신약개발 등을 위해 생명공학의 소재로 분양하여 널리 활용되고 있다. 국내 종자은행의 현황을 파악해 보고, 종자은행의 역할을 통해 우리 인류에게 주는 장단점은 무엇인지 조사하여 발표해 보자.

관련학과
생명과학과, 생물학과, 의생명과학과, 환경생명화학과, 농생물학과, 산림자원학과, 식물자원학과, 임학과

3 신종 코로나바이러스는 2019년 12월 중국 우한에서 처음 발생한 새로운 유형의 코로나바이러스(SARS-CoV-2)에 의한 호흡기 감염질환이다. 신종 코로나바이러스 백신 제조 방법과 백신이 인체 내에서 작동하는 원리에 대해 탐구하여 발표해 보자.

관련학과
생명과학과, 생물학과, 의생명과학과, 수의학과

4 2020년 9월 미국 의학협회가 발행하는 신경의학 저널인 '자마 뉴롤로지(JAMA Neurology)' 에 포터블 MRI 기기의 활용 가능성을 연구한 논문이 실렸다. 기존 고정식 MRI보다 다소 해상도가 낮지만, 이동과 촬영이 간편해서 뇌 질환 환자들에게 좋은 효과를 거둘 수 있다는 내용이다. 포터블 MRI의 장점 및 물리적 원리에 대해 조사해 보고, 향후 미래 전망에 대해 발표해 보자.

관련학과
생명과학과, 생물학과, 의생명과학과, 물리학과

5 아스피린(Aspirin)은 100년 넘는 역사를 지닌 해열·진통·항염제이자 심혈관 질환 예방 의약품이다. 1897년 독일 바이엘 연구소에서 펠릭스 호프만 박사가 세계 최초로 아스피린의 주요 성분인 아세틸살리실산을 순수하고 안정된 형태로 합성하는 데 성공하면서 널리 사용되기 시작했다. 아스피린의 효능과 부작용에 대해 조사하여 발표해 보자.

관련학과
생명과학과, 생물학과, 의생명과학과, 화학과, 식품생명공학과

6 SK케미칼은 1999년 대한민국 '신약 1호'인 위암 치료제 '선플라'를 출시했다. 이는 100여 년의 대한민국 제약산업 역사상 최초의 신약이다. 3세대 백금착제 항암제 선플라의 개발로 신약개발국가 대열에 당당히 합류했고 국내 제약산업의 위상을 한 단계 높임과 동시에 국제 경쟁력을 갖는 계기가 되었다. 선플라 개발과정 및 효능에 대해 탐구하여 발표해 보자.

관련학과
생명과학과, 생물학과, 의생명과학과, 화학과, 식품생명공학과

영역

에너지와 환경

성취기준

[12융과06-01] 에너지는 다양한 형태로 존재하고, 자연이나 일상생활에서 에너지가 다른 형태로 전환되는 과정에서 에너지가 보존됨을 예를 들어 설명할 수 있다.

[12융과06-02] 지구의 가장 중요한 에너지원은 태양 에너지와 화석 연료이고, 에너지를 빛, 열, 소리, 전기 등으로 전환시키는 기술을 바탕으로 인류 문명이 발전해온 과정을 설명할 수 있다.

[12융과06-03] 에너지 전환 과정의 효율 관점에서 영구기관은 불가능하다는 것을 과학적으로 논증할 수 있다.

[12융과06-04] 대기와 해양의 순환은 지구의 에너지 순환 과정이며, 엘니뇨나 라니냐와 같은 해양 순환의 변화가 기후에 심각하게 영향을 준다는 것을 추론할 수 있다.

[12융과06-05] 화석 연료의 사용은 산화와 환원 과정이며, 화석 연료의 과다 사용이 지구온난화와 기후 변화를 일으킨다는 것을 논증할 수 있다.

[12융과06-06] 식물의 광합성은 이산화 탄소의 환원 과정으로 탄소의 순환과 관련되며, 광합성에서 빛 에너지의 역할을 빛의 특성과 관련지어 설명할 수 있다.

탐구주제

13.융합과학 — 에너지와 환경

1 열역학은 열과 역학적 일의 기본적인 관계를 바탕으로 열현상을 비롯해 자연계 안에서 에너지의 흐름을 통일적으로 다루는 물리학의 한 분야이다. 열역학 제1법칙은 열현상에서의 에너지보존법칙이고, 열역학 제2법칙은 엔트로피 법칙이다. 에너지보존법칙과 엔트로피 법칙의 차이점은 무엇인지 조사해 보고, 우리 일상생활에서 발견할 수 있는 엔트로피 법칙에 대해 탐구하여 발표해 보자.

관련학과

물리학과, 지구물리학과

2 태양광발전은 태양의 빛 에너지를 변환하여 직접 전기를 생산하는 '태양전지'를 이용한 것으로 우리나라의 태양광발전은 1998년을 전후로 하여 보급되기 시작했다. 최근 들어 신재생 에너지인 태양광발전에 대한 관심이 높아지는 것에 비례해 우려와 경각심이 쏠리고 있는 것도 사실이다. 태양광발전이 환경을 파괴한다는 다양한 관점들에 대한 근거를 조사하여 발표해 보자.

관련학과

물리학과, 지구물리학과, 대기과학과, 지구환경과학과

3 2017년 12월 미국 로렌스 리버모어 국립연구소는 '북극해를 덮고 있던 얼음이 점차 녹으면서 앞으로 미국 캘리포니아주가 더욱 가뭄에 시달릴 것이다'라는 연구 결과를 발표했다. 북극해 얼음과 캘리포니아주의 가뭄이 어떤 상관관계가 있을지 탐구하여 발표해 보자.

관련학과

지구해양학과, 지구환경과학과, 대기과학과

탐구주제

4 화석 연료는 지각에 파묻힌 동식물의 유해가 오랜 세월에 걸쳐 화석화하여 만들어진 연료로, 이를 통해 얻어진 에너지가 화석 에너지이다. 화석 연료의 장단점을 조사해 보고, 화석 연료의 사용 증가로 비롯되는 환경문제는 무엇인지 탐구하여 발표해 보자.

관련학과

지구물리학과, 지구환경과학과, 화학과

5 식물의 광합성 원리를 이용한 인공 광합성 연구는 물을 분해하여 수소를 생산하거나 이산화 탄소로부터 연료를 얻는 친환경 재생에너지 생산기술로, 청색기술 과학자를 중심으로 활발하게 진행되어 왔다. 인공 광합성의 원리를 탐구해 보고, 인공 광합성 기술 적용 사례를 조사하여 발표해 보자.

관련학과

생명과학과, 생물학과, 지구물리학과, 지구환경과학과, 화학과

활용 자료의 유의점

- 기초 탐구 과정과 통합 탐구 과정, 증거에 기초한 토론과 논증 등 기능을 학습 내용과 연계
- '융합과학' 과목 내용과 관련된 기술, 공학, 예술, 수학 등 타 교과와 통합, 연계하여 탐구
- 과학 글쓰기와 토론을 통하여 과학적 사고력, 창의적 사고력 및 의사소통능력을 함양
- 과학자 이야기, 과학사, 시사성 있는 과학 내용 등을 탐구 활동에 활용
- 과학 윤리, 과학·기술·사회의 상호 관련성 등 과학의 본성과 관련된 내용 탐구

자연계열편

영어과 교과과정

영어

핵심키워드

☐ 학교 급식 ☐ 종이타월 ☐ 지구온난화 ☐ 환경보호광고 ☐ 폐수유출 ☐ 디지털 탄소발자국

영역 말하기

성취기준

[10영02-02] 일상생활이나 친숙한 일반적 주제에 관하여 듣거나 읽고 중심 내용을 말할 수 있다.

탐구주제

1.영어 — 말하기

1. Michael Moore 감독의 다큐멘터리영화 'Where to Invade Next'중 프랑스의 학교 급식('School Lunch France') 부분을 시청해 보자. 이 영화에 나타난 프랑스 학교 급식이 추구하는 목적이 무엇인지 영어로 이야기해 보자. 그리고 우리나라 학교 급식과 비교하여 이야기해 보자.

관련학과

식품공학과, 식품생명공학과, 식품영양학과

2. Joe Smith의 TED 연설 'How to use a paper towel'을 시청해 보자. 강연자가 설명하는 종이타월 사용의 문제점과 그가 권장하는 사용법을 영어로 설명해 보자. 그리고 스스로 휴지 사용을 줄일 수 있는 방법을 생각해보고, 강연자처럼 짧은 영어 구호를 만들어 캠페인 활동 챌린지 영상을 제작해 보자.

관련학과

농생물학과, 대기과학과, 동물자원학과, 산림자원학과, 생명과학과, 원예학과, 임학과, 지구환경과학과

3. 짧은 TED 영상 'Why is the world warming up?'을 시청해 보자. 이 영상이 설명해 주는 지구온난화(Globalwarming)의 원인과 영향을 영어로 말해 보자.

관련학과

대기과학과, 생명과학과, 생물학과, 식물자원학과, 우주과학과, 지구해양학과, 지구환경과학과

영역 **쓰기**

성취기준

[10영04-06] 일상생활이나 친숙한 일반적 주제에 관한 그림, 도표 등을 설명하는 글을 쓸 수 있다.

탐구주제

1.영어 — 쓰기

1 "Polar Bear" for Ecoeduca Chile By DRAFTFCB + IDB의 환경보호 광고를 보자. 이 광고의 "Global warming is leaving many homeless"가 의미하는 바를 구체적인 사례를 들어 영어로 설명하는 글을 써보자.

관련학과

동물자원학과, 지구해양학과, 지구환경과학과, 생명과학과, 생물학과, 해양학과

2 미국의 환경보호기구에서 제작한 인포그래픽 'The facts on leaks'를 보자. 이 인포그래픽의 8가지 사실들(facts)에 대하여 영어로 설명해 보자. 그리고 인포그래픽 하단의 'water sense'가 의미하는 바를 영어로 말해 보자.

관련학과

산림자원학과, 생명과학과, 지구해양학과, 지구환경과학과, 환경생명화학과

3 디지털 탄소 발자국(Digital carbon footprint)이란 디지털 기기에서 와이파이, LTE 등 네트워크를 거쳐 최종 연결하려는 데이터 센터까지 서버를 연결할 때 발생하는 이산화 탄소를 나타낸다. 인터넷에서 ways to reduce digital carbon footprint를 검색해 보자. 그리고 디지털 탄소발자국을 줄이는 방법을 정리하여 'ways to reduce digital carbon footprint' 주제로 인포그래픽을 영어로 작성해 보자.

관련학과

대기과학과, 산림자원학과, 생명과학과, 지구해양학과, 지구환경과학과, 환경생명화학과

활용 자료의 유의점

- 친숙한 주제에 대한 글을 읽고 주요 내용을 파악하여, 자신의 의견을 정리
- 영어에 대한 흥미와 동기유발이 될 수 있도록 신문, 인터넷, 유튜브 등 다양한 매체를 활용
- 영어 의사소통 향상이 가장 중요한 목적임을 명심하고, 영어로 표현된 다양한 정보를 분석하고 이해

영어 회화

핵심키워드

☐ 생물다양성 ☐ 유제품 ☐ 우유와 건강 ☐ 도핑 ☐ 스포츠맨 정신

영역 말하기

성취기준

[12영회02-01] 일상생활이나 친숙한 일반적 주제에 관하여 듣거나 읽고 세부 정보를 설명할 수 있다.

탐구주제

1 Kim Preshoff의 TED 강의 'Why is biodiversity so important?'를 시청해 보자. 강연자는 이 영상을 통해 생태계가 실제로 붕괴할 위험에 처해있다고 한다. 정글은 사막이 될 수 있고 산호는 생명 없는 바위가 될 수 있는 변화의 모습에서 무엇이 하나의 생태계를 강하고 약하게 만드는 것일까? 강연자는 그 해답이 상당 부분 생물다양성에 있음을 상세히 알려주고 있다. 이 강연에서 자신이 알게 된 것과 생물의 다양성이 중요한 이유에 대해 요약해서 영어로 말해 보자.

관련학과

농생물학과, 동물자원학과, 산림자원학과, 생명과학과, 생물학과, 식물자원학과, 식품공학과, 지구환경과학과, 축산학과, 해양학과, 환경생명화학과

2 Jonathan J. O'Sullivan & Grace E. Cunningham의 TED animation 강의 'Which type of milk is best for you?'를 시청해 보자. 가장 인기 있는 유제품 우유, 두유, 아몬드두유, 오트밀두유 중에서 어떤 것이 자신의 건강에 가장 유익하며, 지구의 건강에 도움이 되는지 알아 보자. 자신에게 가장 유익한 종류의 유제품과 그 이유를 영어로 이야기해 보자. 그리고 지구 환경에 가장 도움이 되는 유제품과 그 이유를 영어로 이야기해 보자.

관련학과

동물자원학과, 식물자원학과, 식품공학과, 식품생명공학과, 식품영양학과, 지구환경과학과, 축산학과, 환경생명화학과

3 피겨스케이팅 선수 Carolina Kostner가 전 남자친구의 도핑을 묵인했다는 이유로 출전정지를 받았다. 이에 관한 뉴스(Carolina Kostner facing 4 year 3 month ban for allegedly doping)를 시청하고 도핑과 스포츠맨 정신에 대하여 자신의 생각을 영어로 이야기 해 보자.

관련학과

생명과학과, 생물학과, 수의학과, 식품공학과, 식품생명공학과, 식품영양학과

활용 자료의 유의점

- (!) 언어 기능을 통합하는 교수·학습 방법을 구안함으로써 실제적인 영어 사용 능력 향상
- (!) 창의적이고 융합적인 사고 능력을 배양할 수 있도록 창의적인 활동 및 다양한 매체를 활용한 교수·학습 방법을 구안
- (!) 다양한 멀티미디어 자료, 정보통신기술 도구 등을 수업에 활용하여 학습의 효율성이 극대화되도록 계획
- (!) 실용적 내용과 자연계열의 기초 학문적 영역을 활용하여 의사소통능력 향상을 위해 노력

MEMO

핵심키워드

☐ 학교 교육 ☐ 온라인 수업 상황 ☐ 코코 샤넬 ☐ 화장품 동물실험 반대 운동 ☐ 화장품 테스트 방법
☐ 우주여행 ☐ 뉴럴링크 ☐ <테넷> 속 물리학 개념

영역 말하기

성취기준

[12영 I 02-03] 친숙한 일반적 주제에 관해 자신의 의견이나 감정을 표현할 수 있다.

▶ 학업과 관련된 일반적 주제의 말과 대화를 듣고, 중심 내용과 관련하여 자신의 의견이나 감정을 표현함으로써 의사소통능력을 향상시키도록 한다.

탐구주제

3.영어 I — 말하기

1 교육공학자인 Sugata Mitra의 TED 강연 'Building a school in the cloud'를 시청해 보자. 그의 'Hole-in-the-Wall' 실험에 대해 영어로 이야기해 보자. 이 실험을 통해 강연자의 'Schools as we know them are obsolete' 이 말에 대해 현재 온라인 수업 상황과 관련지어 자신의 생각을 영어로 이야기해 보자.

관련학과

물리학과, 생명과학과, 생물학과, 수의학과, 수학과, 통계학과

2 디자이너 코코 샤넬(Coco Chanel)의 삶과 디자이너로서의 영향에 관한 영상 'Coco Chanel - French Fashion Designer & Businesswoman'을 시청해 보자. 코코 샤넬이 패션에 끼친 영향에 대해 알아보자. 새롭게 알게된 점과 느낀 점을 영어로 이야기해 보자. 그리고 창의성과 혁신에 대한 자신의 생각을 코코 샤넬과 연관 지어 영어로 이야기해 보자.

관련학과

의류학과, 의상학과

탐구주제

③ Be Cruelty-Free Campaign이란 화장품 동물 실험 반대 운동을 말한다. 'The Truth About Animal Testing for Cosmetics #BeCrueltyFree' 영상을 시청해 보자. 이 영상을 보고 느낀 점에 대해 영어로 이야기해 보자. 그리고 동물실험 이외의 테스트 방법을 조사하여 영어로 발표해 보자.

관련학과

농생물학과, 동물자원학과, 생명과학과, 생물학과, 수의학과, 축산학과, 화학과, 환경생명화학과

영역 쓰기

성취기준

[12영 I 03-03] 친숙한 일반적 주제에 관해 자신의 의견이나 감정을 쓸 수 있다.

▶ 일상생활이나 학업과 관련된 친숙한 일반적 주제에 관해 생각, 주장, 느낌 등을 자신의 글로 표현할 수 있다.

탐구주제

① 닐코민스의 책 「화성인도 읽는 우주여행 가이드북(The Traveler's Guide to Space: For One-Way Settlers and Round-Trip Tourists by NEIL F. COMINS)」은 우리가 살고 있는 지구와, 지구가 속한 우주를 바라보는 색다른 관점을 제시하고 있다. 이 책을 읽고 알게 된 점과 느낀 점을 짧은 영어 에세이로 작성해 보자.

관련학과

대기과학과, 물리학과, 산림자원학과, 우주과학과, 지구물리학과, 지구해양학과, 지구환경과학과, 천문우주학과

② 엘론 머스크의 뉴럴링크는 사람의 뇌에 칩을 심어 컴퓨터를 연결해 상호 작용을 하게 하는 기술로 머리카락 1/4 수준의 유연한 실에 뇌 신호를 감지할 수 있는 전극을 심어 로봇을 통해 뇌에 이식하는 방법이라고 한다. 이 기술을 통해 간질, 우울증과 같은 뇌 관련 치료를 할 수 있다고 한다. 'Elon Musk's Neuralink brain chip demo explained' 영상을 보거나 BBC의 'Neuralink: Elon Musk unveils pig with chip in its brain'를 읽고, 뉴럴링크(neuralink)에 대한 자신의 생각을 영어로 작성해 보자.

관련학과

생명과학과, 생물학과, 수의학과

③ 영화 '테넷(TENET)'은 시간의 흐름을 뒤집는 인버전을 통해 현재와 미래를 오가며 세상을 파괴하려는 사토르를 막기 위해 투입된 작전의 주도자의 이야기를 다룬다. 이 영화에서는 물질과 반물질, 할아버지의 역설, 엔트로피 법칙 등 다양한 물리학 개념들이 자연스럽게 녹아들어 있다. 영화 속 물리학 개념을 찾으며 영화를 감상해 보자. 영화에서 발견한 물리학 개념을 영어로 실명하는 에세이를 작성해 보자. 아래의 사이트를 참고하여 영어로 작성해 보자.

* https://medium.com/@ngxinzhao/deep-dive-into-physics-of-time-inversion-of-tenet-e14636773d07

관련학과

물리학과, 우주과학과, 지구물리학과, 지구해양학과, 천문우주학과

활용 자료의 유의점

- ① 상황이나 목적에 맞는 적절한 표현을 사용할 수 있는 능력 함양
- ① 흥미를 높일 수 있는 친숙한 주제 선정을 통해 말하기를 격려하고 편안한 분위기를 조성하여 실수를 두려워하지 않도록 노력
- ① 자기 주도적 학습이 가능하도록 다양한 쓰기 전략을 사용
- ① 학습자들의 진로 및 관심 분야와 관련된 소재를 활용하여 쓰기에 흥미와 자신감 가질 수 있도록 노력

MEMO

영어 독해와 작문

핵심키워드

□ 양자물리학 □ 임상실험 □ 지킬박사와 하이드 □ 마이야르 반응 □ 환원반응 □ 음식의 화학반응

영역 쓰기

성취기준

[12영독04-04] 학업과 관련된 서식, 이메일, 메모 등을 작성할 수 있다.

탐구주제

4.영어 독해와 작문 — 쓰기

1 Sheddad Kaid-Salah Ferron의 「처음 읽는 양자물리학(My First Book of Quantum Physics)」은 양자물리학의 세계를 어린이가 이해할 수 있도록 쉽고 재미있게 설명해주는 책이다. 이 책을 읽고 저자에게 영어로 편지를 작성해 보자. 이 책을 읽으며 알게 된 점, 물리학에 대한 관심 등을 담아 편지를 영어로 작성해 보자.

관련학과

물리학과, 우주과학과, 지구물리학과, 천문우주학과

2 Robert Louis Stevenson의 소설 「The Strange Case of Dr. Jekyll and Mr. Hyde」는 아버지를 위해 시작했던 과학 연구지만 자신의 몸에 약을 투여하는 잘못된 선택으로 인해 벌어지는 일들을 다루었다. 이 책을 읽고, 주인공인 Henry-Jekyll에게 임상 실험의 위험 또는 과학자로서의 선택에 관한 영어 편지를 작성해 보자. (자신의 영어 수준에 따라 챕터북 또는 어린이용 각색본을 선택하여 읽어도 무방)

관련학과

전 자연계열

3 마이야르 반응(Maillard reaction)은 아미노산과 환원당 사이의 화학 반응으로, 음식의 조리 과정 중 색이 갈색으로 변하면서 특별한 풍미가 나타나는 일련의 화학 반응을 일컫는다. Eric Schulze의 기사 'An Introduction to the Mail lard reaction: The Science of Browning, Aroma, and Flavor'를 읽고, Maillard reaction의 세 요소에 관하여 요리시에게 영어 편지글을 작성해 보자.

관련학과

식품공학과, 식품생명공학과, 식품영양학과, 화학과

활용 자료의 유의점

- (!) 학습자들의 진로 및 관심 분야와 관련된 소재를 활용하여 쓰기에 흥미와 자신감을 갖도록 노력
- (!) 협동학습 활동을 통해 학습자들의 자발적인 참여를 높이고 창의적이고 비판적인 사고 능력 함양
- (!) 실제적인 의사소통능력을 신장할 수 있도록 듣기·말하기·읽기 기능과 연계

MEMO

핵심키워드

□ 유전자 계획 임신 □ 정자 기증 □ 비포 더 플러드(Before the Flood) □ 기후 변화의 영향
□ 「세상을 바꿀 미래 의학 설명서」 □ 의공학의 분야 □ 의학 최첨단 기술
□ 유전적 요인으로 인한 차별 금지법 □ 플라스틱 오염

영역 말하기

성취기준

[12영II02-02] 비교적 다양한 주제에 관하여 듣거나 읽고 중심 내용을 말할 수 있다.

[12영II02-03] 비교적 다양한 주제에 관해 자신의 의견이나 감정을 표현할 수 있다.

탐구주제

5.영어II — 말하기

1 워싱턴포스트의 기사 'A World of Their Own By Liza Mundy'에서는 청각장애인 커플이 청각장애인 자녀를 갖기 위해, 5대째 청각장애를 갖고있는 가족 출신에게서 정자를 기증받아 청각장애 아들을 낳았다는 이야기를 다루었다. 이 기사를 읽고, '계획적으로 자녀를 청각장애로 만드는 것은 잘못된 것인가'에 관한 주제에 대한 자신의 생각을 영어로 이야기해 보자. 기사를 읽으면서 청각장애인 커플의 입장과 이 커플을 비판하는 입장을 정리한 후 자신의 생각을 정리하여 영어로 이야기해 보자.

관련학과

농생물학과, 생명과학과, 생물학과, 의생명과학과

2 피셔스티븐스 감독과 환경운동가인 레오나르도 디카프리오가 함께 작업한 다큐멘터리 'Before the Flood'를 감상해 보자. 이 영화는 전 세계가 직면한 기후 변화와 이에 대처하기 위한 세계 각국의 다양한 활동을 조망하는 다큐멘터리 영화이다. 다음의 질문에 영어로 답변해 보자. 'Who do you think needs to see this film, why should they see it, and what can we do to make sure this happens?'

관련학과

농생물학과, 대기과학과, 동물자원학과, 산림자원학과, 지구해양학과, 지구환경과학과, 천문우주학과, 축산학과, 해양학과, 환경생명화학과

탐구주제

5.영어 II — 말하기

3. Sara Latta의 책 「Body 2.0: The Engineering Revolution in Medicine(세상을 바꿀 미래 의학 설명서)」에서는 고대 이집트로 거슬러 올라가는 의공학의 시작부터 유전자를 편집하는 현재의 최첨단 기술까지, 의공학의 다양한 분야를 살피고 이들이 이룬 성과를 알려주고 있다. 총 8개의 챕터 중 관심 있는 부분을 읽고, 이를 짧은 영어 강의로 설명해 보자. 책에 나온 설명과 사진을 활용하여 강의 자료 ppt를 제작하고, 이를 친구들 앞에서 영어로 설명해 보자.

관련학과

농생물학과, 생명과학과, 생물학과, 수의학과, 환경생명화학과

영역 쓰기

성취기준

[12영 II 04-04] 학업과 관련된 간단한 보고서를 작성할 수 있다.

▶ 정보처리 역량과 창의적 사고력을 활용하여 필요한 정보를 파악하는 능력을 기르도록 한다.

탐구주제

5.영어 II — 쓰기

1. 월스트리저널의 기사 'In 95-0 Vote, Senate Passes Bill Barring Genetic Discrimination By Laurie McGinley'를 읽어보자. 이 기사는 미국 상원이 고용주나 보험회사가 유전적 요인으로 차별하는 것을 금지하는 법안을 95-0으로 통과시킨 이야기를 다루고 있다. 이 기사를 읽고 'Is it necessary to outlaw the use of genetic information?'의 찬성과 반대에 대한 자신의 의견을 영어 에세이를 작성해 보자. 기사에 나타난 찬성과 반대의 입장을 이해하고 추가적으로 자료를 조사하여 영어 에세이를 작성해 보자.

관련학과

동물자원학과, 생명과학과, 생물학과, 수의학과, 식품생명공학과, 축산학과

2. 피셔스티븐스 감독과 환경운동가인 레오나르도 디카프리오가 함께 작업한 다큐멘터리 'Before the Flood'를 감상해 보자. 이 다큐멘터리는 전 세계가 당면한 지구 기후 변화에 대한 경각심을 일깨우고 세계 각국의 해결 방안을 알아보는 내용이다. 이 다큐멘터리를 보고 가장 인상 깊었던 세 가지를 선정하고, 이 내용과 자신의 생각을 정리하여 영어 보고서를 작성해 보자.

관련학과

농생물학과, 동물자원학과, 산림자원학과, 생명과학과, 생물학과, 수의학과, 식물자원학과, 원예학과, 의생명과학과, 화학과, 환경생명화학과

3. 내셔널 지오그래픽의 #Planet or Plastic? 이야기 공모전에서 우승한 Liliana Sandberg를 다룬 기사 'Meet the Budding Author Helping to Fight the Plastic Waste Crisis: National Geographic-Wattpad Story Contest Winner Liliana Sandberg'를 읽어보자. Sandberg의 과학 소설 「Ouroboros」을 읽고, 느낀 점을 영어 에세이로 작성해 보자.

관련학과

농생물학과, 대기과학과, 동물자원학과, 산림자원학과, 생명과학과, 생물학과, 수의학과, 식물자원학과, 원예학과, 지구해양학과, 지구환경과학과, 천문우주학과, 축산학과, 통계학과, 해양학과, 환경생명화학과

활용 자료의 유의점

- ⓘ 영어II 교과에서는 일상생활 속의 다양한 주제를 과학 상식 등과 연계하여 보다 정확하고 심화된 내용의 의미를 전달할 수 있도록 노력
- ⓘ 실제적인 의사소통능력을 향상할 수 있도록 읽기·쓰기·말하기의 과정이 2개 이상씩 연결될 수 있도록 노력
- ⓘ 자연계열의 과학적 업적이 증명된 이론에 대해 읽기·쓰기·말하기의 과정을 통해 구체적인 근거를 들을 수 있도록 연습

MEMO

핵심키워드

☐ 숲 황폐화 ☐ 숲 회복력 ☐ 해양 ☐ 과도한 플라스틱 사용 ☐ 플라스틱 오염 ☐ 물부족 위기

영역 말하기

성취기준

[12실영02-02] 실생활 중심의 다양한 주제에 관하여 듣거나 읽고 중심 내용을 말할 수 있다.

[12실영02-03] 실생활 중심의 다양한 주제에 관해 자신의 의견이나 감정을 표현할 수 있다.

탐구주제

6.실용 영어 — 말하기

1 WWF의 'How To Save Our Forests and Rewild Our Planet' 영상을 시청해 보자. 이 영상에서 이야기하는 숲의 회복력(resilience)을 다시 갖게 하려면 우리는 어떻게 해야할지에 대해 이야기한다. 이 영상을 시청하고, 느낀 점과 앞으로 숲을 지키기 위해 어떻게 할 것인가에 대해 친구들과 영어로 이야기해 보자.

관련학과

농생물학과, 산림자원학과, 생명과학과, 생물학과, 수의학과, 식물자원학과, 원예학과, 지구환경과학과, 환경생명화학과

2 Conservation International(CI)에서 제작한 'Nature Is Speaking - Harrison Ford is The Ocean'을 시청해 보자. 배우 Harrison Ford는 바다가 되어 인간에게 경고를 하고 있다. 이 영상을 시청한 후 바다(The Ocean)에 영어로 영상편지를 보내보자. 영상을 보고 느낀 점, 앞으로 어떻게 해야 할 것인가에 대해 영어로 이야기해 보자.

Plastics are durable, light and versatile. However, they take up to 400 years to decompose. This will affect people's lives for the next 16 generations. Our excessive use of plastics is impacting ocean health and biodiversity. By 2050, there could be more plastics in the ocean than fish by weight.

관련학과

지구해양학과, 지구환경과학과, 해양학과, 환경생명화학과

3 WWF의 'Plastic Pollution'을 시청해 보자. 플라스틱이 분해되는데 400년이 걸린다. 우리의 과도한 플라스틱 사용의 결과를 다룬 영상을 시청해 보자. 이 영상을 보고 느낀 점과 플라스틱 사용에 대한 태도에 대한 자신의 생각을 영어로 친구들과 이야기해 보자.

관련학과

지구해양학과, 지구환경과학과, 해양학과, 환경생명화학과, 식품공학과, 식품생명공학과, 식품영양학과

4 넷플릭스의 'Explained : World's Water Crisis'를 시청해 보자. 이 영상을 보고 알게 된 점과 느낀 점을 친구와 영어로 이야기해 보자. 그리고 앞으로 이러한 물부족에 대해 어떻게 대처해야 할 것인가에 대해 생각해 보고, 지금까지 한 토의 내용을 정리하여 학급 친구들 앞에서 영어로 발표해 보자.

관련학과

대기과학과, 지구해양학과, 지구환경과학과

활용 자료의 유의점

- 실제적 상황에서 직접 사용할 수 있는 표현을 상황과 목적에 맞게 발화
- 학습자들의 흥미를 높일 수 있는 친숙한 주제를 선정하여 말하기를 격려하고 편안한 분위기를 조성하여 실수를 두려워하지 않도록 노력
- 실제적인 의사소통능력을 신장할 수 있도록 듣기·읽기·쓰기 기능과 연계

MEMO

영어과

7

영어권 문화

핵심키워드

□ 마스크 착용 □ 코로나19 □ 동서양의 관점 차이 □ 명사로 세상을 보는 서양인 동사로 세상을 보는 동양인
□ 김치 □ 김치의 종주국 □ 중국의 허위 주장 □ 한복 □ 한국 전통 모자 □ 한국 전통의상의 인기

영역 **쓰기**

성취기준

[12영화04-02] 영어권 문화에 관하여 듣거나 읽고 간단하게 요약할 수 있다.

[12영화04-03] 영어권 문화에 관해 자신의 의견이나 감정을 쓸 수 있다.

탐구주제

7.영어권 문화 — 쓰기

1. 마스크 착용은 COVID-19 팬데믹의 상징처럼 보인다. 우리나라와 같은 동양 사람들은 마스크 착용을 잘하는 반면에 서양인들은 마스크 착용에 대한 거부감이 크다. 코리아헤럴드 기사 '[Robert J. Fouser] Why Koreans wear face masks'를 읽어보자. 읽고 난 후, 우리나라 사람들이 마스크를 잘 착용하는 이유를 요약하고, 이에 대한 자신의 생각을 영어로 작성해 보자.

관련학과
전 자연계열

2. EBS 다큐프라임 '동과서 - 명사로 세상을 보는 서양인 동사로 세상을 보는 동양인'을 시청해 보자. 사물과 우주에 대한 동양과 서양의 관점 차이를 설명하는 영상을 보고, 'How Asians and Westerners Think Differently and Why'를 주제로 짧은 영어 에세이를 작성해 보자.

관련학과
물리학과, 생명과학과, 생물학과, 우주과학과, 원예학과, 의상학과, 지구물리학과, 지구해양학과, 지구환경과학과, 천문우주학과

3 김치의 종주국이 중국이며 파오차이가 국제시장의 표준이라고 환구망 <중국 환구시보 인터넷 홈페이지>에 거짓 주장을 올린 것과 관련하여, BBC의 기사 'Kimchi ferments cultural feud between South Korea and China'를 읽고, 내용을 영어로 요약해 적어보자. 그리고 이러한 중국의 허위 주장에 대한 우리정부와 식품 산업계의 대응 방안에 대해 영어 에세이를 작성해 보자.

관련학과

식품공학과, 식품생명공학과, 식품영양학과

4 넷플릭스의 드라마 '킹덤'에 나온 한복과 전통 모자에 전 세계 사람들이 열광했다. 이러한 인기로 미국과 캐나다의 아마존 쇼핑에서 전통 갓과 다양한 모자들을 판매하기 시작했다. 이러한 인기에 관한 아리랑 TV의 뉴스 'The "Hats of Joseon" with Mass Appeal'를 시청해 보자. 'Why Korean traditional costumes take the westerners by storm?' 주제로 영어 에세이를 작성해 보자.

관련학과

의류학과, 의상학과

활용 자료의 유의점

- (!) 다양한 영어권 문화와 관련된 소재를 활용하여 쓰기에 흥미와 자신감을 갖도록 노력
- (!) 협동학습 활동을 통해 자발적인 참여를 높이고 창의적이고 비판적인 사고 능력을 높일 수 있도록 노력
- (!) 실제적인 의사소통능력을 신장할 수 있도록 듣기·말하기·읽기 기능과 연계

MEMO

핵심키워드

☐ 프랑켄슈타인 ☐ 과학자의 책임감 ☐ 생명윤리 ☐ 인생의 불확실성
☐ 전파천문학자 ☐ SETI 계획 ☐ 과학자의 자질

영역 **쓰기**

성취기준

[12영문04-02] 문학 작품을 읽고 작품의 분위기, 어조, 상황, 등장인물의 심정에 대해 쓸 수 있다.

탐구주제

8.영미 문학 읽기 — 쓰기

① Mary Shelly의 소설 「Frankenstein」을 읽어보자. 젊은 과학자인 Victor Frankenstein은 나폴레옹 전쟁에 필요한 죽지 않는 전사를 만들고자 'Creature'를 만든다. Creature는 자신의 창조주인 Victor에게도 버림받고, 사람들에게도 따뜻한 마음으로 다가가지만 흉측한 외모 때문에 사람들에게 외면과 상처만 받다가 자신의 창조주인 Victor를 찾아와 복수하는 내용을 담고 있다. 이 소설을 읽고, 소설의 주인공인 과학자인 Victor Frankenstein에게 영어 편지를 작성해 보자. Victor를 이해하는 편지 또는 과학자의 책임감, 생명윤리에 대해 편지를 써보자.

관련학과

농생물학과, 생명과학과, 생물학과, 생명공학과, 수의학과

② Ted Chiang의 소설 「Stories of Your Life and Others」 중 'Division by Zero'를 읽어보자. 수학의 명제는 언제나 진리를 대변한다는 사고방식에 스스로 도전을 받고 인생 전반의 불확실성을 깨달아가는 수학자의 이야기를 읽고, 인상깊었던 점을 영어로 작성해 보자.

관련학과

물리학과, 수학과, 지구물리학과, 통계학과

3 Carl Sagan의 소설 「Contact」를 읽어보자. 어릴 때부터 금성을 보며 문명으로 가득 찬 세계를 상상하던 Eleanor Ellie Arroway는 커서 전파천문학자가 되고 전파망원경으로 우주의 신호를 찾는 SETI(Search for Extra-terrestrial Intelligence) 계획에 참여하면서 발생하는 이야기를 다룬 소설이다. 이 책을 읽고 주인공 Ellie가 가진 과학자로서의 자질에 대해 생각해 보자. Ellie를 보며 느낀 점에 대해 영어로 작성해 보자.

관련학과

대기과학과, 물리학과, 우주과학과, 지구물리학과, 지구해양학과, 지구환경과학과, 천문우주학과

활용 자료의 유의점

- 흥미와 학습 동기를 유발할 수 있는 다양한 장르의 우수한 작품을 선정
- 영미문학 작품 읽기를 통해 문학 작품을 감상하고 이해하는 능력과 함께 영어로 표현하는 능력 함양
- 자기 주도적 학습이 가능하도록 다양한 쓰기 전략 수립
- 문학 작품에 대한 토론을 통하여 서로의 생각이나 느낌을 공유하고, 다양한 가치관과 세계관을 탐색함으로써 자아를 성장시키고 상상력을 확장하는 경험

MEMO

MEMO

MEMO

※ 참고문헌

- K.메데페셀헤르만, F. 하마어, H-J.크바드베크제거. (2007). 화학으로 이루어진 세상 (pp. 1-455). 서울: 에코리브르.
- 가치를꿈꾸는과학교사모임. (2019). 정답을 넘어서는 토론학교 : 과학 (pp. 1-232). 서울: 우리학교.
- 강원도교육청. (2018). 전공 연계 선택과목 가이드북 - 고교학점제 연계 학생 선택중심 교육과정.
- 한국과학창의재단. 과학 교양 교수·학습자료.
- 교육부. (2015). 2015 개정 교육과정. 교육부 고시 제2015-74호. 교육부.
- 권숙자 외. (2020). 도덕수업, 책으로 묻고 윤리로 답하다 (pp. 1-320). 서울: 살림터.
- 금동화. (2006). 재미있는 나노 과학기술 여행 (pp. 1-192). 양문출판사.
- 길벗R&D 일반상식 연구팀. (2019). 시나공 일반상식 단기완성 (pp. 1-464). 서울: 길벗.
- 김난도 외. (2019). 트렌드 코리아 2020 (pp. 1-448). 서울: 미래의창.
- 김동겸 외. (2020). 취업에 강한 에듀윌 시사상식 9월호 (pp. 1-208), 서울: 에듀윌.
- 김미란, 정보근, 김승. (2018). 미래인재 기업가정신에 답이 있다. 미디어숲.
- 김범수. (2016). 진짜 공신들만 보는 대표 소논문 (pp. 1-242). 서울: 더디퍼런스.
- 김선옥, 박맹언. (2015). 광물성 약재(광물약)의 표준화에 관한 연구. 자원환경지질, 48(3), pp. 187-196.
- 김성원 외. (2020). 자유 주제 탐구 학생 안내서. 서울: 이화여대.
- 김성훈 외. (2020). 수학과 함께하는 AI 기초 (pp. 1-240). 경기도: EBS.
- 김영호. (2019). 플레밍이 들려주는 페니실린 이야기 (pp. 1-160). 서울: 자음과모음.
- 김응빈 외. (2017). 생명과학, 신에게 도전하다 (pp. 1-292). 동아시아.
- 김준호. (2017). 미래산업, 이제 농업이다 (pp. 1-164). 가인지캠퍼스.
- 김채화. (2020). 나는 탐구보고서로 대학간다 : 인문계 (pp. 1-288). 미디어숲.
- 김현. (2009). 한국문학의 위상 (pp. 1-256). 문학과지성사.
- 김형진, 윤원기, 김환묵. (2006). 전자변형생물체(GMO)의 인체위해성평가. 한국보건교육건강증진학회 학술대회 발표논문집, pp. 16-17.
- 김혜영. 정훈. (2016). 소논문을 부탁해 (pp. 1-236). 서울: 서울: 꿈결.
- 김혜원. (2017). 로봇수술을 담당하는 간호사의 직무 인식(석사학위논문). 경희대학교 공공대학원, 서울.
- 낸시포브스, 배질 마흔. (2015). 패러데이와 맥스웰 (pp. 1-408). 서울: 반니.
- 네사 캐리. (2015). 유전자는 네가 한 일을 알고 있다 (pp.1-480). 해나무.
- 데이비드 앳킨슨. (2020). 위험한 일본 경제의 미래 (pp. 1-280). 서울: 더난출판.
- 도나 디켄슨. (2012). 인체쇼핑 (pp. 1-312). 서울: 소담출판사.
- 라정찬. (2017). 고맙다 줄기세포 (pp. 1-344). 끌리는책.
- 랄프 뵌트. (2011). 전기로 세상을 밝힌 남자, 마이클패러데이 (pp. 1-392). 21세기북스.
- 레이첼 카슨. (2011). 침묵의 봄 (pp. 1-400). 서울: 에코리브르.
- 로버트 P 크리스. (2006). 세상에서 가장 아름다운 실험 열 가지. 경기도: 지호.
- 로버트 앨런 외. (2011). 바이오미메틱스 (pp. 1-192). 서울: 시그마북스.
- 롭던. (2018). 바나나 제국의 몰락 (pp. 1-400). 서울: 반니.
- 류대곤 외. (2016). 국어교과서로 토론하기 1 (pp. 1-328). C&A에듀.
- 박주희. (2016). 국어교과서로 토론하기 2 (pp. 1-288). C&A에듀.
- 마이클 샌델. (2014). 정의란 무엇인가 (pp.1-443). 와이즈베리.
- 메트 리들리. (2016). 생명 설계도, 게놈 (pp. 1-440). 서울: 반니.
- 명혜정. (2013). 토론의 숲에서 나를 만나다 (pp.1-308). 살림터.
- 바츨라프 스밀. (2011). 에너지란 무엇인가 (pp. 1-272). 삼천리.
- 박건영. (2012). 발효식품의 건강기능성 증진효과. 식품산업과 영양, 17(1), pp. 1-8.
- 박경미. (2009). 수학비타민 플러스 (pp.1-367). 김영사.
- 박경미. (2013). 박경미의 수학콘서트 플러스 (pp.1-372). 동아시아.
- 박규상. (2016). 중고등학생을 위한 처음 쓰는 소논문 쓰기 (pp. 1-272). 경기: 샌들코어.
- 박재용 외. (2020). 100가지 예상 주제로 보는 중고등학교 과학토론 완전정복 (pp. 1-400). MID.
- 배영준. (2019). 자신만만 학생부 세특 족보 - 전2권 (pp. 1-864). 예한.
- 백제헌, 유은혜, 이승민. (2019). 과제 연구 워크북 (pp. 1-260). 서울: 나무생각.
- 백제헌, 유은혜, 이승민. (2016). 진로선택과 학생부종합전형을 위한 고등학생 소논문 쓰기 워크북 (pp. 1-256). 서울: 나무생각.
- 법정스님. (2004). 무소유 (pp.1-142). 경기도: 범우사.
- 봉명고등학교 주제탐구프로젝트 누리집.
- 사이먼 싱. (2008). 우주의 기원 빅뱅 (pp.1-552). 영림카디널.
- 사토 겐타로. (2019). 세계사를 바꾼 12가지 신소재 (pp. 1-280). 북라이프.
- 샘 킨. (2011). 사라진 스푼 (pp. 1-500). 해나무.
- 서강선. (2016). 토크콘서트 과학 (pp. 1-240). 서울: 꿈결.
- 서대진, 장형유, 이상호. (2016). 소논문 작성법 (pp.1-320). 경기도: 북스타.
- 서울특별시교육청교육연구정보원. (2017). 수업-평가-기록 이렇게 바꿔볼까요(고등학교 통합사회).
- 헨리 데이비드 소로. (2011). 월든 (pp. 1-503). 서울: 은행나무.
- 손보미. (2011). 세상에서 가장 이기적인 봉사여행 (pp. 1-328). 서울: 쌤앤파커스.
- 수학동아 편집부. 수학동아(월간). 서울: 동아사이언스.
- 에르빈 슈뢰딩거. (2020). 생명이란 무엇인가 (pp. 1-234). 한울.
- 스티마. (2020). 2020 Stima 면접. 혜음출판사.
- 시사상식연구소(2020). 신문으로 공부하는 말랑말랑 시사상식. ㈜시대고시기획.
- 박문각 시사상식편집부. (2020). 2020 최신시사상식 200-205집. 서울: 박문각.
- 앤드류 H. 놀. (2007). 생명 최초의 30억 년 (pp. 1-391). 서울: 뿌리와이파리.
- 에리히프롬. (2020). 자유로부터 도피 (pp. 1-348). 서울: 휴머니스트.
- 엘리자베스 콜버트. (2014). 6번째 대멸종 (pp.1-344). 서울: 처음북스.
- 연세대 인문학연구원. (2014). 10대에게 권하는 인문학 (pp. 1-240). 서울: 글담출판.
- 오승종. (2019). 생각하는 십대를 위한 토론콘서트 법 (pp. 1-288). 서울: 꿈결.
- 오정근. (2016). 중력파 아인슈타인의 마지막 선물 (pp. 1-300). 동아시아사.
- 오중협. (2009). 항공우주의학의 이해와 한국의 항공우주의학 역사. 대한평형의학회지. 8(1). pp. 87-89.
- 와다 다케시 외. (2016). 함께 모여 기후 변화를 말하다 (pp. 1-240). 서울: 북센스.
- 유광수 외. (2013). 비판적 읽기와 소통의 글쓰기 (pp.1-242). 박이정 출판사.
- 유발 하라리. (2015). 사피엔스 (pp.1-636). 서울: 김영사.
- 육혜원, 이송은. (2018). 생각하는 십대를 위한 토론 콘서트 정치(pp. 1-260). 서울: 꿈결.
- 윤용아. (2014). 생각하는 십대를 위한 토론 콘서트 사회 (pp.1-288). 서울: 꿈결.
- 윤용아. (2015). 생각하는 십대를 위한 토론 콘서트 문화 (pp. 1-280). 서울: 꿈결.
- 이본 배스킨. (2003). 아름다운 생명의 그물 (pp. 1-352). 돌베개.
- 이상헌. (2018). 4차 산업혁명 시대의 의료계 현황 및 전망. 한국성인간호학회 춘계학술대회. pp. 8-33.
- 이소영. (2016). 생각하는 십대를 위한 토론콘서트 문학 (pp. 1-256). 서울: 꿈결.
- 이수빈, 차승한. (2014). 도덕교과서로 토론하기(pp. 1-320). C&A에듀.
- 이완배. (2016). 생각하는 십대를 위한 토론 콘서트 경제 (pp.1-260). 서울: 꿈결.
- 장 폴 사르트르. (1998). 문학이란 무엇인가 (pp. 1-444). 민음사.
- 정유희. 안계정. 김채화. (2020). 의학·생명계열 진로 로드맵 (pp. 1-256). 미디어숲.
- 제니퍼라이트. (2020). 세계사를 바꾼 전염병 13가지 (pp.1-384). 산처럼.
- 제리 브로턴. (2014). 욕망하는 지도 (pp. 1-692). 서울: 알에이치코리아.
- 제임스 러브록. (2008). 가이아의 복수 (pp. 1-263). 서울: 세종서적.
- 제임스 왓슨. (2019). 이중나선 (pp. 1-260). 경기도: 궁리출판.
- 조나단 월드먼. (2016). 녹 (pp.1-344). 서울: 반니
- 조명선. (2019). 재난 피해자의 삶의 질에 영향을 미치는 요인: 제3차 재난피해자 패널 자료 분석. 지역사회간호학회지, 30(2). pp. 217-225.
- 조앤 베이커. (2010). 물리와 함께하는 50일 (pp.1-336). 서울: 북로드.
- 즐거운 수학, EBS Math.
- 최재붕. (2019). 스마트폰이 낳은 신인류 포노 사피엔스 (pp. 1-336). 서울: 쌤앤파커스.
- 칼 포퍼. (2006). 삶은 문제해결의 연속이다 (pp. 1-302). 부글북스.
- 클라이브 해밀턴. (2018). 인류세 (pp. 1-272). 서울: 이상북스
- 태지원. (2020). 토론하는 십대를 위한 경제+문학 융합 콘서트 (pp. 1-235). 서울: 꿈결.
- 페니 르 쿠터. 제이 버레슨. (2007). 역사를 바꾼 17가지 화학 이야기 - 전 2권. 서울: 사이언스북스
- 폴 스트레턴. (2003). 멘델레예프의 꿈 (pp. 1-372). 몸과마음
- 피터 앳킨스. (2014). 원소의 왕국 (pp. 1-270). 서울: 사이언스북스.
- 한스 요나스. (1994). 책임의 원칙 (pp.1-378). 서광사.
- 한승배, 김강석, 허희. (2020). 학과바이블 (pp. 1-624). 캠퍼스멘토.
- 헤르만 헤세. (2006). 헤르만 헤세의 독서의 기술 (pp. 1-284). 뜨인돌.
- 후쿠오카 신이치. (2020). 생물과 무생물 사이 (pp. 1-251). 은행나무.

※ 참고사이트

- e-대학저널 http://www.dhnews.co.kr/
- LG 사이언스랜드 http://lg-sl.net/home.mvc
- LG사이언스랜드 http://lg-sl.net/home.mvc
- LG사이언스랜드 lg-sl.net/home.mvc
- NCIC 국가교육과정 정보센터 http://ncic.kice.re.kr/
- SCIENCE ON scienceon.kisti.re.kr
- The ScienceTimes https://www.sciencetimes.co.k
- YTN 사이언스 https://science.ytn.co.kr/
- 경기도 융합과학 교육원 https://www.gise.kr/index.jsp
- 경기도융합과학교육원 https://www.gise.kr
- 과학기술정보통신부블로그 https://blog.naver.com/with_msip
- 과학동아 dongascience.donga.com
- 과학문화포털 사이언스 올 https://www.scienceall.com/
- 과학창의재단 STEAM 교육 https://steam.kofac.re.kr/
- 교수신문 http://www.kyosu.net
- 교육부공식블로그 https://if-blog.tistory.com/
- 국가에너지국 www.nea.gov.cn
- 국가직무능력표준(NCS) https://www.ncs.go.kr
- 국립국어원 https://www.korean.go.kr
- 국립산림과학원 https://nifos.forest.go.kr
- 국립중앙과학관 https://www.science.go.kr/mps
- 내일 교육 재수 없다 https://nojaesu.com/
- 네이버 백과사전 https://terms.naver.com/
- 더 사이언스타임지 www.sciencetimes.co.kr
- 동북아역사재단 https://www.nahf.or.kr
- 동아사이언스 http://dongascience.donga.com/
- 두산백과 https://www.doopedia.co.kr/
- 문화재청 https://www.cha.go.kr
- 사이언스 타임즈 : https://www.sciencetimes.co.kr/
- 수학동아 http://www.polymath.co.kr/
- 에듀넷 www.edunet.net
- 위키백과 https://ko.wikipedia.org/
- 청소년 과학 탐수 소논문(밴드). 리더 바람난 과학자 https://band.us/
- 청소년과학탐구소논문 https://band.us/band/58305057
- 최강 자격증 기출문제 전자문제집 CBT http://www.comcbt.com
- 탐구스쿨 https://www.tamguschool.co.kr
- 통계지리정보서비스 https://sgis.kostat.go.kr/view/community/intro
- 통계청 http://kostat.go.kr/
- 통계청 전국 학생활용대회 http://www.xn--989a71jnrsfnkgufki.kr/report/main.do
- 한국과학교육학회 http://www.koreascience.org
- 한국과학창의재단 사이언스올 www.scienceall.com
- 한국교육학술정보원 http://www.keris.or.kr
- 한국생명공학연구원 https://www.kribb.re.kr/
- 한화사이언스첼린지 https://www.sciencechallenge.or.kr/main.hsc
- 해피학술 http://www.happyhaksul.com
- 환경공간정보서비스 https://egis.me.go.kr/main.do

교과세특 탐구주제 바이블 자연계열편

1판 1쇄 찍음 2021년 6월 23일
1판 7쇄 펴냄 2024년 4월 15일

출판 (주)캠퍼스멘토
제작 (주)모야컴퍼니
저자 한승배, 강서희, 근장현, 김강석, 김미영, 김수영, 김준희, 김호범, 노동기, 배수연, 신경섭, 안병무, 위정의, 유현종, 이남설, 이남순, 최미경, 하희

총괄기획 박선경 (sk@moyacompany.com)
책임편집 (주)엔투디
연구기획 김예솔, 민하늘, 최미화, 양채림
디자인 박선경, (주)엔투디
경영지원 지재우, 임철규, 최영혜, 이석기
마케팅 윤영재, 이동준, 신숙진, 김지수, 조용근, 김연정
발행인 안광배, 김동욱

주소 서울시 서초구 강남대로 557(잠원동, 성한빌딩) 9F
출판등록 제 2012-000207
구입문의 (02) 333-5966
팩스 (02) 3785-0901
홈페이지 www.campusmentor.co.kr (교구몰)
moyamall.com (모야컴퍼니 홈페이지)
smartstore.naver.com/moya_mall (모야몰)

ISBN 978-89-97826-70-4 (54080)